D1500038

Nuages flottants

Hayashi Fumiko

Nuages flottants

Traduit du japonais par Corinne Atlan

ÉDITIONS DU
ROCHER

Conseillère d'édition
Racha Abazied

Japanese Literature
Publishing Project
JLPP

Ouvrage publié avec le soutien du Programme de publication de
littérature japonaise, géré par l'Association japonaise pour les
échanges culturels sous l'égide de l'Agence des affaires culturelles.

La traductrice remercie Michiko Naitô de son aide précieuse.

Titre original : *Ukigumo*.
Première édition japonaise : Shinchôsha, 1951.

ISBN 2-268-05367-9

1

Comme elle avait l'intention de prendre un train arrivant le plus tard possible dans la nuit, elle avait marché toute la journée au hasard dans les rues de Tsuruga. Après avoir quitté la soixantaine de femmes du camp et trouvé, près des entrepôts de la douane, une maison qui faisait office à la fois de lieu de repos et de magasin d'articles de ménage, Yukiko, enfin seule, s'était allongée sur les tatamis de son pays natal, pour la première fois depuis longtemps.

Les aubergistes firent aimablement chauffer le bain pour elle. Les clients étant peu nombreux, ils ne prenaient apparemment pas la peine de changer l'eau, qui était trouble, mais après le long voyage en bateau qu'elle venait de faire, Yukiko apprécia même cette eau tiède, où des inconnus avaient trempé avant elle; la pluie mêlée de grésil qui frappait la fenêtre légèrement noircie par la suie suscitait une multitude d'émotions dans son esprit en proie à la solitude. Dehors, le vent soufflait. Elle ouvrit la fenêtre, leva les yeux vers les nuages couleur de plomb. Toute à ses retrouvailles avec le ciel terne de son pays, elle resta perdue dans sa contemplation, en retenant son souffle. Elle posa les deux mains sur le rebord de la baignoire ovale, et frissonna à la vue de la longue cicatrice due à un coup de sabre sur son bras gauche, boursouflée comme un ver de terre. Tout en versant de l'eau chaude dessus, elle médita sur ses nombreux souvenirs nostalgiques, consciente malgré tout de la vie étriquée et sans but qu'elle allait devoir mener désormais. Elle s'ennuyait. «Une fois épuisés les meilleurs moments de sa vie, on ne fait plus que s'ennuyer», songea-t-elle tout en frottant lentement son corps avec la serviette douteuse. Se laver dans cette étroite salle de bains aux murs noirs de fumée lui paraissait complètement irréel. Le vent glacé qui continuait à souffler par la fenêtre la transperçait. Le froid de la saison l'avait saisie comme une soudaine éclaboussure, elle dont la peau avait si longtemps oublié cette sensation. Quand elle retourna dans sa chambre, elle trouva matelas et couvertures installés sur les nattes brunies par le temps ; les flammes ronflaient dans le petit brasero rustique, à côté duquel était posé un plateau, avec un bol plein d'échalotes confites. Elle prit la bouilloire en aluminium, se prépara du thé, mangea une échalote. Elle entendit résonner les voix de deux ou trois femmes dans le couloir, derrière les cloisons de sa chambre, et conclut d'après les bruits qui s'ensuivirent qu'elles s'installaient dans la pièce voisine. Elle tendit l'oreille, et reconnut sans mal, à travers la mince cloison de séparation, les voix des geishas qui étaient avec elle sur le bateau.

– Le plus important, c'est d'être rentrées, hein ! Maintenant qu'on est au Japon, notre corps nous appartient de nouveau, pas vrai ?...

– Mais ce froid, c'est tellement déprimant... Moi, je n'ai rien à me mettre pour l'hiver. Le plus dur, ça va être de trouver de quoi s'habiller, pour commencer !

En dépit de ce qu'elles disaient, elles avaient un ton étonnamment joyeux, et n'arrêtaient pas de rire sous cape comme à une bonne plaisanterie.

Yukiko s'allongea sur le matelas, désemparée, et resta là un moment sans penser à rien, mais elle se sentait déprimée et ne pouvait s'empêcher d'avoir le cafard. Et puis, ces voix criardes à côté, qui ne cessaient pas. C'était agréable de se laisser aller de tout son long, réchauffée par le bain, sur ce vieux matelas poisseux ; mais à l'idée du long trajet en train qui l'attendait encore, elle se sentait le cœur serré. Même la perspective de revoir ses proches manquait maintenant de charme à ses yeux. Elle envisagea d'aller directement à Tokyo rendre visite à Tomioka. Il avait eu la chance de quitter Haiphong dès le mois de mai. Il lui avait promis de l'attendre et de tout préparer pour son arrivée, mais maintenant qu'elle était pour de bon au Japon et éprouvait réellement la sensation de ce vent froid sur sa peau, elle avait l'impression que cette promesse ressemblait à celle échangée entre Urashima-tarô et la princesse Oto [1], et que tant qu'elle et Tomioka ne seraient pas réunis à nouveau, elle ne pourrait en vérifier la réalité. À peine descendue du bateau, elle avait envoyé un télégramme chez lui. Elle avait passé trois jours dans un dortoir pour rapatriés, le temps que les autorités procèdent à une enquête, puis les passagers du bateau avaient commencé les uns après les autres à regagner leurs villes d'origine. Pendant ces trois jours, elle n'avait reçu aucune réponse de Tomioka. Elle se résigna vaguement, songeant que, dans la situation inverse, elle aurait probablement agi comme lui.

Elle s'endormit un court moment. Quand elle se réveilla, fort peu de temps après, il faisait sombre derrière les cloisons, et la lumière était allumée dans la

---

1. Selon la légende, le pêcheur Urashima-tarô avait épousé Oto-hime, la fille du roi-dragon, et vivait heureux auprès d'elle au fond des mers. Cette vie s'évanouit comme un rêve quand il revint sur terre et se rendit compte, pour avoir ouvert un coffret interdit, que des centaines d'années s'étaient écoulées pendant son absence. (N.d.T.)

chambre. À côté, on dînait, apparemment. Elle avait faim elle aussi. Elle tira vers elle le sac à dos posé près de son oreiller, en sortit une des rations qui avaient été distribuées sur le bateau. Dans une petite boîte brune étaient rangés bien proprement des conserves de porc et de pommes de terre, de la soupe déshydratée, du pain sec, des mouchoirs en papier, quatre Camel. Il y avait aussi du chocolat, que Yukiko grignota, allongée sur le ventre. Il n'était pas sucré du tout.

Devant ses yeux vint flotter la vision nostalgique de la mer teintée de rouge de la baie de Douson. Depuis le bateau, elle avait regardé intensément cette mer, et le phare blanc du cap de Douson, ainsi que la verdure touffue de l'île de Hon Do, comme pour graver ce paysage en elle, en se disant qu'elle ne le reverrait sans doute jamais. Les couleurs de cette terre étrangère s'étaient déjà fanées, et elle trouvait fastidieux d'essayer de se souvenir. Les geishas d'à côté, leur repas terminé, étaient en train de régler leur note à la patronne – peut-être partaient-elles par le train de nuit ? Tout en prêtant l'oreille au raffut provenant de la chambre voisine, Yukiko vida un sachet de soupe dans une tasse à thé, versa de l'eau bouillante dessus et but. Elle mangea aussi les échalotes qui restaient. Les geishas s'en allèrent enfin, et traversèrent bruyamment le couloir, après avoir abondamment remercié l'aubergiste de son hospitalité. En entendant leurs voix, Yukiko songeait qu'elles allaient sans doute s'en retourner vers leurs provinces natales. Ce départ semblait l'inviter à prendre la route elle aussi. D'après ce qu'elle avait entendu dire sur le bateau, ces femmes rentraient au Japon après avoir travaillé deux ans dans un restaurant de Phnom Penh, et on avait beau les appeler des « geishas », c'était en réalité des prostituées que l'armée avait fait venir. Parmi les rapatriées rassemblées dans le camp de Haiphong, on trouvait aussi des infirmières, des dactylos, des employées de bureau mais il s'agissait pour la plupart de groupes de «femmes de réconfort» comme celles-ci. Des prostituées venues de toutes les villes avaient été rassemblées dans ce camp, au point que Yukiko s'était étonnée : on avait donc fait venir tant de femmes depuis le Japon ? Elle, Yukiko Koda, avait été engagée comme dactylo dans un centre de recherches sur la culture du quinquina de l'Institut Pasteur, situé entre Duran et Dalat. Elle était arrivée à Dalat à l'automne 1943. La température, sur ce haut plateau très agréable à vivre, situé à mille six cents mètres d'altitude, variait de six degrés au plus bas à vingt-cinq au plus haut. De nombreux Français y géraient des plantations de thé, et Yukiko entendait souvent résonner, sous le ciel transparent de Dalat, les douces sonorités de cette langue jusqu'alors inconnue d'elle.

«Et si j'envoyais une lettre à Tomioka ?» se demanda-t-elle soudain. Elle ne savait pas ce qu'elle pourrait bien lui écrire, mais en tout cas, elle se sentirait rassérénée, au moins le temps de rédiger ce message. À l'idée qu'elle venait de mettre le pied sur la terre où il se trouvait aussi, le sentiment de solitude et de vide qu'elle avait éprouvé au camp commença peu à peu à se dissiper. Elle acheta du papier à lettres et des enveloppes auprès de l'enfant des aubergistes, qui tenait la boutique.

2

Yukiko changea ensuite d'idée : si elle allait plutôt directement à Tokyo, rendre visite à Iba ? Si sa maison n'avait pas été détruite par les bombardements, elle pourrait s'installer chez lui quelque temps en attendant de retrouver Tomioka. Elle n'avait que des souvenirs pénibles dans cette maison, mais que faire d'autre ? Elle n'avait pas prévenu sa famille, à Shizuoka, de son retour, ce qui signifiait que personne ne l'attendait particulièrement. Elle quitta Tsuruga par le train de nuit. Sur le quai sombre, elle s'était éloignée en reconnaissant deux hommes qui se trouvaient avec elle sur le bateau et avait attendu exprès le train suivant. Il était si incroyablement bondé que les passagers qui attendaient sur le quai durent monter par les fenêtres. Yukiko parvint elle aussi à se glisser tant bien que mal à l'intérieur par une fenêtre. Elle se sentait abandonnée, pareille au moine Shunkan resté seul en exil[1]. Les gens autour d'elle lui jetaient des coups d'œil à la dérobée : avec ses vêtements légers en plein hiver, on devait voir tout de suite qu'elle venait d'être rapatriée des îles tropicales. Elle aussi, debout, serrée contre la foule, observait autour d'elle ces visages de perdants, marqués par la défaite. Était-ce parce qu'il

---

1. Moine du XIᵉ siècle ; il fut exilé sur une île lointaine, pour avoir comploté contre le clan des Heike. *(N.d.T.)*

faisait nuit? Les physionomies de tous les passagers paraissaient blêmes, vidées d'énergie. Ces masques sans défense se superposaient les uns aux autres dans le wagon étroit, comme dans un convoi d'esclaves. Peu à peu, Yukiko se sentit oppressée par ces visages qui l'entouraient: quel genre de pays le Japon était-il devenu? se demandait-elle avec angoisse. Où étaient passés les visages des soldats qu'elle avait vus autrefois partir au combat sous des vagues de drapeaux? Ces faciès lugubres portant tous la trace de l'épuisement se superposaient même au paysage de rivières et de montagnes qu'elle apercevait derrière la vitre sombre.

Elle arriva le lendemain soir à Tokyo. Il pleuvait. En descendant du train à Shinagawa, elle aperçut, en face du quai de la gare, la fenêtre de derrière d'un dancing: on voyait des têtes tournoyer sous la faible lueur de la lampe. Les accents mélancoliques du jazz se mêlaient à la pluie fine qui brillait sous les réverbères. Yukiko, tremblant de froid, levait la tête vers la fenêtre du dancing sur l'autre versant de la voie. Au bout du quai se tenaient deux soldats américains de l'armée d'occupation, grands, un chapeau blanc luisant de pluie sur la tête. Une foule crasseuse encombrait le quai. Sa tension quelque peu dénouée par les notes de jazz, Yukiko se détendit. Cependant, elle se sentait abattue, emplie de peur à l'idée de ne pas savoir de quoi elle allait vivre désormais. La plupart des gens debout sur le quai portaient des sacs à dos. De temps en temps, la silhouette inattendue d'une femme aux vêtements voyants, au rouge à lèvres écarlate, qui descendait l'escalier au bras d'un étranger, frappait le regard de Yukiko, qui ne pouvait détacher les yeux de ce spectacle dont elle n'avait pas l'habitude. La vie de Tokyo semblait avoir changé du tout au tout.

Yukiko prit la ligne Seibu, descendit à l'arrêt de Saginomiya. C'était le dernier train. Elle traversa la voie ferrée et emprunta la large avenue en direction de la centrale électrique, qu'elle se rappelait bien. Trois jeunes femmes la dépassèrent, marchant d'un pas vif sous la pluie, le visage emmitouflé dans des fichus voyants, le col de leurs longs manteaux relevé.

– Aujourd'hui, je l'ai raccompagné au port de Yokohama. De toute façon, il a sûrement une femme là-bas, dans son pays... Ah, dans la vie, il n'y a que l'instant présent qui compte, pas vrai ? Enfin, c'est bien comme ça... Il m'a présenté un ami à lui avant de partir, c'est bizarre, non ? En tant que japonaise, j'ai du mal à comprendre ça : coller un de ses copains dans les bras de sa petite amie, tout de même...

– Ah, mais pourquoi pas ? Maintenant que vous vous êtes quittés, vous ne vous reverrez jamais, il vaut mieux te changer les idées. Le mien aussi va repartir bientôt, tu sais... Faire les allers et retours à Atsugi, c'est trop pénible, je crois que je vais plutôt me mettre à en chercher un autre...

Yukiko avançait à pas rapides derrière les femmes qui discutaient bruyamment. «Alors, même au Japon, les choses en sont arrivées là...», se disait-elle, avec un sentiment bizarre.

Au bout d'un moment, les femmes tournèrent à droite, à l'angle de la poste. Yukiko était épuisée, elle avait l'air d'une souris trempée par la pluie. Les environs n'avaient pas changé du tout, depuis son départ pour le Sud. Il fallait tourner à gauche devant l'enseigne de la sage-femme, Mme Hosokawa, et on arrivait à la maison d'Iba, la deuxième maison au fond d'une étroite impasse. Ils allaient être surpris, sans aucun doute, de voir son allure misérable. Devant la porte de pierre du jardin, Yukiko s'arrêta un instant sous le réverbère sombre pour rajuster un peu sa mise. Ses cheveux, ses épaules, dégoulinaient de pluie. Elle se dit qu'elle était tombée bien bas. En

14

appuyant sur la sonnette, elle avait l'impression que ces années passées en Indochine n'avaient été qu'un rêve. Une lueur apparut derrière la porte vitrée du vestibule, et une ombre de haute taille descendit sur la terre battue de l'entrée. Le cœur de Yukiko se mit à battre violemment. C'était une silhouette d'homme, mais il ne s'agissait pas d'Iba.

– Qui est-ce ? fit une voix derrière la porte.

– Yukiko.

– Yukiko ? Yukiko comment ?

– Yukiko Koda, j'étais partie en Indochine.

– Ah... Qui voulez-vous voir ?

– Sugio Iba n'est pas là ?

– M. Iba ? Il n'est pas encore revenu de son évacuation.

La clé tourna enfin dans la serrure. L'homme en kimono d'intérieur qui venait d'ouvrir la porte d'un air las parut surpris à la vue de la jeune femme trempée comme une soupe, sans manteau, chargée d'un sac à dos, qui se tenait face à lui.

– Je suis une parente de M. Iba, et je viens de rentrer aujourd'hui à Tokyo...

– Eh bien, entrez. Iba est parti il y a trois ans se réfugier à la campagne, du côté de Shizuoka.

– Il n'habite donc plus du tout à cette adresse ?

– C'est-à-dire que nous occupons la maison, mais ses affaires sont toujours là.

Attirée par la voix de Yukiko, une jeune femme, un bébé dans les bras, apparut à son tour dans l'entrée : sans doute la femme de l'homme qui avait ouvert la porte. Yukiko leur raconta les circonstances de son retour. Apparemment, il y avait entre Iba et cet homme un problème assez compliqué concernant la maison, et les interlocuteurs de Yukiko ne paraissaient pas ravis de la voir débarquer ; ils l'invitèrent cependant à entrer au salon, disant qu'il faisait froid dans l'entrée.

15

Yukiko n'avait rien mangé depuis la veille, hormis la boulette de riz qu'on lui avait préparée spécialement pour le voyage à l'auberge de Tsuruga, et elle avait l'impression de flotter dans l'espace. Elle se heurta à une machine à coudre dans le couloir, pénétra dans le salon : dans la pièce de six tatamis que la famille Iba utilisait autrefois comme chambre à coucher, des bagages étaient amoncelés en telle quantité que le sol couvert de nattes semblait s'affaisser sous leur poids. Peut-être apitoyée par le fait que Yukiko rentrait d'Indochine, la maîtresse de maison lui servit du thé et lui offrit même une patate douce séchée. Le mari, âgé d'une quarantaine d'années, était grand, avec un physique de militaire, et un air un peu rustre. Son épouse était petite ; son visage au teint blanc était parsemé de grains de beauté, mais quand elle souriait, de mignonnes fossettes se dessinaient sur son visage.

Cette nuit-là, ils offrirent l'hospitalité à Yukiko, qui dormit sur un matelas fin couvert d'une mince couette, étalé dans l'espace exigu, au milieu des bagages d'Iba. Yukiko tira de son sac à dos sa boîte à rations et l'offrit à son hôtesse.

Une fois allongée, elle tendit les doigts vers un des emballages de natte grossièrement tissée qui recouvrait de solides caisses de bois, si bien qu'on ne pouvait absolument pas deviner ce qu'elles contenaient. La femme lui avait expliqué qu'Iba, qui devait revenir dans la capitale avant la fin de l'année, leur avait demandé de laisser deux pièces libres. Comme ils étaient une famille de six personnes, c'était compliqué de libérer des pièces ; d'ailleurs, pendant les bombardements, ils avaient fait tout leur possible pour protéger cette maison, et si on les mettait dehors du jour au lendemain, ils ne sauraient pas où aller, et ce serait contre la morale. Yukiko devinait l'agacement qu'Iba et sa famille, qui avaient déjà

16

renvoyé leurs bagages chez eux, devaient éprouver de leur côté : ils ne pouvaient pas rester éternellement à la campagne, maintenant que la guerre était finie. Paradoxalement, apprendre qu'ils étaient tous en bonne santé déconcerta Yukiko.

3

Yukiko Koda était arrivée à Dalat à la mi-octobre 1943. Les quatre dactylos qui accompagnaient l'équipe de l'ingénieur Mogi, du ministère de l'Agriculture et des Forêts, étaient d'abord arrivées à Haiphong. Mogi, envoyé par l'armée pour étudier les forêts d'Indochine, avait sélectionné quatre dactylos travaillant dans la même administration que lui, et en avait mis une en poste dans chacun des bureaux indochinois du ministère. Il y avait cinq candidates en tout, et Yukiko, finalement, avait été prise elle aussi. Elles étaient arrivées à Haiphong sur un bateau-hôpital, et de là avaient été transférées en véhicule militaire à Hanoi, où étaient nommées trois des dactylos. Yukiko Koda devait occuper un poste à Dalat, sur les hauts plateaux, et la cinquième jeune femme, Haruko Shinonoi, à Saigon. C'était Yukiko qui avait tiré le moins bon numéro dans cette loterie, peut-être à cause de sa personnalité discrète, qu'on remarquait peu. En dépit de son grand front, de ses yeux aux paupières allongées et de son teint blanc, elle manquait de charme et ne retenait guère l'attention, sans doute à cause de son air vaguement triste. Sur la photo de son laissez-passer militaire, elle paraissait plus vieille que ses vingt-deux ans. Hormis ses vêtements à col blanc qui lui allaient bien, elle était le genre de fille à sembler toujours habillée de la même façon, quoi qu'elle portât. Haruko Shinonoi, la dactylo nommée à Saigon, était la plus jolie des cinq, et ressemblait un peu à la célèbre actrice de l'époque, Li Kôran, si bien qu'elle éclipsait totalement Yukiko et ses autres collègues. Les deux voitures de l'armée dans lesquelles l'équipe s'était répartie quittèrent Hanoi, traversèrent successivement Than Hoa et Fouki, avant de s'arrêter pour la première nuit à Vinh. Trois cent cinquante kilomètres séparaient Hanoi de Vinh, au sud du Tonkin. Ils passèrent la nuit au Grand Hôtel de Vinh. Sur les pentes des montagnes sauvages qui les environnaient, on voyait les nombreuses traces noires des terrains calcinés par la culture sur brûlis, et d'épaisses fumées jaunes s'élevaient encore par endroits. Était-ce à cause de ces zones de forêts interminables qu'ils traversaient ? Haruko Shinonoi poussa à plusieurs reprises de profonds soupirs destinés à marquer combien elle se sentait triste et seule. Yukiko, qui n'avait jamais voyagé aussi longtemps de sa vie, se sentait épuisée. Après Than Hoa, la voiture roula à bonne vitesse, entre chien et loup, mais le crépuscule les rattrapa à proximité de Vinh, et de gros papillons de nuit se mirent à voleter devant les phares, en grosses nuées blanches pareilles à des feuilles de papier jetées au vent sur la route.

Il devait y avoir un canal à gauche de l'hôtel, car un écho de voix de bateliers vietnamiens provenait de ce côté. Des grenouilles coassaient bruyamment. Après avoir garé la voiture dans un massif de banran et de nems, la petite troupe entra dans l'hôtel, et on les conduisit à leurs chambres. Yukiko et Haruko partageaient une jolie chambre toute propre au rez-de-chaussée, donnant sur le canal.

Haruko ouvrit la fenêtre. On entendait le bruit de l'eau. Leurs deux minces valises étaient rangées côte à côte sur une table où était posée une lampe orange. Le papier peint fleuri couleur pêche et le lit double recouvert d'une moelleuse couverture bleu ciel, tout avait un charme et une fraîcheur qui correspondaient bien au goût des Français. Pour ces deux jeunes filles qui menaient depuis longtemps une vie de misère dans le Japon en guerre, c'était un monde de conte de fées. Après s'être débarbouillées, elles allèrent prendre un dîner tardif au restaurant de l'hôtel, où un soldat portant au bras le brassard blanc de la police militaire s'approcha d'elles sous prétexte de vérifier leurs laissez-passer. Cela devait faire longtemps qu'il n'avait pas vu de femmes japonaises. Cette nuit-là, ni Yukiko ni Haruko ne purent fermer l'œil. Quand elles avaient quitté le Japon, il y faisait un froid épouvantable, mais depuis Haiphong, Hanoï et Than Hoa, plus elles descendaient vers le sud, plus le climat semblait aller à rebours vers l'été. Elles n'arrivaient pas à dormir dans ces lits mous, élastiques. Les coassements de grenouilles parvenaient sans relâche à leurs oreilles, avec la régularité de grosses gouttes de pluie, comme les notes d'un grand shamisen[1].

Les images des jours qui avaient précédé son départ flottaient devant Yukiko comme un rêve : ce qui s'était passé chez Iba, la soirée d'adieu avec ses amies, la piqûre de vaccin reçue en hâte au ministère de l'Armée de terre. Elle avait encore du mal à croire au destin extraordinaire qui l'avait propulsée jusqu'en Indochine... Sugio Iba était le frère cadet de Kyotarô Iba, mari de la sœur aînée de Yukiko, et avait lui aussi une femme et des enfants. Comme il était son unique parent à Tokyo à habiter une maison, elle s'était installée un temps chez lui, quand elle était venue à Tokyo, fraîche émoulue du lycée de filles de Shizuoka, pour entrer dans une école de dactylographie de Kanda. Sugio Iba, qui travaillait à la section du personnel d'une compagnie d'assurances, avait une réputation de droiture. Cependant, une semaine à

---

1. Instrument à cordes traditionnel. *(N.d.T.)*

peine après l'arrivée de Yukiko chez lui, la jeune fille l'entendit une nuit fourrager dans la cuisine, où il était descendu boire un verre d'eau. Un instant plus tard, les cloisons de la chambre de service de trois tatamis où elle dormait coulissèrent doucement : dans un demi-sommeil, Yukiko les entendit ensuite se refermer, puis un bruit de pas fit crisser les nattes. Lorsqu'elle sentit le corps d'un homme s'abattre soudain lourdement sur sa poitrine, Yukiko sursauta et écarquilla les yeux dans le noir. Enveloppée par une désagréable odeur de cuir, elle entendit Iba prononcer tout bas quelques mots qu'elle ne comprit pas. Quand les jambes nues et rugueuses de l'homme touchèrent les siennes dans le lit, elle voulut crier, mais quelque chose lui disait qu'il valait mieux ne pas élever la voix, et elle resta silencieuse.

Après les événements de cette nuit-là, Yukiko eut du mal à regarder en face Masako, l'épouse d'Iba. Pourtant, les nuits suivantes, elle ne put s'empêcher d'attendre la venue d'Iba, sans savoir elle-même pourquoi. À chacune de ses visites, il lui enfonçait un mouchoir dans la bouche. Yukiko trouvait étrange qu'Iba manifestât une telle passion pour une femme aussi banale qu'elle-même, alors qu'il avait une femme belle et pleine d'esprit... Yukiko passa trois ans dans la maison d'Iba puis, à sa sortie de l'école de dactylographie, trouva un emploi au ministère de l'Agriculture et des Forêts. Masako ne semblait pas se douter de la relation de Yukiko et de son mari. De temps en temps, elle allait dormir avec les enfants dans sa famille d'origine, à Yokohama, et dans ces cas-là, Iba se couchait tôt et appelait Yukiko auprès de lui. Yukiko se contentait d'obéir en silence à toutes ses demandes. Il ne parlait jamais de l'avenir, et la traitait exactement comme il l'eût fait d'une prostituée. C'était aussi pour se sortir de cette situation d'adultère que Yukiko avait pris la décision de partir en Indochine, et tant que tout ne fut pas réglé, elle n'en souffla mot ni aux Iba, ni à sa mère à Shizuoka, ni à ses frères et sœurs. Quand enfin elle fut certaine de partir, elle fit part de sa décision à sa famille et aux époux Iba. Sugio ne manifesta aucune émotion particulière. Yukiko, qui avait observé à la dérobée son sang-froid extraordinaire à l'annonce de cette nouvelle, en ressentit une cuisante humiliation. Quitter cette maison l'emplissait de joie, comme si elle enfonçait un énorme clou dans le cœur d'Iba. Elle se mit même à détester Masako, qui prit l'habitude de dire de temps à autre, par plaisanterie ou par ironie : « Tu es bien susceptible depuis quelque temps, Yukiko. Je crois qu'il est temps de te trouver un mari ! » Deux ou trois jours après avoir appris que Yukiko partait pour l'Indochine, Sugio lui acheta des médicaments, un sac à main et des sous-vêtements. Yukiko trouva ces attentions extrêmement vexantes. Masako, de son côté, parut en concevoir une certaine suspicion, et même de l'antipathie envers la jeune fille.

4

Vers l'aube, elle rêva de Sugio. Était-ce à cause de ce long voyage ? Elle avait une étrange envie de sentir une peau contre la sienne, et ressentait une solitude aussi profonde que le gouffre des Enfers. Elle était arrivée si loin, et voilà qu'elle ne pouvait s'empêcher d'avoir envie de rentrer au Japon. Elle entendait encore à son oreille le souffle pressant de Sugio, lorsqu'il lui enfonçait le mouchoir dans la bouche la nuit. Elle pensait à lui longuement, s'étonnant que cet homme qu'elle n'avait cessé de haïr lui manquât soudain à ce point, maintenant qu'elle était loin. Sûrement, lui aussi devait penser à elle. Il n'avait pas fait de commentaires, parce qu'il était taciturne de nature et n'aimait pas dire des choses compliquées, mais leur relation avait continué jusqu'au jour du départ de Yukiko pour l'Indochine. Comment se faisait-il qu'en trois ans, elle ne soit jamais tombée enceinte ? Masako, elle, avait mis un garçon au monde au cours de ces trois années.

De nombreux souvenirs s'enchevêtraient sans fin dans la tête de Yukiko, et elle finit par se lever. Elle ouvrit la cloison donnant sur la véranda : le canal scintillait dans la nuit, juste sous ses yeux. De hauts nems bordaient la rive, et on entendait pépier de petits oiseaux exotiques. La brume s'était levée sur le canal, sur lequel circulaient quelques jonques. C'était indiciblement agréable d'être ainsi adossée à la véranda de pierre, le visage offert à la brise nocturne. Il existait donc des pays paradisiaques à ce point ! s'étonna Yukiko tout en écoutant le chant des oiseaux, son regard vague fixé sur le canal. Des nuées de moineaux survolaient les eaux. Le monde d'avant s'était évanoui comme un mirage, une fois passées les eaux boueuses de Haiphong, mais Yukiko n'avait pas la moindre idée de l'existence qui l'attendait désormais.

Après un petit déjeuner pris avant l'aube, toute l'équipe remonta en voiture, pour se diriger cette fois vers la ville de Huê, l'ancienne capitale du sud de l'Indochine. Des fumées s'élevaient lentement des maisons à toits de jonc que l'on apercevait par transparence, le long du canal, entre les rangées de filaos qui bordaient la route. La Citroën jaune avançait, les pneus chuintants, sur le large ruban d'asphalte de la route coloniale.

Vinh, avec ses vingt-cinq mille habitants, était une agglomération importante du nord du Vietnam, expliqua un des hommes de l'équipe. Ils parvinrent bientôt à un embranchement ; l'une des deux routes menait vers le haut plateau laotien. De temps à autre, on voyait s'élever sur la droite, dans la forêt, la fumée des cultures sur brûlis. Ils avaient déjà roulé assez longuement sur la route de Huê, qui traversait une vaste zone forestière, quand le jour se leva enfin et qu'un soleil pâle se mit à percer. Au fur et à mesure que les rayons se faisaient plus forts, l'air devenait plus sec, et un paysage estival rafraîchissant apparaissait sous le ciel haut.

Ils passèrent la deuxième nuit à Huê. Là encore, leur hôtel s'appelait le « Grand Hôtel ». De nombreux soldats japonais y étaient en garnison. Le large canal de Huê coulait juste devant l'hôtel. Le pont Clemenceau était tout proche. Yukiko n'en revenait pas de voir que l'armée de son pays était parvenue jusque-là. Les soldats japonais avaient l'air de tenir un siège. Elle trouvait que le Japon avait un peu trop de chance. Cependant elle n'avait pas le loisir de s'interroger pour savoir combien de temps son pays allait pouvoir occuper cette réserve de trésors. Elle s'était abandonnée au cours des choses pendant le voyage, avec le simple sentiment qu'il n'y avait rien d'autre à faire que de se laisser emporter au loin par cette voiture. L'armée japonaise, telle qu'elle la voyait ici, avait l'air bien insignifiante. Avec ces silhouettes vêtues d'uniformes mal taillés, ces grosses têtes coiffées de petits casques posés en haut du crâne, on aurait dit l'armée d'un pays primitif. Le décor de cette ville seyait bien mieux aux Vietnamiens qui déambulaient dans les rues, et aux Français qu'on voyait passer quelquefois. La ville chinoise était moderne elle aussi. Les rues du centre-ville étaient bordées de camphriers d'un vert éclatant, qui montraient déjà leurs premiers bourgeons, répandant une poussière dorée sous les rayons brûlants du soleil matinal. Autour du palais de briques rouges, de jeunes étudiantes vietnamiennes aux chaussettes en tire-bouchon jouaient au foot, spectacle inhabituel pour Yukiko. Sur le sentier de promenade qui longeait le fleuve fleurissaient des flamboyants et des cannas. Les eaux gonflées étaient jaunes, boueuses, un vent à l'odeur de vase soufflait sur la ville.

Était-ce à cause de l'euphorie du voyage ? Les sept personnes que comptait l'équipe se sentaient comme libérées. Un vieil homme du nom de Setani, de l'administration des mines, voyageait depuis le début dans la voiture des dactylos, et avait pris l'habitude de s'asseoir à côté de Haruko Shinonoi. Il se serrait exprès contre les genoux ou l'épaule de la jeune fille, se souciant peu d'être tout collant de sueur, et tenait des propos obscènes d'un ton insolent. Yukiko avait entendu dire que Saigon était une ville à l'ambiance si parisienne qu'elle avait mérité le surnom de « Petit Paris ». Elle enviait Haruko : elle aurait aimé avoir elle aussi un poste dans une aussi belle ville. Les choses étant déjà décidées en haut lieu, elle ne pouvait rien y changer, cependant elle n'ignorait pas que ce genre de nomination se faisait aussi en fonction de l'allure et de la beauté de la candidate. Yukiko ne pouvait s'empêcher d'éprouver une certaine mélancolie à l'idée que son destin à elle était de rejoindre un poste sans intérêt, au fin fond d'un haut plateau perdu du nom de Dalat, dont personne n'avait jamais entendu parler. Rien n'est aussi pénible pour une jeune femme que de se sentir banale. Et il faudrait qu'elle reste à ce poste pendant au minimum un an : cette idée-là aussi lui était pénible.

Sugio lui avait lancé au moment du départ : « Si c'est bien, l'Indochine, tu pourras nous faire venir aussi, hein ? » C'était une simple boutade, reflétant son désir d'échapper à la lugubre atmosphère de guerre qui régnait au Japon, mais Yukiko se prenait maintenant à rêver qu'il pourrait quitter sa compagnie d'assurances et demander un poste en Indochine pour la rejoindre.

Après avoir passé la nuit à Huê, la petite troupe prit un train pour Saigon, à partir de la gare de Tsufun, en bord de mer. C'était un mignon petit train ; les compartiments de deuxième classe étaient étroits mais arrangés de façon étonnamment luxueuse. Il y avait un canapé, une petite table, et même un petit ventilateur qui brassait l'air en permanence avec célérité. Il y avait même une cabine de douche attenante. C'était bien plus agréable que de voyager en voiture. Quand on commandait un café, c'était un boy vietnamien qui l'apportait, dans une tasse si profonde qu'on eût dit un vase. Yukiko s'installa dans un compartiment avec Haruko. Par moments, de violentes secousses agitaient le train, et Yukiko comprit alors pourquoi les tasses à café étaient aussi profondes. Les grains de sable qui pénétraient en permanence dans le compartiment, tout comme pendant le voyage en voiture, obligeaient les deux femmes à garder le silence. En dépit des luxueux accessoires, l'intérieur du wagon était tout sale, à cause du sable. Haruko, à peine installée dans le wagon, avait enfilé des bas de soie et d'élégantes chaussures à semelles de caoutchouc, dont Yukiko se demanda où et comment elle se les était procurées. Depuis qu'elles étaient dans le train, le parfum entêtant de sa voisine dérangeait Yukiko. Elle se sentait vexée, et battue à plate couture, avec son pantalon de serge taillé dans son ancien uniforme d'étudiante, et ses chaussures noires toutes sales, au bout renflé. Son pantalon bleu marine commençait à être passablement crasseux après ce long voyage.

Tout en contemplant avec jalousie le maquillage de Haruko, plus appuyé que lorsqu'elles voyageaient en voiture, elle lui lança :

– Tu as de la chance de t'installer à Saigon.

– Ah, mais tant que je ne suis pas arrivée, je ne peux pas savoir si c'est bien ou pas. C'est plutôt toi qui as de la chance, la plantation de quinquinas de Pasteur, c'est certainement un endroit très chic, non ? Toi qui es studieuse, tu vas certainement apprendre le français et le vietnamien en un rien de temps. C'est un endroit de première classe, j'en suis sûre. Il doit faire plus frais que dans les plaines, ça doit être bien...

Yukiko se rendait bien compte que Haruko, consciente de sa propre chance, cherchait seulement à la consoler.

– Mais je suis triste d'aller vivre dans un endroit aussi désert. Pour commencer, je ne serai plus avec vous, alors qu'on a partagé les difficultés du voyage. Non vraiment, je vais me sentir seule, au fond de ces montagnes où je ne connais personne. Je vais m'ennuyer...

Le train continuait à traverser en cahotant des vagues successives de montagnes sauvages.

À l'arrivée à Saigon, il faisait nuit.

5

Yukiko était épuisée par ce long voyage, sans doute par manque d'habitude. Parfois, dans la journée, elle était prise d'incompréhensibles accès de fièvre. Ils passèrent cinq jours entiers à Saigon, mais la complexité des formalités à remplir pour l'armée ne lui laissa pas le loisir de visiter la ville. Ils logèrent dans un hôtel désigné par l'armée et, pour la première fois depuis le départ de Haiphong, elle put se reposer tranquillement dans un logement modeste, correspondant à sa situation sociale. Le quatrième jour, un nommé Nakawatari, qui travaillait au service d'information de l'armée, vint chercher Haruko Shinonoi pour l'emmener à son logement de fonction. Dans l'hôtel où logeait Yukiko, et qui avait été autrefois semblait-il une habitation de Chinois immigrés, il n'y avait que des lits pliants dans de grandes pièces vides et sans décoration, où deux Vietnamiennes faisaient languissamment le ménage. Les ingénieurs Mogi et Kuroi, ainsi que Setani et Yukiko, devaient tous se rendre à Dalat, aussi leur petit groupe se retrouvait-il toujours à la même table, dans un coin de la salle à manger. Sur le mur de crépi bleu était appliquée une grande carte sommaire. Trois hautes tables en bois de santal étaient alignées côte à côte, et tout le monde dînait là. Dans le restaurant, des visages différents défilaient chaque soir. Les groupes se formaient et se dénouaient rapidement, à l'exception d'un homme qui était toujours là, à une place immuable, devant une table au frais près de la fenêtre. Ce curieux convive attira l'attention de Yukiko malgré elle. Il était toujours en train de lire un livre ou un journal. Il semblait être venu seul, et revenait chaque soir, exactement à la même heure, s'asseoir à la même table. Il avait le teint olivâtre et des cheveux épais. Son visage ovale, vu de profil pendant qu'il était plongé dans sa lecture, était aussi inexpressif que celui d'un mort. Chaque soir, il revenait d'on ne sait où, et s'installait dans le restaurant désert devant une bouteille de whisky. Yukiko trouvait que sa chemise à manches courtes à motifs imitant le galuchat et son pantalon marron lui donnaient l'air d'un Vietnamien. Comme elle avait de la fièvre, elle descendait souvent au restaurant le soir demander de la glace et, chaque fois, y trouvait cet homme en train de boire, assis sans correction, en tailleur sur une chaise. Il ne paraissait même pas remarquer la présence de la jeune femme et continuait à boire, l'air imperturbable, paraissant jouir de sa solitude. Juste à côté il y avait une rue de bars et de restaurants tenus par des Chinois d'où provenait même la nuit l'écho bruyant des disques et de la radio. Le vent apportait jusque dans le restaurant des bribes lointaines de chansons patriotiques, telles que «Ô père, toi qui étais si fort!». Tandis qu'elle avalait son médicament dans un coin du restaurant, les accents de cette musique semblaient inviter Yukiko. Sans raison particulière, elle se sentait envahie par un esprit aventureux qui lui donnait envie d'engager la conversation avec cet homme. Elle était persuadée que la gent masculine dans son entier était animée des mêmes pulsions que Sugio et, peut-être poussée par l'ennui du voyage, se disait qu'elle pouvait bien adresser la parole à cet homme sans qu'ils aient été présentés, quelle importance après tout? Toute à ces pensées, elle feignait de se plonger dans la lecture d'un des journaux japonais qui traînaient dans le restaurant. Pendant ce temps, l'homme continuait à lire en buvant son whisky avec une indifférence presque insolente. La légère rougeur due à la boisson qui envahissait ses bras longs et minces émergeant des manches courtes de sa chemise attirait l'œil de Yukiko. Il doit avoir dans les trente-quatre, trente-cinq ans, jugea-t-elle. Sans doute ne le reverrait-elle jamais, elle ne saurait jamais ni son nom ni son métier, songeait-elle, une fois seule dans son lit étroit. Même là, la pensée de cet homme ne la quittait pas.

Le cinquième jour, elle dut boucler à nouveau ses bagages, pour suivre l'équipe de Mogi: le camion qui devait les conduire à Dalat était là. Autrefois, sous les Khmers, Saigon s'était appelée Pulay Nokor, ce qui signifiait «Capitale de la Forêt». D'en haut du camion, le regard portait sur les arbres énormes appelés «figuiers banians», qui bordaient majestueusement le ruban d'asphalte de l'avenue principale de Saigon, où défilaient des cyclopousses pareils à des insectes. Sous les tamariniers de l'élégante avenue Catinat jouaient des enfants français habillés de bleu ciel: on aurait dit un tableau. Les fruits mûrs des tamariniers donnaient une impression de campagne. Il n'y avait pas une seule feuille sur l'avenue. Les tenues des Vietnamiens et des Chinois qui allaient et venaient nonchalamment sous ces arbres étaient un sujet d'étonnement pour Yukiko, accoutumée aux ternes vêtements japonais. Un soudain élan de jalousie envers Haruko Shinonoi la traversa. Elle l'enviait de pouvoir rester dans cette ville magnifique. Des soldats japonais marchaient à l'ombre des feuillages touffus, par petits groupes, l'air solitaire et indécis. On ne sentait derrière eux ni la puissance de l'armée japonaise ni celle de l'Empire. On aurait dit qu'ils avaient été jetés là par hasard. Leur petit groupe, en haut du camion, arborait également des visages exténués par le long voyage et suintants de sueur. À l'idée qu'elle faisait elle aussi partie de ces gens, une onde de tristesse traversa le cœur de Yukiko, comme si elle-même n'était pas la fille d'un ouvrier à la journée qui avait dû renoncer à tout amour-propre pour survivre. Elle voulait s'en aller d'ici. Peu lui importait à quoi ressemblait Dalat. Elle ne supporterait jamais de vivre seule sur ces hauts plateaux désertiques. L'ingénieur des mines Setani, qui avait complètement changé d'attitude envers Yukiko depuis le départ de Haruko, se tourna, tout sourire, vers la jeune fille :

– Dites, vous avez l'air drôlement abattue ! Allez, un peu de gaieté ! Où que vous alliez, l'armée japonaise sera à vos côtés, vous n'avez aucune inquiétude à avoir. Et puis, vous serez la seule femme japonaise, ça vous donne une sacrée responsabilité ! Vous allez travailler en collaboration avec l'armée impériale. Quelle chance, non ?...

6

La route commençait à monter en lacets à partir d'un village du nom de Puren, à seize kilomètres de Dalat, et le camion se mit à gravir péniblement en grinçant la large route en épingle à cheveux menant vers le haut plateau de Lang Bian. La nuit tombait, et les envols soudains des paons blancs, dans l'ombre de la forêt, au bord de la route, effrayaient par instants la petite troupe.

Sur le haut plateau où traînaient des lambeaux de brume, au milieu de la forêt qui s'étageait en hauteur, étaient disséminés quelques bâtiments somptueux à l'allure de résidences secondaires. On pouvait encore voir devant certaines villas des pivoines en fin de floraison, et dans d'autres des courts de tennis encadrés de mimosas. Le parfum presque impalpable des petites boules jaune d'or flottait jusqu'au camion quand il roulait à proximité. Yukiko avait l'impression de rêver. Il y avait quelque chose de grandiose dans ce haut plateau, incomparable avec Saigon, la Capitale de la Forêt. Des paysannes vietnamiennes coiffées de chapeaux coniques, une palanche à l'épaule, se rangeaient pour céder le passage au véhicule.

La ville de Dalat avait aux yeux de Yukiko toute l'apparence d'un mirage se reflétant sur le ciel du haut plateau. La vision de cette ville en altitude, avec le mont Lang Bian en arrière-plan et un lac devant, fit complètement chavirer toutes les images négatives et les appréhensions de Yukiko. Quand le camion pénétra dans la cour d'un bâtiment de chaux blanche qui était, lui dit-on, l'ancien commissariat français de Dalat, Yukiko vit un drapeau du Soleil-Levant flotter fièrement sur la façade. Sur la porte de pierre, était appliqué un nouveau panneau indiquant : « Bureau régional des Eaux et Forêts ». Au-dessous était clouée une planchette portant en petits caractères tracés à l'encre noire les traductions française et vietnamienne de ce titre. Les nouveaux arrivants furent accueillis par M. Makita, le chef du bureau, dans un salon donnant sur le lac. Yukiko était la seule qui allait travailler là quelque temps et une domestique vietnamienne la conduisit jusqu'à sa chambre. C'était une pièce au fond du premier étage, qui ne donnait pas sur la ville ni le lac, mais par la fenêtre au nord on apercevait la silhouette toute proche du mont Lang Bian. Dans le jardin empli de bougainvillées en fleur, un chien blanc aux poils longs emmêlés se roulait sur la pelouse.

Yukiko, épuisée par le long voyage, fut soulagée d'avoir enfin une chambre à elle. Il n'y avait pas de tapis sur le plancher de teck, qui donnait une impression de fraîcheur. Le mobilier consistait en un lit simple, une table et une chaise. Une étroite commode occidentale peinte en blanc brisait l'harmonie des teintes sombres de la pièce. De petits oiseaux à la recherche de leur nid pépiaient de toutes leurs forces dans le crépuscule. L'ingénieur Mogi, Setani et les autres furent conduits jusqu'à l'hôtel Lang Bian, le plus luxueux de la ville, dans la voiture de Makita. Yoshizô Makita, qui avait commencé sa carrière au bureau des forêts de la préfecture de Tottori, avant d'entrer au ministère, était un gros petit homme d'une quarantaine d'années. Il avait été mobilisé fin 1942 et envoyé à Dalat. Il avait fait des sorties d'observation dans tous les coins de montagne environnants à ce qu'on disait, et avait auprès de lui pour le seconder deux interprètes vietnamiens, un fonctionnaire du ministère et une secrétaire métisse. Yukiko était exténuée. Elle fut invitée à dîner avec toute l'équipe au restaurant de l'hôtel Lang Bian, mais elle ne se sentait pas très bien et déclina l'invitation. Elle s'allongea directement sur la couverture sans défaire le lit, sentant encore les secousses du camion et la pénible sensation d'oreilles bouchées de la montée. Elle avait envie de s'endormir comme une masse. Quand elle fermait les yeux, elle entendait frémir la forêt, cela faisait comme un bruit de fond de cigales. L'odeur de peinture fraîche de la commode lui irritait les narines.

Ce soir-là, elle dîna seule dans la grande salle à manger. Le repas était préparé par la servante vietnamienne. Il y avait une cheminée de pierre au centre de la pièce et un piano étincelant près de l'entrée. En regardant ses mains jaunâtres, posées sur la nappe blanche amidonnée, Yukiko trouva qu'elles avaient l'air plus sales que celles de la servante. Une fleur de bougainvillée flottait dans le rince-doigts de verre posé sur la table. Les bâtonnets de farine de poisson, d'un rouge noirâtre comme des saucisses, et la soupe au tofu étaient des mets inhabituels pour Yukiko. La servante, une femme de trente ans passés, aux jolis yeux, avait le front dégagé et un visage brun et lisse, légèrement maquillé, comme juste éclaboussé de poudre. De petites perles de pâte de verre bleue ornaient ses oreilles. Elle baragouinait quelques mots de japonais. Des nuées de moustiques blanchâtres étaient collées sur la large fenêtre grillagée. Yukiko achevait son repas quand un bruit de moteur retentit dans la cour. Elle s'étonna que Makita revienne si vite, et songea aussitôt que cela ne pouvait être lui. La servante se précipita vers l'entrée et Yukiko l'entendit dire « bonsoir » d'une voix suave. Une voix d'homme lui répondit, mais Yukiko ne comprit pas ce qu'il disait.

Ensuite, il y eut un bruit de pas rapide, et un homme fit irruption dans la salle à manger : c'était le grand Japonais qui avait attiré l'attention de Yukiko à l'hôtel de Saigon. Il eut l'air légèrement surpris à la vue de la jeune fille, la salua du regard, puis ressortit aussitôt du même pas vif dans le couloir.

Yukiko avait fini de manger depuis un moment, mais la servante ne réapparaissait pas dans la salle à manger. Yukiko avait rendu son salut à l'homme en rougissant, mais maintenant le fait qu'il ne remît pas les pieds dans la salle à manger l'irritait. Elle, qui se sentait morte de fatigue un instant plus tôt, était en proie à un sentiment langoureux, comme si un feu s'était brusquement allumé en elle. Elle retourna furtivement dans sa chambre, se regarda dans le miroir de la commode, se mit une épaisse couche de rouge à lèvres, se coiffa, mit même un peu de poudre, et se hâta de retourner à la salle à manger, mais seul le battement insistant des ailes d'un gros papillon blanc contre la moustiquaire rompait le silence de la salle déserte. Au bout d'un moment, la servante vint apporter du café et s'éclipsa aussitôt. Yukiko eut beau attendre, l'homme ne revint pas. Elle retourna dans sa chambre, complètement démoralisée. Lorsqu'elle entendit quelqu'un monter le large escalier, elle colla l'oreille contre sa porte, le cœur battant, puis, quand le bruit se fut éteint, redescendit dans la salle à manger. Soulevant le couvercle du piano sans raison particulière, elle tapota distraitement les touches, joua un air qu'elle avait appris quand elle était écolière. Au mur était accroché une sorte de tableau de statistiques sous verre, portant sur les forêts de la région. En regardant les dessins d'échantillons de pins de Khasia, de chênes, de châtaigniers et de banians, elle eut vraiment le sentiment de se trouver au bout du monde, loin de son pays. La pièce demeurait déserte ; elle sortit dans le jardin. Les étoiles transparentes brillaient partout dans le ciel, le vent de la nuit soufflait sur sa jupe en lourde popeline de soie, avec un frottement soyeux de ballons s'entrechoquant. Un suave parfum de fleurs, venu d'on ne savait où, flottait dans l'air. Sur le sentier devant la maison, Yukiko entendit des femmes échanger des « *bonsoir* » en français. De légers nuages passaient entre les étoiles.

On ne voyait pas le lac. Yukiko retourna dans sa chambre et s'adossa à la fenêtre. Au bout d'un moment, elle entendit un téléphone sonner dans une pièce en bas puis, peu après, la voiture de Makita revenir. Un joyeux vacarme, dans lequel elle reconnut des rires d'hommes, envahit soudain le rez-de-chaussée.

7

Yukiko fut réveillée à l'aube par le bruit du vent dans les pins, sur la montagne. Le rêve qu'elle venait de faire lui avait laissé un goût de nostalgie : elle jouait au tennis sur une vaste pelouse avec l'inconnu de Saigon. Elle essaya de se le rappeler plus précisément, mais les détails lui échappaient. Bah, il était sans doute de passage, et ne resterait pas longtemps ici. Mais tout de même, elle était heureuse que le hasard les ait réunis à nouveau sous le même toit. Elle se maquilla soigneusement, enfila une robe discrète, taillée cependant dans de la soie blanche, et descendit prendre le petit déjeuner. Dans la salle à manger, Makita et l'homme de la veille buvaient du café, devant la moustiquaire grande ouverte. Makita, le teint animé, salua joyeusement Yukiko mais son compagnon ne jeta pas un regard à la jeune fille. Assis dans une position grossière, les jambes posées sur le rebord de la fenêtre, il regardait le lac couvert de brume. Yukiko trouva qu'il se conduisait comme un collégien, avec son silence buté et son indifférence affectée.

– Ah, mademoiselle Koda ! Venez par ici. Vous devez être fatiguée par ce long voyage. Il paraît que vous étiez dans le même hôtel que Tomioka à Saigon ?

Yukiko jeta un regard inquiet du côté de l'homme et Makita ajouta à voix basse :

– Mademoiselle Koda va être dactylo chez nous pendant six mois, après quoi elle sera transférée à Pasteur.

L'homme se tourna pour la première fois vers Yukiko et se présenta, sans se lever pour autant :
– Tomioka. Enchanté.
– Ah bon, c'est la première fois que vous vous parlez ? Je croyais que vous vous étiez déjà présentés. Kengo Tomioka vient du ministère des Forêts au Japon, il est arrivé de Bornéo il y a trois mois. On ne voit pas souvent de Japonaises par ici, vous savez, mademoiselle Koda. Vous allez avoir du succès... vous serez la seule femme japonaise parmi nous.

Yukiko s'assit assez loin d'eux, sur le canapé de cuir. La veille, Setani avait parlé d'elle aux deux hommes en ces termes :

– C'est une fille plutôt effacée, ce sera bien mieux pour le travail. Celle qui est restée à Saigon est une vraie beauté, je crains qu'elle ne soit une cause de problèmes là-bas.

Cependant, en la voyant maintenant devant lui, Makita ne trouvait pas la nouvelle recrue si anodine que ça. Ses cheveux n'étaient pas permanentés, et ce détail lui plaisait – c'était tellement rare. Et surtout, elle était réservée. La vue de ses jambes nues potelées qui sortaient de sa jupe, serrées l'une contre l'autre, le fit sourire : elles lui rappelaient les navets japonais, longs et blancs. Ses épaules rondes, la ligne de son cou à la peau pâle et transparente, lui donnaient la nostalgie des cloisons de papier et des tatamis du Japon et lui faisaient ressentir pour elle l'affection spontanée que l'on éprouve pour un compatriote rencontré en pays lointain. Son front plus large que celui de la servante Nyu la rendait plus séduisante. Elle ne portait pas de lunettes aux montures hexagonales comme Marie, la secrétaire métisse, et cela lui plaisait aussi. Pour Makita, c'était un véritable rêve de voir arriver une jeune Japonaise sur ce haut plateau lointain. Autrefois, il n'aimait pas tellement le genre de filles prêtes à partir pour l'autre bout du monde, mais Yukiko Koda lui faisait une impression exceptionnellement bonne. Il la trouvait aussi très bien maquillée, et constatait avec joie qu'elle n'était pas aussi fade que Setani l'avait décrite. Il y avait sur la table un bouquet de cannas fraîchement cueillis. Makita parlait travail d'un air gai avec Tomioka. Yukiko regardait d'un air vague en direction de la fenêtre, mais son esprit s'activait sans relâche. Tomioka, une cigarette à la bouche, avait les deux bras croisés derrière sa chaise, la nuque calée contre le dossier. Sur le cadran noir de la montre qu'il portait au poignet gauche, la petite aiguille rouge des secondes courait. Il portait un costume d'été marron bien repassé, avec un fin ceinturon de plastique transparent comme du verre qui donnait une impression rafraîchissante. Son cou rasé de frais était très pâle. La cloche du petit déjeuner ne tarda pas à sonner. Makita se leva le premier, suivi par Tomioka puis Yukiko ; ils entrèrent à la file dans la salle à manger. Un bouquet de fleurs rares, blanches et violettes, dans un vase de verre, ornait la table couverte d'une nappe blanche, et la soupe japonaise au miso[1] était servie dans des bols en aluminium rouge. La servante leur apporta des omelettes et une préparation de crevettes crues salées d'un rose pâle. Yukiko était assise à côté de Tomioka, face à Makita. Mogi, Setani et Kuroi, qui avaient passé la nuit à l'hôtel, n'étaient pas là. Un gros ventilateur tournait au plafond, avec des grincements déplaisants. Makita, qui aspirait sa soupe à petites gorgées, demanda soudain à Yukiko :

– Il paraît que la vie devient de plus en plus dure au Japon. Cela doit vous sembler un paradis ici, non ?

---

1. Pâte de soja fermentée qui constitue la base de l'alimentation traditionnelle japonaise. (N.d.T.)

Plutôt qu'un paradis, c'était avant tout pour la jeune fille un monde où elle n'avait jamais eu la chance de vivre auparavant, plus inaccessible encore qu'un paradis, et qui, de ce fait, suscitait chez elle une certaine inquiétude. Une angoissante sensation de vide enflait en elle, comme si elle s'était introduite dans une luxueuse demeure en l'absence des propriétaires.

Tomioka parla un peu du centre de recherches forestières de Saigon, critiqua les manières brutales des Japonais envers le directeur français du Bureau des Eaux et Forêts. Makita l'approuva, ajoutant à voix basse que les Japonais, affaiblis, n'étaient pas en position de se pavaner comme ils le faisaient dans de grands hôtels comme le Continental. Le fait que l'armée se serve d'un grand hôtel de ce genre comme d'une base de ravitaillement et le mette sens dessus dessous ne pouvait que leur attirer l'antipathie générale, même si c'était des mesures normales d'occupation.

– En tout cas, nous avons bien de la chance de pouvoir poursuivre notre travail de protection de la forêt, quel que soit le but de l'armée. Je leur suis reconnaissant d'avoir un travail aussi agréable.

Tomioka venait de passer dix jours à Saigon pour mener des recherches sur le charbon de bois, au centre de recherches forestières de la rue Rousseau. Tomioka prenait du pain au petit déjeuner plutôt que du riz. Son regard s'arrêta avec étonnement sur la main de Yukiko qui, devançant son geste, avait tendu le bras pour lui passer le beurrier.

Cela faisait longtemps qu'il n'avait pas vu de mains potelées de Japonaise, comme celles-ci.

Elle avait de jolies mains, aux lignes douces, couvertes d'un très léger duvet.

– J'ai l'intention de me rendre à Ranhan d'ici quatre à cinq jours. Je veux voir où en est la recherche sur le ciment armé au bambou. Kanô a envoyé un rapport détaillé sur l'utilisation des strates intermédiaires de la forêt comme combustible. Vous l'avez lu ? Des véhicules roulant au charbon de bois, ce n'est pas idiot, vous ne trouvez pas ? Au Japon, on change tous les véhicules les uns après les autres pour utiliser ce type-là, mais ici ça existe depuis longtemps. J'aimerais bien que vous y jetiez un coup d'œil. Je pense aller au centre de recherches de Trang-bom pour parler de tout ça avec Kanô...

Sur ce, Tomioka quitta rapidement la table pour retourner au salon.

– C'est un drôle de personnage, laissa échapper Yukiko, une fois Tomioka sorti de façon plutôt cavalière.

– Il est excentrique, c'est vrai, mais à part ça, c'est un homme sensible. Tenez, il écrit deux fois par semaine à sa femme... Moi j'en serais incapable. Il a le sens des responsabilités, et une fois qu'il a accepté de se charger de quelque chose, il va jusqu'au bout sans commettre une seule erreur...

« Il écrit deux fois par semaine à sa femme » : cette phrase résonna profondément dans l'esprit de Yukiko.

8

Deux jours plus tard, Makita fut obligé de s'absenter pour une affaire urgente qui l'appelait à Saigon puis à Phnom Penh pour une douzaine de jours. Il partit en camion en compagnie du vieux Setani, qui devait justement prendre le chemin du retour. Mogi et Kuroi étaient partis en tournée d'observation du district, accompagnés par les deux interprètes vietnamiens, et il ne resta plus au bureau que Yukiko et Tomioka. Tomioka occupait la meilleure chambre, côté est, au milieu du premier étage. On aurait dit une chambre de malade, tellement elle était propre. Yukiko était étrangement obsédée par la personnalité de cet homme qui écrivait « deux fois par semaine à sa femme ». Tomioka se contentait de la saluer d'un vague « bonjour » quand il la croisait au restaurant, et donnait ses notes à dactylographier à Marie, la jeune métisse. Cette dernière, quand elle était lasse de taper sur sa machine, venait jouer du piano dans la salle à manger. Le timbre particulier de l'instrument était peut-être dû à l'altitude du haut plateau, mais Yukiko aimait sa façon de jouer et, même sans connaître les mélodies, elle écoutait les notes avec fascination. Tomioka semblait lui aussi aimer la musique car, installé derrière son bureau, le regard dans le vague, il prêtait l'oreille au son du piano. Marie avait vingt-quatre ou vingt-cinq ans, mais ses lunettes la faisaient paraître plus âgée. Elle venait d'une famille tout à fait ordinaire, avait des jambes fines de gazelle, et portait toujours des chaussures blanches et des chaussettes bleu marine. Elle avait des hanches robustes et une jolie silhouette svelte vue de dos. Ses cheveux, d'un châtain assez clair, retombaient en lourdes vagues bouclées sur ses épaules. Yukiko, qui ne maîtrisait aucun art, se sentait inférieure à Marie, qui parlait aussi anglais, français et vietnamien et travaillait également avec diligence. Yukiko se demandait parfois pourquoi on avait envoyé exprès une fille comme elle, sans aucune aptitude particulière, sur ce haut plateau lointain en territoire français. Puis elle se consolait en songeant que sa présence était peut-être importante, pour taper des lettres en japonais ou des documents qui devaient rester secrets, mais elle continuait néanmoins à passer son temps dans le désœuvrement.

Makita étant soudain parti en voyage, le départ de Tomioka pour Ranhan fut repoussé mais, un jour, vers le 5, Hisajirô Kanô revint à Dalat à l'improviste, accompagné par un assistant vietnamien. Kanô parut étonné par la présence de Yukiko Koda au bureau et rougit en la voyant. Tomioka lui présenta la jeune fille, et il la salua. Il avait l'air d'un jeune homme plein de zèle, prêt à s'épuiser à la tâche. Approchant sa chaise de celle de Tomioka, il se mit aussitôt à parler travail avec lui.

– Tu ne devais pas rester là-bas plus longtemps ?

– J'ai eu la dysenterie tout le temps, je ne suis pas très en forme, et puis j'avais la nostalgie des endroits civilisés comme Dalat. Je ne savais pas que tu étais déjà rentré, Tomioka...

Après avoir conclu ainsi une longue discussion de travail, ils se firent apporter du café par la servante. Ils paraissaient éprouver de la nostalgie à se revoir. Kanô faisait plus jeune que Tomioka. Il était petit, avec un teint plutôt pâle pour un homme. Dans sa chemise bleu foncé à col ouvert et son short blanc, il avait une allure désinvolte et sportive. Son regard craintif, plein d'une timidité qui l'empêchait de regarder ses interlocuteurs dans les yeux, contrastait avec cette apparence physique. Le dîner fut animé, pour la première fois depuis longtemps. À l'apéritif, Tomioka déboucha une bouteille de vin blanc qu'il avait rapportée de Saigon. Il en versa aussi à Yukiko.

– Vous êtes banlieusarde, mademoiselle Koda?

C'était sans doute sous l'effet de l'ivresse que Tomioka, d'ordinaire plutôt taciturne, avait posé cette question soudaine à Yukiko.

– Banlieusarde? Mais pas du tout. C'est impoli de dire ça!

– Ah bon? J'aurais juré que vous étiez de Chiba, pourtant. D'où venez-vous alors?

– De Tokyo même.

– Tokyo? Menteuse. Il n'y a pas de filles comme vous à Tokyo. Ou alors dans des quartiers excentrés comme Katsushika ou Yotsugi peut-être...

– Oh! Ce que vous êtes désagréable!

Yukiko, humiliée, se sentit vexée.

– Ne faites pas attention, intervint Kanô. Tomioka est une langue de vipère comme il y en a peu. C'est maladif chez lui...

– De Tokyo... Vous seriez de Tokyo? Vous avez un accent campagnard pour une fille de Tokyo. Quel âge avez-vous, mademoiselle Koda?

– L'âge que vous voudrez...

– Vingt-quatre, vingt-cinq ans?

– Mais non, tout juste vingt-deux. Vous êtes vraiment grossier, monsieur Tomioka!

– Ah bon? Mais une fille de vingt-deux ans qui en fait vingt-quatre, c'est une preuve d'intelligence. C'est stupide de vouloir paraître plus jeune que son âge.

Tomioka débouchait maintenant une bouteille de Cointreau. Kanô sortait, comme lui, de l'École supérieure d'agriculture de Tokyo, et c'est grâce à l'appui de Tomioka, son aîné, et du professeur Yasunaga qu'il avait été nommé à ce poste de recherche forestière dans les colonies françaises. Kanô et Tomioka étaient amateurs de littérature ; Tomioka était fan de Tolstoï, Kanô ne jurait que par Natsume Sôseki, et était également un admirateur passionné de Mushanokôji[1].

– Buvons à la santé de mademoiselle Koda, qui est venue de si loin occuper le territoire de Dalat ! dit Kanô, en levant son verre devant Yukiko.

Cette dernière avait les yeux pleins de larmes. Elle avait envie de se défendre. Tomioka observait d'un regard ivre les larmes qui brillaient dans les yeux de la jeune fille. Il y avait un étrange charme dans la couleur de ce regard, songeait-il. De temps en temps, celui de sa femme avait la même lumière. Envahi par un trouble incompréhensible, Tomioka vida d'un coup son verre de Cointreau. Yukiko, incapable de rester plus longtemps auprès des deux hommes, repoussa sa chaise en silence et quitta la pièce. C'était un soir trop doux pour monter directement à sa chambre. Elle partit sur le large chemin, où brillait le brouillard nocturne, et marcha au hasard.

– Tu l'as vexée...

Kanô monta jusqu'à la chambre de Yukiko et frappa à sa porte. N'obtenant pas de réponse, il tourna la poignée : la pièce n'était pas fermée à clé. Sur le lit, vivement éclairé par une lampe de chevet, était jetée une culotte noire, telle qu'en portent les étudiantes. Kanô resta debout un moment sur le seuil.

---

1. Saneatsu Mushanokôji (1885-1976) : peintre et écrivain, il fonda avec Naoya Shiga un groupe littéraire qui devait devenir le noyau de la célèbre « école du Bouleau blanc ». *(N.d.T.)*

Quand il revint dans la salle à manger, il avait toujours devant les yeux l'image de cette culotte noire sur le lit.

– Elle est plutôt collet monté, non ? laissa sèchement tomber Tomioka.

Kanô pensait à Yukiko : elle avait dû sortir, il avait envie d'aller la chercher.

– Tu ne trouves pas qu'elle ressemble à l'actrice Kuniko Miyake ? demanda-t-il.

– Ça ne m'intéresse pas. Ça ne me plaît pas de voir une fille aussi jeune dans un endroit comme celui-ci, c'est tout.

– C'est étonnant ce que tu es vieux jeu... Moi j'aime mieux Dalat maintenant qu'avant...

– Ce n'est pas une fille pour toi.

Kanô remplit à nouveau les verres de Cointreau, tout en fixant un œil rougi par l'alcool sur les pales blanches immobiles du ventilateur au plafond. Tomioka avait posé les pieds d'un air alangui sur le rebord de la fenêtre grillagée et appuyé sa tête au dossier de sa chaise.

– Jusqu'à quand ça va durer, cette vie ? dit-il avec un soupir. On ne gagnera pas cette guerre de toute façon.

Kanô se tourna vers lui d'un air incrédule.

– C'est ce que je me suis dit à Saigon, poursuivit Tomioka. Ce n'est pas le genre d'avis qu'on peut émettre à voix haute, mais je crois que d'ici le printemps prochain, tout sera terminé, pas toi ?

– Moi, j'étais au fin fond de la brousse, je ne suis au courant de rien. Qu'est-ce qui te fait dire ça, il y a des nouvelles particulières ?

– Non, mais le Japon ne peut pas gagner cette guerre, c'est tout.

– Tu crois ? Moi je suis persuadé du contraire. Je me demande ce que fait la marine japonaise en ce moment...

– Il y a sûrement une entourloupe quelque part... On remporte victoire sur victoire tous les jours, c'est curieux, non ?

Kanô, qui ne pouvait effacer de son esprit l'image de la culotte noire, se leva pour aller appuyer sur le bouton de mise en marche du ventilateur, près de la porte. L'hélice blanche se mit à tourner lentement avec des grincements de vis, puis à vrombir régulièrement. Le souffle agita les fleurs dans le vase, sur la table.

9

Yukiko Koda ne revenait toujours pas. Tomioka s'était endormi, la tête toujours appuyée au dossier de sa chaise, sous le souffle frais du ventilateur.

Kanô arrêta l'appareil, puis il sortit sans bruit de la salle à manger et partit à la recherche de Yukiko. Une corneille criaillait, du côté des épais bosquets des cerisiers. Le ciel était lourd et bas, l'air plein d'humidité. Des lampes brillaient faiblement entre les arbres. Juste en contrebas du bureau de l'administration des forêts se trouvait une bâtisse somptueuse, sans doute une résidence secondaire de riches commerçants chinois. Elle était inoccupée depuis longtemps et le jardin était en friche, mais Kanô entendit une voix chantonner en japonais dans la haie vive où on voyait de petites fleurs neigeuses – sans doute un rosier du Sud. Devinant que Yukiko se trouvait là, Kanô se dirigea à travers la pelouse en direction de la voix. Les insectes crissaient. Yukiko chantait, assise de dos sur un banc de bois confortable.

En entendant arriver Kanô, elle s'arrêta net et se leva. Sa silhouette se découpa sur le jardin sombre.

– Qu'est-ce qu'il y a ? Vous êtes fâchée ?

– Non, ce n'est rien...

– Vous ne voulez pas rentrer ? Ce brouillard, ça vous rend malade en un rien de temps. Et ce serait bête de vous faire piquer par des moustiques ici.

– Je rentrerai seule dans un moment.

– Vous savez, Tomioka est une langue de vipère, mais c'est un brave type. Peut-être aussi qu'il a les nerfs qui lâchent...

Kanô avait posé la main sur l'épaule de Yukiko, mais en sentant sa peau de femme étonnamment douce sous la soie fine de la robe, tout son corps s'enflamma soudain. L'ivresse lui rendant plus difficile encore de se contrôler, il palpa deux ou trois fois l'épaule moelleuse de Yukiko de sa main brûlante. La jeune femme repoussa sa main sans ménagement, mais elle aussi avait du mal à se défendre de la sensation d'oppression qui lui serrait la poitrine, et une révolte instinctive jaillit en elle, à l'encontre de cette langue de vipère de Tomioka. Elle lui voulait tout le mal du monde ! Ce genre d'homme à la peau blanche ne m'intéresse absolument pas, décréta-t-elle. Elle se leva en silence. Kanô s'approcha d'elle à nouveau, maladroitement. Au loin, on entendait vrombir le moteur du véhicule qui faisait des allers et retours depuis l'hôtel.

La pensée effleura l'esprit de Kanô que, s'il se sentait attiré à ce point par cette jeune femme alors qu'il venait tout juste d'arriver de Trang-bom, c'était dû essentiellement au désir ; mais pour le moment, il lui semblait surtout qu'il n'aurait pas d'autre occasion de la séduire. Il pressa son corps tout contre le sien. Yukiko le regarda bien en face, les yeux étincelants de rage. L'air de la nuit était empli d'un parfum de fleurs et d'herbes sauvages. De temps en temps, une tige crissait.

– Monsieur Kanô, j'ai posé ma candidature pour venir ici parce que, au pays, je n'avais pas le choix. Vous comprenez, monsieur Kanô ? Comment une jeune fille peut-elle survivre en temps de guerre, en gardant l'esprit de sacrifice pour le pays ? Ce n'est pas par caprice que je suis venue aussi loin... Je voulais partir, n'importe où.

Alors maintenant, m'entendre dire des choses aussi méchantes par M. Tomioka... C'est normal que je me sente blessée, non ? Nous sommes japonais tous les trois. Alors que je vienne de Katsushika, de Yotsugi ou d'ailleurs, qu'est-ce que ça peut lui faire ? Se donner des airs supérieurs et se moquer de quelqu'un comme moi, qui vient d'arriver d'aussi loin et se sent encore tout oppressée, non, vraiment, quelle grossièreté...

La voix de Yukiko était devenue aiguë. Kanô plongeait son regard au fond des yeux brillants de Yukiko, tandis qu'elle crachait ainsi violemment ses émotions, comme une bête sauvage, mais lorsqu'elle évoqua le fait de se sentir oppressée, il eut la soudaine vision des difficultés que Yukiko avait dû affronter dans le Japon en guerre.

– Tomioka était ivre, vous savez...

Tout en parlant, il saisit avec audace les bras de Yukiko et les serra entre ses mains.

– Arrêtez ! Vous aussi, vous êtes ivre, monsieur Kanô. Je ne suis pas ce genre de fille, dit Yukiko en se raidissant.

Elle avait fermé les yeux, mais ne tentait pas particulièrement de repousser Kanô.

Soudain, des lèvres brûlantes effleurèrent sa joue. Yukiko détourna aussitôt son visage et la bouche de Kanô s'écarta à regret.

– Hé, Kanô ! fit une voix du côté du sentier.

C'était Tomioka.

– Rentrez un peu après moi, dit Kanô à voix basse à Yukiko.

Puis, coupant à travers les herbes, il retourna vers le chemin. Tomioka le regarda arriver sans rien dire, l'air mécontent. Kanô ne chercha pas même une excuse et, ajustant son pas sur celui de son compagnon, se mit à marcher en silence à son côté en direction du bureau, sentant sa mauvaise humeur se refléter sur lui. La nuit

50

était fraîche, le brouillard nocturne rendait l'asphalte glissant.

— Il va bientôt neiger au Japon..., laissa soudain tomber Tomioka, après avoir bâillé sans retenue. Ah, j'aimerais bien rentrer. Ce que j'aimerais rentrer, ne serait-ce qu'une fois !...

Kanô ne répondit rien. Il avait toujours à l'esprit, comme une obsession, la phrase de Yukiko faisant allusion aux difficultés qu'elle avait endurées au Japon.

— Elle est vraiment fâchée, Yukiko Koda ? demanda Tomioka d'un air de ne pas y toucher, en sortant une cigarette et allumant d'une chiquenaude le briquet qu'il portait au bout d'une longue ficelle.

— Oui, elle est fâchée.

— Ah bon...

— C'est une gentille jeune fille.

— Tiens donc ? Une jeune fille ? Ce serait une jeune fille alors ?

— Aucun doute là-dessus. Elle m'a vertement remis à ma place, figure-toi, avoua honnêtement Kanô, trouvant que c'était là une bonne occasion de tout confier sans tarder à son compagnon. Ce dernier avançait en silence à côté de lui en tirant sur sa cigarette.

— Dis donc, tu n'avais pas une bonne amie au Japon ?

— Si, mais...

— Pff...

Parvenu au tournant, Kanô se retourna, mais Yukiko n'était toujours pas apparue en bas de la pente.

— Hé, tu ne viendrais pas en voiture avec moi à Fimon, demain, pour aller pêcher ?

La pêche était le passe-temps favori de Tomioka. Il y avait quatre torrents aux alentours de Fimon, et Tomioka était un familier des lieux. Kanô n'avait aucune envie d'aller à la pêche. Il n'arrivait pas à se mettre dans l'état d'esprit d'un divertissement aussi serein. Il revenait de la montagne, où il était resté longtemps. Il avait envie de voir des gens, et il était revenu avec une vague mélancolie au fond du cœur. Il était heureux de revoir Tomioka après tout ce temps, mais sa rencontre inattendue avec Yukiko Koda l'avait enflammé tout entier, comme un feu de brousse. Le désir, qui un peu plus tôt dans la soirée lui avait coupé les jambes à la vue de la culotte noire sur le lit, était maintenant devenu irrépressible. Au lieu de répondre à Tomioka, il se mit à siffler comme pour appeler un chien. Un faible aboiement lui répondit, provenant de la cabane qui servait de garage.

– Makita a été malin d'aller à Saigon et Phnom Penh; ce sont de vraies oasis après ici...

– Hmm.

– Et toi, Tomioka, Saigon, c'était amusant?

– Je ne vois pas ce qu'il pourrait y avoir d'amusant.

– Ah bon?... Ce n'est pas vrai, tout de même?

– Toi aussi, tu n'as qu'à y aller une fois, avant de retourner à Trang-bom, tu en reviendras tout frais et dispos.

– Saigon... Je n'irai pas avant longtemps, je crois...

Saigon n'intéressait absolument pas Kanô. Il ne pouvait oublier l'éclat des yeux de Yukiko, qu'il avait vus briller comme ceux d'un animal sauvage à la lumière des étoiles. Il fallait qu'il parle avec elle. Et puis il avait envie de la consoler de sa tristesse. Était-ce à cause du vent frais de la nuit? Les violents battements de son cœur s'étaient apaisés, et il regrettait maintenant d'avoir si rudement pressé la jeune fille. Quand il y réfléchissait, l'idée qu'elle avait exprimée d'une voix pleine de larmes ne lui était pas étrangère: ce n'était pas par caprice qu'il était venu jusqu'ici, lui non plus. Cela valait mieux que d'être à nouveau envoyé au front. Les mots de Yukiko lui faisaient mal, comme si elle avait touché une ancienne blessure. Il avait été incorporé dans les troupes du génie d'Akabane. Il avait participé à la prise de Nankin en 37, et les tristes souvenirs de cette sale guerre lui traversaient à nouveau l'esprit. Quel était le nom de ce lac, déjà, où, par une nuit noire, il avait entraîné une femme en cachette sur un bateau pour abuser d'elle ? Le souvenir de cette scène flottait comme un tableau derrière ses paupières.

10

Tomioka ne trouvait pas la compagnie de Kanô très distrayante, aussi le quitta-t-il devant la salle à manger, pour monter rapidement au premier étage. Un coup d'œil sur sa montre fluorescente lui apprit qu'il était déjà 23 heures passées. Il entra dans sa chambre, y trouva la servante, Nyu, occupée à ranger du linge fraîchement lavé dans le placard. Elle rangeait les vêtements un à un, avec des gestes alanguis. Une tristesse insupportable s'empara de Tomioka à la vue de cette nonchalante silhouette, et il descendit par le petit escalier de derrière, vers la salle où étaient entreposés les échantillons. Une lampe y était allumée. Il s'assit sur un rondin de bois qui servait de chaise. Tout en contemplant un à un les spécimens d'arbres séchés disposés en rang, il se demanda ce qu'il faisait, assis là, à l'insu de tous, dans cette pièce où il n'avait rien à faire.

Il retourna dans sa chambre, pensa écrire une lettre à sa femme, chose qu'il n'avait pas faite depuis longtemps. Depuis qu'il était parti pour Saigon, une dizaine de jours plus tôt, il n'avait pas donné de nouvelles à sa famille. Il lui sembla que sa femme était la seule personne à qui il pouvait confier la profonde tristesse qui s'était emparée de lui. Le silhouette de sa femme, Kuniko, surgit devant ses yeux, elle qui continuait à lutter seule pour survivre dans un Japon privé de tout par la guerre et qui connaissait sûrement des difficultés indescriptibles. Il voulait aussi lui écrire qu'il allait lui envoyer très bientôt, par le prochain courrier, en choisissant le plus rapide, le rouge à lèvres et la poudre qu'il avait achetés pour elle à Saigon.

Il avait soif et s'arrêta au passage dans la salle à manger. Kanô s'y trouvait encore, attablé seul devant le reste de la bouteille de Cointreau.

– Mlle Koda est rentrée?

– Oui, elle est déjà montée.

Tomioka but un verre d'eau et regagna sa chambre à pas lents. Nyu n'y était plus. Tomioka ferma la porte à clé et s'allongea sur son lit à plat dos. L'esprit vide de toute pensée, il contemplait la lampe de verre fumé au plafond, tout en écoutant grincer les ressorts du sommier. Seule la tristesse pesait sur lui, comme de l'eau, comme une serviette humide pressant lourdement sur son front. Une fois allongé, même l'idée d'écrire une lettre à sa femme lui parut fatigante. Au bout d'un moment, il se changea, enfila son pyjama jaune, soigneusement lavé et repassé... Le soin que Nyu prenait de lui lui faisait de la peine.

Écartant les couvertures d'un coup de pied, il s'installa confortablement entre les draps. Il entendit la porte de la salle à manger grincer, puis le pas lourd de Kanô dans l'escalier. « Ah. Kanô, mon vieux... », marmonna-t-il intérieurement. Yukiko Koda, avec son corps de fille grandie trop vite, lui faisait penser à sa femme Kuniko. Pour commencer, la curieuse découverte qu'elle était sensible aux moindres nuances de ce qu'il disait trouvait un écho dans le cœur de Tomioka. Yukiko Koda, qui venait tout juste de faire son apparition dans ces lieux, lui démontrait qu'elle appartenait à la même espèce que lui : elle le comprenait à demi-mot, comme s'ils étaient déjà intimes. Kanô aurait sûrement du mal à s'endormir cette nuit, songea-t-il avec un léger sourire. Et en effet, un bruit de chaises traînées sans ménagement sur le plancher, de portes d'armoire ouvertes avec brutalité, lui parvenait de la pièce voisine, reflétant l'état d'énervement de Kanô. Tomioka, lui non plus, ne trouvait pas le sommeil. Croyant avoir oublié d'éteindre la lampe dans la salle d'échantillons, il se releva et sortit dans le couloir. Arrivé en bas de l'escalier, il trouva Nyu, en robe de chambre bleu pâle, debout devant la porte de la salle.

– J'avais oublié la lumière, murmura-t-il en vietnamien.

– Moi aussi, je suis venue éteindre, répondit-elle.

Puis, tenant le bord de sa longue robe d'intérieur, elle se dressa de toute sa taille pour appuyer sur l'interrupteur. Tomioka reçut soudain entre ses bras ce corps de femme, appuyé lourdement contre le sien. Nyu allait dire quelque chose, et il s'empressa de l'en empêcher en posant ses lèvres sur les siennes. Après un long baiser, il repoussa ce corps menu contre le mur et remonta à l'étage. Il lui sembla entendre un rire léger de femme derrière lui. Il remonta l'étroit escalier, entra silencieusement dans sa chambre, les yeux écarquillés, telle la statue de bronze de l'acteur de kabuki Ichikawa Danjurô.

C'était une nuit paisible.

Quand le vent soufflait, on l'entendait gémir dans les pins comme si la montagne elle-même grondait, mais cette nuit-là il n'y avait pas un bruit au-dehors. Tomioka dessina la forêt de pins en pensée derrière ses paupières. Les longues aiguilles fermement dressées comme les houppes des pins d'Umao, les pins de Khasia en forme de balai, et le vert léger des pins de Khasia. L'aspect déchiqueté des branches pareilles à de petits drapeaux, tout se dessinait nettement sous ses yeux puis s'évanouissait. Le souvenir des étendues sauvages des forêts montagneuses du sud de Bornéo, où il était allé voir les pins de Khasia, se présenta à nouveau à son esprit. Il avait la nostalgie de la pièce de théâtre qu'il avait vue dans la ville de Banjermassin, où l'actrice Nobuko Satsuki en personne était venue relever le moral des troupes. N'était-ce pas une pièce intitulée *L'Arbitre qui tombe à pic* qu'il avait vue ce soir-là ? Il avait été surpris par les étendues d'ylangs-ylangs, qui ressemblaient à des jacinthes et emplissaient le bord du fleuve aux eaux boueuses large comme un bras de mer. Tous ces paysages étaient pareils à un rêve évanoui à présent... «Les plantes ne poussent bien que dans leur milieu d'origine», se dit-il. Il pensait aux cyprès du Japon, plantés ici même, au bout du jardin du bureau de l'administration forestière, et qui se développaient si mal. Il se demanda si les différences entre les peuples n'étaient pas semblables à celles entre les plantes. D'étranges idées lui venaient : les plantes n'accrochaient-elles pas plus fermement leurs racines au sol de leur terre d'origine ? Dans la zone de répartition de l'espèce autour de Dalat, on comptait trente-cinq mille hectares de pins de Khasia. Comment des petits fonctionnaires japonais obtus du ministère de l'Agriculture et des Forêts, transplantés là dans un grand chambardement, auraient-ils pu absorber des chiffres pareils ? Où dans le monde voulait-on vendre les pins de la grande forêt, de ce lieu magnifique ? La forme des troncs, les veines du bois étaient splendides. Et eux, qu'étaient-ils d'autres que des étrangers indésirables, eux qui étaient brusquement venus mettre sens dessus dessous les richesses qu'un peuple faisait croître depuis si longtemps ? Comment les Japonais pourraient-ils s'occuper d'une forêt aussi immense, aussi majestueuse ? Le cœur des hommes reste libre... Tomioka se laissait aller à ces pensées infantiles, sans trêve, incapable de dormir vraiment.

Il éteignit sa lampe de chevet. Au même moment, il entendit Kanô dans la chambre voisine ouvrir la porte et descendre lentement l'escalier. «Il ne va tout de même pas...», se dit Tomioka en tendant l'oreille, écartant l'étrange pensée qui lui était venue. Au bout d'un moment, une note, puis deux, s'élevèrent du piano de la salle à manger, comme des gouttes d'eau tombant dans un puits profond. «Cette longue abstinence dans les montagnes a dû le rendre fou», se dit Tomioka, en continuant à tendre l'oreille. Il enfouit son visage dans l'oreiller, pris d'un dégoût subit à l'idée de son propre vice, quand il avait embrassé Nyu tout à l'heure. Kanô, tout comme lui-même, aspirait à quelque chose qui n'était pas de l'amour. L'un comme l'autre, ils avaient perdu l'esprit énergique propre à leur peuple en quittant leur terre natale. Transplantés sur le haut plateau de Dalat, ils se desséchaient comme les cèdres qui végétaient au fond du jardin. Sans même s'en rendre compte, Tomioka murmura presque tout haut sa pensée : n'étaient-ils pas, l'un comme l'autre, en train de sombrer dans l'insidieuse folie des pays tropicaux ?

11

– *Bonjour* !
Sur le perron du rez-de-chaussée, les douces syllabes du salut matinal prononcé en français par Marie se firent entendre. Tomioka souleva sa tête lourde de l'oreiller et regarda sa montre. Il était 9 heures. Déjà ! se dit-il. Il se redressa lentement, fuma une cigarette dans son lit. Il avait un mal de tête lancinant et son corps refusait de bouger, c'était à ne savoir que faire. Tout lui paraissait embrumé. Les petits oiseaux gazouillaient. Il ouvrit lentement la fenêtre : tout était étincelant de fraîcheur comme si le vert de la forêt se réfléchissait dans le ciel éclatant du haut plateau. Nyu était debout, vêtue d'une robe brune brillante, au milieu de la prairie en fleurs au bout du grand jardin. Tomioka envia sa santé de femme qui ne connaît pas la fatigue. Le cœur de cette femme qui, hier, avait ri d'un rire d'insecte après leur long baiser, lui paraissait étrange. Il s'étira résolument, puis revint lentement s'asseoir sur le lit. Le seul fait de bouger son corps lui paraissait complètement dénué de sens.

Il se dirigea vers la salle de bains pour se laver la figure et, au passage, frappa à la porte de Kanô. Pas de réponse. Il tourna la poignée, et la porte s'ouvrit, répandant une odeur de vernis. La fenêtre était ouverte, les vêtements répandus sur le sol, et Kanô dormait, torse nu, seulement vêtu d'un caleçon rayé. Allongé ainsi à plat ventre, avec sa peau lisse et blafarde, il avait l'air d'un œuf dur sans sa coquille. De ses lèvres ouvertes sortaient par intermittence des ronflements, comme de l'eau tombant dans un seau. Lui trouvant l'air chiffonné, Tomioka alla secouer l'épaule fraîche de son collègue. Celui-ci ouvrit un œil lourd. Était-ce à cause de la folle passion qui s'était emparée de lui la veille ? Il avait les yeux rouges et le regard vague.

Tomioka se rendit à la salle de bains, prit une douche froide. « C'est le matin, se disait-il, et c'est comme s'il ne s'était rien passé... » Les fantômes changeants de la veille s'étaient dissipés comme les nuages et la brume. Il s'enveloppa d'une grande serviette et trouva enfin au fond de lui-même une réserve de vigueur, qui lui donna l'envie de se précipiter au rez-de-chaussée. Il enfila une chemise blanche à manches courtes bien repassée, un pantalon de gabardine beige, entreprit de se raser maladroitement devant le miroir. L'odeur du café montait jusqu'au premier étage. Les cloches de l'église se mirent à sonner.

Une fois prêt, il descendit à la salle à manger, et y trouva Yukiko Koda, en train de déjeuner, seule.

– Bonjour...

Les yeux de Yukiko étaient gonflés de larmes ; elle répondit d'un simple sourire au salut de Tomioka. La douceur de son expression intimida ce dernier, qui alla s'asseoir à sa place, le visage fermé, et se mit à déjeuner rapidement. Nyu, qui le servait, semblait elle aussi radicalement transformée. Elle lui apporta des toasts, du café, avec un visage inexpressif de Bouddha. Du côté du bureau, on entendait Marie s'activer sur les touches de la machine à écrire.

Son petit déjeuner terminé, Tomioka eut soudain envie de se rendre à Mankin, à quatre kilomètres de là. Il partit seul jusqu'au poste de surveillance des Eaux et Forêts, à proximité des tombeaux des anciens rois d'Annam.

Quand il était déprimé, il trouvait plus de plaisir à se promener seul dans les forêts et à soliloquer parmi les arbres qu'à aller à la pêche. Dans les hameaux autour de Dalat, il y avait plusieurs scieries de plus ou moins grande taille, et Tomioka marchait seul sur la route en pente, tendant l'oreille au bruit aigu des scies découpant les arbres. Au bord du chemin, des arbres à larges feuilles persistantes, d'énormes chênes, des podocarpus nagi, des cocotiers et des pins de Khasia entrecroisaient leurs branches ; leurs feuilles s'embrassaient pour former un dais touffu qui faisait barrage au soleil. Et le ciel bleu coulait comme une rivière au milieu de cette forêt, là où la route la coupait. Entendant un bruit derrière lui, Tomioka se retourna et vit Yukiko Koda arriver vers lui d'un pas rapide, sa jupe blanche flottant autour de ses jambes.

Tomioka s'arrêta, doutant de ce qu'il voyait. Mais c'était bien Yukiko qui s'approchait, essoufflée.

– Qu'est-ce qui vous arrive ?

– Je voudrais savoir ce que je dois faire comme travail aujourd'hui.

– Comme travail ?...

– Oui.

– Kanô n'est pas là ?

– Si, mais il dort profondément.

Il y avait bien le fonctionnaire vietnamien, mais Yukiko, qui venait d'arriver, ne comprendrait pas ce qu'il lui dirait.

– Makita ne vous a pas indiqué ce que vous deviez faire, avant de partir ?

– Non, il ne m'a rien dit...

Spontanément, tous deux s'étaient mis à marcher en direction de Mankin. Tomioka avançait en silence. Yukiko le suivait, sans rien dire non plus. De temps en temps, des voitures ou des camions de l'armée les dépassaient. Les soldats au volant arboraient un air stupéfait à la vue de cette femme japonaise sur la route. Yukiko se maintenait exprès à une certaine distance derrière Tomioka.

Comme il persistait à se taire, elle finit par demander à nouveau, d'une petite voix :

— Dites-moi ce que je dois faire.

Tomioka se retourna lentement.

— Au bout de cette route se trouvent les tombeaux des rois d'Annam. Si vous alliez y faire un tour ? dit-il d'un ton rogue.

Puis il se remit à marcher à grands pas. Yukiko ne comprenait pas s'il voulait se montrer gentil avec elle ou pas. Elle trouvait un air grossier à sa silhouette vue ainsi, de dos. Il balançait son casque colonial à la main ; ses chaussures à semelles de caoutchouc, silencieuses, paraissaient confortables. Yukiko portait elle aussi des chaussures blanches en toile bon marché qu'elle avait achetées au dernier moment à Saigon.

Le chemin se sépara en deux. Tomioka s'engagea dans la partie la plus étroite et, au bout d'un moment, finit par ralentir l'allure.

Yukiko le rattrapa et se mit à marcher à côté de lui. Elle se demanda s'il n'avançait pas à aussi vive allure tout à l'heure parce qu'ils étaient sur la route et que des voitures risquaient de les voir.

— Alors, vous étiez fâchée, hier ?

— Comment ? Mais que...

— Kanô m'a dit que vous étiez fâchée contre moi.

— Oui, je me suis vraiment sentie blessée.

Tomioka avait remis son casque et avançait en regardant le plan de l'administration forestière qu'il avait sorti de la sacoche accrochée à sa ceinture. Dans la forêt, tout près d'eux, des pigeons sauvages roucoulaient. Tomioka, ébloui par le papier blanc du plan, sortit des lunettes de soleil aux verres beige rosé de sa poche de poitrine et les posa sur son grand nez. Instantanément, le plan devint légèrement rouge. De la mince bande de ciel au-dessus d'eux, le soleil dardait ses rayons violents sur le haut plateau. Tomioka, un peu gêné de marcher ainsi dans la forêt avec une femme, jetait des coups d'œil méfiants autour de lui. Même sur cette terre lointaine, sa mentalité d'homme japonais faisait qu'il était intimidé par la situation.

12

Ils marchaient donc côte à côte dans ces alentours touffus, sous un dais de feuillus persistants étonnamment grands, comme pour suivre leur caprice. Ils avançaient tous deux en silence, essoufflés, entourés par un pollen de fleurs au parfum entêtant. Un avion passa en grondant au-dessus de la forêt, mais on ne le distingua pas. Près des tombeaux royaux s'étendait une forêt dense primaire : c'était une zone de plantation artificielle de douze ou treize hectares de pins de Khasia. Dans les maisons villageoises des alentours, on pouvait voir des fourneaux à charbon de bois.

Yukiko était lasse de marcher. Sans doute parce qu'elle avait mal dormi la veille, cette marche l'avait essoufflée, et une douleur lancinante irradiait de son dos. De temps en temps, elle prenait une grande inspiration, emplissant ses poumons d'un air frais qui la rafraîchissait curieusement. Elle n'éprouvait cependant pas le moindre intérêt pour cette zone forestière. Elle était bien trop fascinée par la haute silhouette de Tomioka devant elle. Elle avançait toujours, en proie à un sentiment de douceur et de solitude qui la poussait à se rapprocher toujours davantage de lui. Cependant, elle dissimulait exprès sous un air solitaire la fantastique émotion qu'elle ressentait. Chaque fois que Tomioka se retournait vers elle, elle s'entourait habilement d'un voile de mélancolie silencieuse, suggérant une détresse de fille seule au bout du monde. Mais derrière ce voile trompeur, elle était emplie d'une excitation qui lui faisait pousser des soupirs languissants.

– Vous devez être fatiguée ?

– Oui.

– Moi, je fais mes douze kilomètres par jour sans problème. Quand je marche en forêt, étonnamment, je ne me sens jamais fatigué, et la nuit je dors comme un bébé.

– Dites, il va rester longtemps, M. Kanô ?

– Il est encore là pour un moment, sans doute.

– Je le trouve déplaisant.

– Pourquoi ? Il se laisse un peu aller peut-être...

– Hier soir, il était affreusement ivre quand il est venu me voir... Il me fait peur.

Tomioka continua à marcher sans répondre. Le fait qu'il avait si mal dormi lui-même aurait-il par hasard eu un lien avec l'attitude de Kanô ? Il éprouva une soudaine antipathie pour son collègue. Il s'arrêta pour attendre Yukiko, qui marchait juste derrière lui, mais quand elle arriva à sa hauteur, il la prit instinctivement par les épaules et la serra fort contre lui, à l'ombre d'un grand chêne. Pour Yukiko aussi, ce fut un geste parfaitement naturel. Haletante, elle enfouit son visage contre la poitrine de Tomioka. Ce dernier écarta aussitôt le visage de la jeune femme de sa poitrine, regarda les lèvres potelées toutes proches. Ce baiser fut complètement différent de celui qu'il avait échangé la veille avec Nyu. Cette femme-ci – et il en éprouvait de la reconnaissance – était de la même espèce que lui, ils se comprenaient à demi-mot. D'un œil calme et distrait, il contempla longuement, sans se gêner, le visage de Yukiko qui avait rougi. Elle haletait, les yeux fermés, et Tomioka trouva qu'elle ressemblait terriblement à sa femme. Tandis qu'il soutenait la tête alourdie de Yukiko entre ses mains, son cœur engourdi s'était remis à battre à toute vitesse, mais il ne pouvait empêcher son esprit impatient de se mouvoir vers une aspiration tout à fait différente. Il lui semblait que, depuis qu'il vivait dans le Sud tropical, son aptitude émotionnelle à aimer sincèrement une femme s'était émoussée. Tel un lion de la jungle qui, une fois enfermé dans une cage étroite et arraché à un environnement où il choisit librement ses partenaires, poursuit avec empressement la femelle qu'on lui a allouée, ainsi le vide de son cœur gênait Tomioka tandis qu'il embrassait Yukiko, sans qu'il pût s'en délivrer. Ce long baiser sans fin avait enflammé Yukiko, qui enfonçait ses ongles impatients dans les épaules de Tomioka. Lui, de son côté, avait retrouvé tout son sang-froid et, parallèlement à l'excitation de sa partenaire, sentait déjà sa passion et son désir d'aller plus loin s'émousser. Un petit paon blanc sauvage s'envola des fourrés et disparut dans la forêt dans un bruit d'ailes.

Quand tous deux revinrent vers le bureau, après avoir marché un moment à travers de vastes champs, des hameaux et des bois, il était midi largement passé. Tomioka monta directement dans sa chambre et, une serviette sur le bras, alla prendre une douche. Yukiko, elle, resta à regarder le bureau sans intention particulière. Kanô, adossé à son fauteuil, seul devant un vaste bureau près de la fenêtre, était occupé à écrire. Le ventilateur était arrêté et il faisait lourd et humide dans la pièce. Kanô continua à faire courir sa plume sur le papier sans même jeter un coup d'œil vers Yukiko. La machine à écrire était recouverte de son rabat ; Marie était sans doute rentrée chez elle, son travail terminé. Yukiko quitta la pièce et monta à sa chambre, dont elle trouva la porte ouverte, ce qui provoqua en elle un petit pincement désagréable. Il lui sembla que quelqu'un était aller farfouiller dans ses affaires. Immobile, elle regarda le lit, la table. Il y avait un creux sur le lit comme si quelqu'un s'était assis dessus, ce qui accentua le malaise de Yukiko.

Elle ferma sa porte à clé et s'allongea sur le lit sans même ôter ses chaussures, l'esprit agité. Par la fenêtre ouverte, on voyait un coin de ciel bleu. Une question la taraudait : qu'était-elle venue faire dans un endroit pareil ? Des images absurdes de son pays, rendu exsangue par la guerre, traversèrent son esprit puis s'évanouirent comme des bulles. La réalité d'ici était exempte de ce sentiment d'urgence omniprésent au Japon mais, à la place, une solitude à la pesanteur minérale minait l'esprit et le corps. De temps en temps, un sourire affleurait aux lèvres de Yukiko. Cela n'allait pas jusqu'à un engagement profond de sa part, mais elle se sentait pleine d'assurance, comblée à l'idée d'avoir réussi à conquérir le cœur d'un homme. Iba était bien loin désormais. Tomioka débordait de charme. Elle se sentait amoureuse à en pleurer. Son indifférence affectée, et sa façon de se laisser aller, d'une façon qui était tout le contraire de la froideur, était si agréable. En outre, le seul fait d'avoir pu séduire aussi simplement un homme aussi cynique et mauvaise langue, marié de surcroît, représentait pour Yukiko un bonheur sans égal. Il lui sembla avoir remporté une victoire sur la froideur de cet homme. Elle avait l'impression de devoir son bonheur présent à sa force, qui lui avait permis la veille de résister aux déclarations enflammées de Kanô, et c'est dans cet état esprit qu'elle sombra en quelque instants dans un sommeil satisfait.

Tomioka prit une douche, enfila des vêtements propres, puis descendit à la salle à manger où il trouva Kanô, déjà à table, face à la véranda, les yeux dans le vague. Tomioka, tenant dans ses mains le lourd volume de la revue botanique de Chevalier, vint s'asseoir à ses côtés. Il pouvait voir le mont Lang Bian en face de lui et le lac étincelant de blancheur juste sous ses yeux. Dans la pièce du fond, vide, le ventilateur tournait en grinçant. Sur l'ordre de Tomioka, Nyu apporta de la bière glacée et une grande assiette de viande de canard froide.

– Tu en veux un verre ? proposa Tomioka à son collègue, qui accepta sans entrain.

Partout, de petits oiseaux s'égosillaient. Tandis que les deux hommes buvaient leur bière en contemplant le paysage, la couleur de la montagne changea peu à peu, sous l'effet des rayons du soleil. Tomioka était reconnaissant à Kanô de boire sa bière en silence. Cette montagne, ce lac, ce ciel même avaient beau être pour lui ceux d'une terre étrangère, Tomioka éprouvait une sorte d'impatience pour cette terre qui lui résistait et où il ne pouvait se sentir aussi à l'aise que les Français. Quelque chose dans ce paysage repoussait avec une haine farouche la pensée étriquée et déviée du Japon. Ils avaient beau s'y comporter avec des airs de propriétaires, lui, Tomioka, et tous les Japonais n'étaient autres que des corps étrangers sur cette terre. Ces derniers temps, il ressentait souvent un sentiment de tristesse à l'idée d'occuper simplement les lieux sans rien faire, sans aucun talent particulier. Cette pauvre imposture serait bientôt percée à jour... Le paysage qu'il avait sous les yeux, pourtant, la beauté de ce lac, resteraient éternellement gravés dans son esprit. Tels d'insignifiantes fourmis, les Japonais s'agitaient en vain un peu partout sur cette terre qui ne daignait pas leur prêter la moindre attention. Ils avaient tracé leur chemin jusqu'ici, en prenant habilement des airs d'hommes pratiques, et plantaient en hâte, sans aucune préparation, des pins de Khasia qui mettraient cinquante ou soixante ans à atteindre leur taille adulte, juste pour envoyer des rapports à l'armée sur le nombre d'arbres plantés. Tous ces chiffres étaient risibles ! Certes, on réquisitionnait les Moïs pour transporter les arbres sur les trains, ou sur le cours du Danim, mais Tomioka, lui, savait qu'en réalité il ne se passait rien : les troncs restaient dans les trains, ou bien les grands chênes ou les pins de Khasia flottaient paresseusement au fil de la rivière, avec la marque de la coupure encore fraîche, et seules les listes de chiffres passaient de bureau en bureau. L'armée japonaise accablait de travail, avec des airs affairés, les Moïs frustes et malhabiles, les exhortant comme des esclaves paresseux... Tout en dégustant sa bière, Tomioka lisait la revue de botanique. Les articles des Français Chevalier et Crevost, qui vivaient depuis des dizaines d'années en Indochine, et écrivaient sur la botanique ou les productions agricoles indochinoises, étaient infiniment précieux à Tomioka ; ces textes célèbres et impérissables constituaient une source d'informations insurpassable pour qui s'intéressait à la sylviculture indochinoise.

L'ivresse commençait sans doute à faire son effet sur Kanô, car son air renfrogné avait disparu et il déclara soudain d'une voix forte, comme si une pensée lui venait brusquement :

– Mlle Koda s'est endormie ?

– ... Aucune idée... Je ne sais pas ce qu'elle fait.

– Tu l'as emmenée à Mankin avec toi tout à l'heure, hein ?

– Elle m'a suivi quand je suis parti, alors je l'ai emmenée visiter le coin.

– Je te préviens, je suis amoureux de cette fille.

– Oh... ?

– Je ne veux pas me mêler de ce qui ne me regarde pas, mais un officier du génie est passé tout à l'heure et m'a demandé qui était cette fille qu'il avait vue marcher allègrement à côté de toi. Je me suis dit que tu étais plutôt rapide !

– Pourtant, tu te mêles de ce qui ne te regarde pas. On marchait ensemble, c'est tout. C'est le lieutenant de la section du matériel roulant qui t'a raconté ça, non ?...

– Moi aussi, je suis parti tout de suite pour Mankin, figure-toi. Je vous ai cherchés pas mal de temps, mais je ne vous ai pas trouvés...

Tomioka détourna subrepticement les yeux vers le lac. « S'il savait que j'ai pris exprès le sentier à l'intérieur de la forêt ! » se dit-il. Il reprit tout haut comme si de rien n'était :

– Ici on remarque vite une nouvelle arrivante...

– Mais ta rapidité à toi est surprenante. Ça ne me plaît pas que tu aies profité de mon sommeil pour partir à Mankin avec elle. Les femmes sont sensibles à l'atmosphère du moment, et toi, avec ta langue de vipère, je ne te fais aucune confiance.

– C'est elle qui m'a suivi, je te dis. Personne ne lui avait dit ce qu'elle devait faire, toi tu dormais, alors elle est venue me demander à moi. Je lui ai suggéré de se balader un peu, et je lui ai fait visiter le coin, c'est tout. On n'avait pas pris rendez-vous...

– Bah, peu importe. Je suis amoureux d'elle, il me faut juste le temps de poser mes jalons.

Kanô eut un sourire timide comme pour dire à Tomioka de ne pas jouer les gêneurs, puis il remplit leurs deux verres de bière. Tomioka alluma une cigarette en silence et songea tout en soufflant lentement la fumée : « Trop tard, mon vieux ! » Mais à la réflexion il n'était peut-être pas trop tard. Il s'était contenté de laisser en attente le désir de Yukiko et se sentait envahi par une fatigue extraordinaire. Les rendez-vous secrets qu'il avait eus chaque nuit avec Nyu jusqu'à son départ pour Saigon lui avaient permis d'éviter la brutalité physique de Kanô. Sa liaison avec Nyu était passagère, il n'éprouvait de sentiment amoureux pour aucune femme en dehors de son épouse Kuniko. Le directeur du bureau, Yoshizô Makita, était plus ou moins au courant de ce qui se passait entre Tomioka et Nyu, mais il n'était pas homme à reprocher leurs écarts de conduite à ses subordonnés dans la mesure où ils en assumaient la responsabilité, et Tomioka avait profité de cette indulgence.

En quelques instants, le soleil avait pris une teinte orangée et s'était mis à descendre vers le mont Lang Bian. Le lac, agité de vaguelettes, était parsemé de pointes dorées. Une odeur de friture provenait du fond de la salle à manger. La beauté du soir invitait les deux hommes à une profondeur de réflexion particulière.

– On mène une vie paisible ici, mais au pays, ce doit être dur... C'est un vrai luxe de pouvoir tomber amoureux, dit Kanô.

– Tu crois qu'on va la gagner, cette guerre ?

– Ça c'est sûr. On ne peut plus perdre au point où on en est maintenant. Je n'ose pas imaginer ce que ce serait si on perdait maintenant. Je n'y pense même pas. Je vous trouve possédés par une curieuse inquiétude, Makita et toi, mais si par hasard il arrivait qu'on perde, moi je me ferais hara-kiri sur-le-champ...

– On ne s'ouvre pas le ventre si facilement, tu sais. Je ne veux pas penser à la défaite, moi non plus, mais la possibilité existe, mon vieux. Je n'ai pas envie d'aborder ce genre de questions, mais il ne faut pas croire qu'il n'y ait que des bonnes nouvelles, tu sais. Les gens d'ici sont plus sensibles que quiconque à ce qui se passe. On s'impose de force, dans notre style à la japonaise, mais on n'a aucune carte secrète à abattre. L'idée d'un Japon invincible a perdu de sa force. Elle s'est égarée avant de parvenir à maturité, et tout ce qu'on fait ici, c'est semer la pagaille... On prend un tas de mesures pour rationaliser cette guerre, mais on n'a pas assez de talent pour aller jusqu'au bout. Même un singe peut se servir d'un couteau, tu sais...

– Arrête de tenir des propos aussi sinistres. Bah, notre position est contradictoire, sans doute, mais il faut savoir jouer le tout pour le tout. Dans le pire des cas, il ne nous restera qu'à nous sacrifier pour la nation. Mourir, mon vieux ; si ça tourne mal, il n'y aura qu'à mourir...

– Tu es un irresponsable, jeta Tomioka avec mépris, avant de se lever pour aller aux toilettes.

Il était à peine sorti que Yukiko entrait à son tour dans la salle à manger, l'air ensommeillé. Elle portait une robe de coton tissé à carreaux rouges, un ruban bleu dans les cheveux et s'était pomponnée. Kanô sursauta à son arrivée et se retourna pour la regarder.

– Vous n'avez pas déjeuné, vous devez avoir faim ? dit-il en lui désignant une chaise à côté de lui.

Yukiko s'assit docilement à ses côtés et croisa ses jambes nues. Ses traits baignaient doucement dans les rayons dorés du soleil. Ses lèvres rouges brillaient comme du sang. Il flottait autour d'elle un parfum japonais, qui emplit Kanô de nostalgie. Les narines frissonnantes, il se demanda ce que c'était : de l'huile de camélia sans doute. Les cheveux de Yukiko étaient lustrés, elle avait dû les enduire d'huile de camélia, selon la recette traditionnelle des femmes japonaises. Kanô tira une épaisse enveloppe de sa poche et la posa rapidement sur les genoux de la jeune femme.

– Vous lirez ça plus tard.

Yukiko entoura aussitôt l'enveloppe de son mouchoir blanc. Tomioka revint des toilettes d'un pas nonchalant. Il fit exprès de ne pas regarder Yukiko, et contempla un moment le soleil doré d'un air ébloui. Kanô alla chercher un verre et de la bière dans la salle à manger, le remplit et le tendit à Yukiko.

Un silence contraint régna un moment, puis Tomioka se leva, toujours sans un mot, et quitta la pièce, le lourd volume de Chevalier sous le bras, laissant Kanô persuadé qu'il agissait ainsi par discrétion, par égards pour ses sentiments envers la jeune femme.

13

Dehors, il devait tomber des cordes.

Le bruit de la pluie coulant à torrents dans les gouttières rappela Yukiko à la réalité. Elle se sentait cafardeuse et ne trouvait pas le sommeil. Ses merveilleux souvenirs d'Indochine apparaissaient et disparaissaient tour à tour dans son esprit comme les images d'un kaléidoscope. Avec la nuit, le froid s'était accentué et elle grelottait sous son unique couverture. Cela l'empêchait de dormir. Une gangue de fatigue l'enveloppait et en même temps elle se sentait sur le qui-vive, comme si elle avait bivouaqué dehors. Les yeux grands ouverts dans le noir, sans défense face au chagrin de ne pouvoir compter sur personne pour l'aider, elle écoutait la pluie tomber avec violence. Elle était heureuse de l'absence d'Iba. Elle ne voulait plus revenir sur le passé et elle remerciait la vie de lui avoir accordé ces quatre années loin de lui. Elle était étendue de tout son long dans cette pièce, chez des gens qu'elle n'avait jamais vus de sa vie, mais l'Indochine l'avait habituée à ce genre de choses. Au camp de détention de Haiphong, elle n'avait pas vu Haruko Shinonoi, ni rencontré personne susceptible de lui dire ce qu'elle était devenue. Kanô avait été emmené par la police militaire de Saigon avant la fin de la guerre et Tomioka, qui était resté jusqu'à la fin, avait pu par chance rentrer au Japon un mois avant Yukiko, sur le bateau de mai. Elle ignorait jusqu'à quel point le retour au Japon avait pu modifier son état d'esprit, mais si seulement elle arrivait à le revoir, tout se résoudrait au mieux, songeait-elle, confiante. Il lui paraissait de toute façon plus simple d'avoir confiance en lui que de s'inquiéter outre mesure. Quand elle s'éveilla le lendemain matin, la pluie s'était arrêtée. Le ciel sec du début de l'hiver avait chassé toute l'humidité de l'air. Sur le plaqueminier de l'étroit jardin à l'abandon, pendaient quelques petits kakis mûrs, encore humides de gouttes de rosée. Comme cet arbre avait grandi, témoignant de ces longues quatre années écoulées ! songea Yukiko en hochant la tête. La maîtresse de maison l'appela, lui proposant de partager le petit déjeuner de la famille, composé de « mauvais riz mélangé de blé noir », dit-elle. Son mari était parti à l'aube acheter des pommes dans le Nord, expliqua-t-elle. Il s'était lancé ces derniers temps dans le commerce de gros des pommes, mais la réglementation de la vente de fruits changeait d'un jour à l'autre, et il songeait maintenant à aller acheter du sel à Shizuoka, pour le revendre dans le Nord puis, de là, rapporter du miso et ainsi de suite.

– Si les choses se passaient bien avec Iba, il pourrait lui procurer du sel, mais mon mari n'apprécie pas beaucoup son attitude, et ça fait un bon moment. Vous, vous ne connaîtriez pas un endroit où on nous vendrait du sel ?

Yukiko n'avait pas la moindre idée de ce genre de choses. À la table du petit déjeuner étaient aussi installés un petit garçon de huit ans, une fille de sept et un autre garçonnet de trois ans ainsi qu'un bébé.

– Le frère cadet de mon mari vit aussi avec nous, expliqua la femme. Aujourd'hui, ils sont partis acheter les pommes ensemble.

Yukiko se sentait prête à faire n'importe quel travail pour survivre mais elle voulait d'abord discuter avec

Tomioka de la stratégie à suivre. La femme de la maison lui ayant dit qu'elle pouvait habiter là quelque temps, si elle pouvait se contenter de cette pièce où étaient entreposées les affaires d'Iba, Yukiko se sentait soulagée et fut reconnaissante à la femme de sa bonté. Il n'était pas certain du tout qu'elle pût reprendre son ancien emploi. Elle n'en avait même aucune envie. Après le petit déjeuner, elle alla, sur les indications de son hôtesse, emprunter le téléphone du fournisseur de saké voisin. Elle essaya de téléphoner à l'ancien bureau de Tomioka, au ministère de l'Agriculture et des Forêts, mais une voix de femme lui répondit qu'il avait cessé d'y travailler. Yukiko sortit, déterminée à se rendre à l'adresse où vivait Tomioka, à Kami-Ôsaki. Elle descendit à la gare de Meguro et suivit la route encaissée qui longeait la voie ferrée, demandant son chemin aux gens. Elle passa devant la résidence du prince Fushiminomiya, chercha le numéro de la maison, au milieu d'un quartier résidentiel qui avait échappé aux incendies. Un peu plus tôt, depuis les vitres du train, elle n'avait vu qu'un paysage de plaine à demi calcinée, et il lui semblait que plus rien du monde d'avant n'était resté debout. Elle finit par trouver la maison, mais, devant l'entrée sur laquelle était collée une carte de visite au nom de Tomioka, une étrange timidité l'envahit. Il y avait deux autres plaques à côté de celle de Tomioka ; sans doute était-ce les noms de gens qui habitaient la même maison. La façade était délabrée, il y avait des bouts d'adhésif jusque sur les vitres. Un bambou aux feuilles lavées par la pluie nocturne s'allongeait comme un balai contre la clôture de planches cassée. Yukiko n'avait aucune envie de se trouver nez à nez avec la femme de Tomioka, mais comme il n'avait pas répondu à son télégramme, cela ne lui laissait pas d'autre choix que cette visite directe. Rassemblant son courage, Yukiko poussa la porte grillagée, avec un carreau de vitre en haut, et se présenta comme une envoyée du ministère de l'Agriculture. Une vieille femme distinguée d'une soixantaine d'années apparut et la fit entrer mais, juste à ce moment-là, Tomioka en personne, vêtu d'un kimono qui allongeait encore sa longue silhouette, fit une arrivée inopinée et silencieuse dans le vestibule. Il ne parut pas autrement surpris de voir Yukiko, et enfila ses *geta*[1], sortit et se mit à marcher lentement sans rien dire. Yukiko lui emboîta le pas. Ils tournèrent dans plusieurs ruelles inconnues de la jeune femme avant de déboucher dans une avenue triste et déserte, bordée d'immeubles calcinés. Tomioka se tourna alors pour la première fois vers Yukiko :

– Tu as l'air d'aller bien.
– Tu as reçu mon télégramme ?
– Oui.
– Pourquoi ne m'as-tu pas répondu ?
– Je savais que tu allais venir à Tokyo.
– Tu as quitté ton travail ?
– En juillet, oui.
– Qu'est-ce que tu fais maintenant ?
– J'aide mon père...
– La dame, tout à l'heure, c'était ta mère ?
– Hm.
– Je m'en doutais, vous vous ressemblez.
– Et toi, où habites-tu ?
– Chez des parents, à Saginomiya...
– Tu veux bien m'attendre ici deux minutes ?
– D'accord.

Ajoutant qu'il allait se préparer, Tomioka repartit dans la direction d'où ils étaient venus. Yukiko éprouvait une sensation curieuse : dans son kimono de coton léger

---

1. Socques japonaises à lanières en V, dont la semelle repose sur deux taquets de bois. *(N.d.T.)*

indigo, on eût dit une autre personne. Elle s'assit sur un muret de pierre en ruine, à demi calciné, et attendit, dans le vent glacé. Elle-même, dans son pantalon de serge noire et sa veste bleue usée prêtée par la femme qui l'hébergeait, se fondait parfaitement dans ce paysage désolé. Son visage s'empourpra : elle se rendait compte maintenant à quel point sa visite à Tomioka était risquée. Au bout d'une demi-heure, ce dernier revint, vêtu d'un costume à l'occidentale. Il avait tant soit peu repris son allure d'autrefois, mais – était-ce à cause de ces vêtements d'hiver fatigués ? – il avait perdu son air de jeunesse du temps de Dalat. Il avait beaucoup maigri et semblait quelque peu désœuvré. Tomioka, de son côté, n'éprouva pas la moindre émotion en apercevant de loin la silhouette de Yukiko, assise sur ce muret de pierre cassé. Il n'avait pas la moindre envie de réitérer le rêve d'autrefois au milieu de ces ruines, sur une scène complètement transformée. Il s'approcha d'elle avec une irritation contenue, ayant seulement en tête sa décision de mettre rapidement un terme à tout cela. Il répéta comme un perroquet :

– Tu as l'air en forme.

– Il fallait bien que je sois en forme, je suis revenue avec une seule idée : te revoir, dit Yukiko.

Après avoir ainsi enfoncé le clou, elle leva vers Tomioka un regard ébloui.

Tomioka, un léger sourire aux lèvres, ne répondit rien. L'imminence de la séparation se dressait entre eux mais, sans nul doute, Yukiko, qui venait tout juste de rentrer au Japon, ne le voyait pas encore. Tomioka s'était senti plutôt mal à l'aise à la lecture de son télégramme, mais il se disait qu'il fallait au moins qu'il assume ses responsabilités. Il ne voulait pas avoir le mauvais rôle dans l'histoire ; seulement, maintenant qu'il avait réellement Yukiko en face de lui, ce genre de scrupules lui paraissaient inutiles. La ferme décision de se séparer le soir même de la jeune femme, après une dernière entrevue, était venue les remplacer.

– Où va-t-on? demanda-t-il, mais Yukiko, naturellement, ne connaissait aucun endroit où aller.

Se rappelant avoir entendu mentionner une petite auberge qui venait d'ouvrir à Ikebukuro, Tomioka prit cette direction. Il y avait là quelques baraques en planches, aussi fines que des biscuits. Des maisons à l'allure précaire se dressaient les unes après les autres comme par enchantement. Il y avait un marché, de petits restaurants, une foule pressée et grouillante, qui rendait le quartier parfaitement apte à une rencontre discrète avec une femme. Tomioka poussa la porte vitrée de la petite auberge en bois, dont seule une pancarte marquée « hôtel » indiquait la fonction. Une femme blafarde, aux cheveux en désordre, mâchouillant du chewing-gum, sortit en se cognant contre la porte au moment où ils entraient. Elle avait à peine pris le temps d'enfiler ses chaussures, dont les lacets n'étaient même pas noués. Yukiko sentit son ardeur se refroidir. On les conduisit, Tomioka et elle, à une petite pièce de quatre nattes et demie, au premier étage, d'où l'on voyait le marché en contrebas. Les nattes souillées portaient ici et là des traces de brûlures de cigarettes. La pièce était carrée, nue, sans la moindre décoration. Le mur verdâtre était lézardé. Dans un coin de la pièce étaient empilés deux matelas rouges, tout sales, deux oreillers sans taie luisant de gras posés dessus.

Tomioka tira de l'argent de sa poche, commanda une soupe aux raviolis chinois et du saké. Ils se retrouvèrent face à face, dans la pièce vide, sans table et sans brasero. Tomioka s'adossa au mur, plia ses longues jambes et entoura ses genoux de ses bras. Yukiko, assise de côté, appuyée d'un coude sur les matelas, se grattait violemment par-dessus sa veste, à hauteur de la poitrine qu'elle avait lourde et ronde.

– Je ne pensais pas que les choses avaient changé à ce point ici, dit-elle.

– Le contraire serait étonnant : on a perdu la guerre, après tout...

– Oui... Ah, tout de même, j'avais tellement envie de te voir. Et toi, tu te montres tellement froid. Tu n'as pas un peu de compassion pour moi qui viens d'être rapatriée ?

– Ne dis pas de sottises. Moi aussi, j'ai été rapatrié. Tu n'es pas la seule. Il y a beaucoup de gens dans notre cas.

L'inconvenance de Yukiko, qui prenait un ton animé comme si elle était la seule à vivre cette situation, agaçait Tomioka. Il ne pouvait admettre son attitude : complaisamment allongée dans la boue, elle n'essayait même pas de se relever. Yukiko, de son côté, attendait une passion violente de la part de cet homme. Dans cet espace clos où ils étaient seuls tous les deux, invisibles aux yeux du monde, elle ne comprenait pas l'air distant qu'il prenait avec elle, comme aux débuts de leur rencontre. Ils se comprenaient si bien, tous les deux, à Dalat... Mais tant de temps était passé depuis, cela n'avait peut-être été qu'un rêve éphémère... Emportée par la vague violente de ses émotions, qui lui interdisait de s'appesantir sur ces détails, Yukiko s'avança hardiment vers Tomioka et posa le menton sur ses genoux.

– Pourquoi fais-tu comme si tu ne savais pas ?

– Comme si je ne savais pas quoi ?

– Je ne te plais plus, c'est ça ?

– Mais qu'est-ce que tu racontes ? Les femmes sont vraiment insouciantes !

– Je ne suis pas insouciante. Mais si j'avais su que tu me laisserais tomber comme ça, je ne serais pas rentrée, je serais repartie plus tard, avec Kanô. J'ai bien compris ce que tu ressentais, va...

– Arrête de dire des bêtises. Kanô, c'est Kanô. Tu es coupable de l'avoir incité à agir comme il l'a fait. Décidément, les femmes sont prêtes à minauder devant n'importe qui, comme des chiens qui remuent la queue. Là-bas, c'était un vrai paradis pour une femme, non?... Être aimée de tous les hommes, ça doit être plutôt agréable...

– Ça alors!... Vraiment, tu exagères de dire des choses pareilles maintenant! Tu dis ça pour me faire du mal, hein? Tu n'as plus le moindre sentiment pour moi, je le vois bien... Très bien, si c'est comme ça, je deviendrai comme cette femme qu'on a croisée en entrant tout à l'heure. Je me laisserai choir dans la fange, sans me soucier de personne...

– Pas la peine de devenir hystérique comme ça. Moi, maintenant que je suis rentré au Japon, je ne peux plus me conduire de manière aussi irresponsable qu'à Dalat, tu comprends. Tout ce que je voulais dire, c'est que c'est impossible de continuer ici la vie qu'on avait là-bas. Je vais essayer de te soutenir, de t'aider le plus possible maintenant que tu es rentrée, c'est le minimum que je puisse faire, assumer ma responsabilité.

– Quelle responsabilité?

14

L'ivresse égaya peu à peu Tomioka, libérant son esprit de ses vagues scrupules et lui donnant le courage de se lancer à nouveau dans cette liaison dangereuse. La tête pleine de fantasmes bien éloignés des complexités de la réalité, telles que les problèmes de sa famille ou de Yukiko Koda, il avait simplement envie de conjurer la tristesse de son corps et de sa pensée, et de prendre dans ses bras cette femme qui pleurait là, allongée devant lui. Depuis son retour au Japon, il avait banni Yukiko de sa mémoire, et ses souvenirs d'elle s'étaient peu à peu estompés ; mais, en se retrouvant ainsi face à elle, il avait le sentiment de contempler la cassure même de son destin. Cette fois, ce fut lui qui s'approcha de Yukiko et s'installa à côté d'elle.

– Je me rappelle tant de choses..., disait-elle. À cette époque, toi et moi, on était comme des fous. Tu te souviens, quand tu es allé inspecter la forêt protégée de Cham-bo avec M. Makita et cet officier venu du Japon dont j'ai oublié le nom, et que, au moment de monter dans la voiture, tu m'as proposé de vous accompagner et que l'officier a dit : « Oui, oui, emmenons mademoiselle Koda aussi » ? Comment s'appelait l'auberge à Cham-bo déjà ? On a dormi dans un hôtel vietnamien, on a dîné tous ensemble sous une lampe à pétrole, on a bu, on s'est endormis ivres. J'avais noté que ta chambre était la dernière au bout, et je t'ai rendu visite pieds nus, en pleine nuit. Les chambres étaient toutes côte à côte, et il y avait un marais devant, on entendait les cris lugubres des oiseaux de nuit dans la forêt. Tu n'avais pas fermé le verrou de ta porte, alors j'ai discrètement tourné la poignée et le Vietnamien qui montait la garde dans le jardin s'est redressé, ça m'a surprise... Mais cette nuit-là, ça a été la première fois avec toi, tu te rappelles ?

Yukiko avait pris la main de Tomioka dans la sienne, et mêlait ses doigts aux siens. « Oui, c'est bien comme ça que ça s'est passé », songea Tomioka. Ces jours de folie où il badinait avec une femme, pendant que des soldats ensanglantés tombaient sur les champs de bataille, lui apparaissaient maintenant comme un conte à dormir debout.

Les cloisons de séparation, fines comme celles d'une écurie, de ces chambres d'hôtel rustiques laissaient passer tous les sons. Tomioka ferma les yeux et des souvenirs qu'eux seuls partageaient affluèrent aussitôt derrière ses paupières. Dans la forêt de pins de Khasia croissaient en abondance des joncs et des graminées, où se mêlaient çà et là des pivoines, des myrtilles et des eugenia. La forêt de Cham-bo inspirait également de la nostalgie à Tomioka. Il se souvenait de l'époque où il y avait été envoyé en mission : les coolies se mettaient à deux pour s'occuper de l'abattage des arbres ou de l'examen et de la coupe des souches, au rythme d'à peine quatre par jour environ, lui semblait-il. Les bûcherons étaient, pour la plupart, des Moïs ou des Annamites ; ils avaient tous peur de la malaria, et on avait beau faire de la publicité pour le recrutement, les candidats étaient peu nombreux. Tomioka, prenant l'initiative de recruter lui-même des coolies, était parti plusieurs jours à Cham-bo. Dans la montagne, il avait construit une petite scierie où l'on sciait à la main de petits arbres et des planches qu'il envoyait ensuite à Dalat en camions militaires. Les coolies étaient payés à peine quelques piastres par jour – un salaire de misère. Ils étaient exploités, pourtant ils s'étaient si bien habitués à Tomioka qu'ils avaient continué à travailler avec zèle pour lui, même juste avant la défaite du Japon, dont ils avaient vaguement entendu parler.

– Dis, on n'ira sans doute plus jamais dans les montagnes d'Indochine. Tu te souviens, on s'était dit qu'on pourrait vivre toute notre vie à couper les arbres là-bas comme des coolies.

– Hmm...

– C'est toi qui avais parlé de ça.

– Mais c'est fini, on n'y retournera jamais.

– Non, on ne pourra plus. Sans cet incident avec Kanô, on aurait pu aller se réfugier tous les deux à Cham-bo à la fin de la guerre. Mais les êtres humains ne peuvent pas vivre librement où bon leur chante. Pourquoi est-ce qu'on ne peut pas mener une vie joyeuse, en harmonie avec la nature, hein ?

Tomioka, pour sa part, n'avait aucune envie de s'échiner pour survivre dans ce Japon plein de problèmes d'après la défaite. Une sorte d'appel sauvage retentissait sans cesse au fond de lui. Il songeait parfois que, tout comme Jésus avait eu Nazareth pour patrie, lui, la patrie de son âme, c'était cette grande forêt tropicale pour laquelle il éprouvait une nostalgie proche d'un sentiment amoureux.

Le jour était tombé sans qu'ils s'en rendent compte.

Dans le marché incroyablement bruyant sous leur fenêtre, les premières lampes s'allumaient. Yukiko sortit seule acheter des sushis et une bouteille de mauvais saké. Elle n'avait aucun endroit où aller et avait juste envie de rester encore un peu avec Tomioka. Plus l'ivresse montait en eux, plus ils se sentaient enclins à se laisser sombrer dans la boue sans rien faire. Quand Tomioka étendit la main vers Yukiko, ce fut dans un geste tout naturel. Sans aucune émotion, sur les matelas déjà installés en pleine journée, ils se serrèrent l'un contre l'autre, retombant dans une habitude éphémère, comme deux grillons qui s'accouplent. Dans le soir qui tombait, Tomioka essaya de s'identifier au douloureux combat de Jésus à Gethsémani, comme si c'était son double. Si Dieu était notre allié, nous ne devrions plus avoir d'ennemis. Tomioka se disait qu'il devait aller avec cette femme. Dans son ivresse, il lui semblait que les parents, la famille n'étaient que des garde-fous temporaires, et il entendait une voix lui dire qu'il devait à nouveau franchir la barrière et partager sa vie avec cette femme. Tout en continuant à se faire un grand discours à lui-même, affirmant que la période de gloire du Japon était bel et bien révolue, il serra Yukiko dans ses bras et leurs lèvres s'emboîtèrent dans un long baiser nostalgique.

Avec la nuit, l'ambiance de l'hôtel se fit de plus en plus agitée et, de temps à autre, des prostituées aux manières grossières, se trompant de porte, ouvraient celle de la chambre de Yukiko et de son compagnon, qui ne s'éloignaient pas pour autant l'un de l'autre. Un vacarme assourdissant retentissait à leurs oreilles : était-ce le vent, ou le bruit des trains de la gare toute proche ? Leurs vêtements, négligemment jetés sur les couvertures, avaient une allure bien plus obscène qu'eux-mêmes.

Tout en se réchauffant contre le corps de Tomioka, Yukiko, l'esprit en proie à une certaine impatience, avait soif d'étreintes plus passionnées. Il lui semblait que l'acte qu'ils accomplissaient n'était qu'un expédient d'homme cherchant une satisfaction momentanée. Cela lui rappelait sa relation cachée avec Iba. L'impatience la gagnait, à force de désirer quelque chose de plus fort. Elle s'énervait en essayant de réveiller les ressources de puissance de Tomioka. Ce dernier avait beau tenir cette femme dans ses bras, il ne ressentait qu'un vide au goût de cendres ; de temps à autre, il tendait la main vers la bouteille d'alcool et remplissait une petite coupe en verre qu'il vidait d'un trait. Yukiko reprenait également son souffle par moments pour grignoter un sushi. Elle se disait que la nuit était encore longue et sortait ses jambes brûlantes des couvertures pour les poser sur les tatamis, tout en mastiquant sa boulette de riz. Tous deux partageaient de nombreux souvenirs mais, en fait, plus ils s'acharnaient à se retrouver, plus leurs cœurs tournaient à vide dans des directions opposées. Ils ne parlaient pas de l'avenir, se contentaient juste d'oublier la réalité, s'efforçant d'amorcer à nouveau la passion d'autrefois. Par moments, la tristesse leur ôtait toute force, mais ils attribuaient cela à l'indigence de l'environnement et se serraient l'un contre l'autre, supportant à grand-peine leurs haleines respectives.

– Tu as beaucoup maigri, remarqua Yukiko.

– C'est que je ne mange pas de bonnes choses.

– Moi aussi j'ai maigri, non ?

– Pas tant que ça...

– Tu ne sens pas la différence quand je suis dans tes bras ? De ta femme ou de moi, laquelle est la plus grosse ?

Tomioka tendit la main, vida la coupe d'alcool entre ses lèvres.

Ils étaient comme un volcan éteint, se dit-il. Ils avaient fait une erreur tous les deux. Le Japon avait sombré dans cette défaite, et eux avec. Le volcan ne connaîtrait pas de nouvelle éruption. Mieux valait oublier, simplement.

– Tu sais, je regrette vraiment ma conduite avec Kanô. J'ai profité de l'affection qu'il avait pour moi pour me moquer de lui... Mais lui, il aurait été prêt à mourir avec moi, si je le lui avais demandé. C'est quelqu'un qui ne connaît pas le doute... Il croyait dur comme fer que le

Japon allait gagner la guerre. C'était quelqu'un de bien. Comme accompagnateur, on ne pouvait pas rêver mieux.

– Tu es vraiment horrible.

– Tu crois ?... Les femmes ont un côté comme ça, non ?

Tomioka n'avait pas spécialement envie de se souvenir de Kanô. On ne pouvait pas dire que l'esprit de Yukiko fût exempt de mauvais goût, quand elle évoquait Kanô comme une sorte d'accompagnateur musical grâce auquel Tomioka et elle auraient pu réamorcer leur passion d'antan. Tomioka se sentait fatigué. Yukiko, elle, ne montrait pas le moindre signe de lassitude, et grignotait un sushi au thon dont le rouge foncé avait viré au noir, tout en bavardant avec insouciance. Tomioka trouvait détestable cette force primitive des femmes, leur refus de se laisser sombrer. Ce visage au teint éclatant, comme luisant de propreté, sur le matelas rouge, lui parut vulgaire.

– À quoi penses-tu ?

– À rien.

– Tu penses à ta femme, non ?

– Idiote !

– Oui, je suis une idiote. Comme toutes les femmes. Et les hommes sont tous admirables, non ? Ça me fait presque pitié que vous soyez responsables d'imbéciles comme nous. Me raccrocher à toi qui es là, sous mes yeux, au lieu de penser à l'avenir, qu'est-ce que c'est sinon de la stupidité, hein ? C'est bien ce que tu te dis, non ? Moi, je suis contente de te voir, après être revenue de si loin, c'est tout... Mais quand j'étais à Haiphong, ça m'était pénible de t'imaginer auprès de ta femme. Comment est-elle, ta femme ? Elle doit être belle, non ? Cultivée, jolie...

Yukiko essayait de visualiser la femme de Tomioka. Une silhouette sobre, d'une beauté irréprochable, se dessina devant ses yeux. Tomioka somnolait tout en écoutant le bavardage de Yukiko.

– Tu m'avais dit que tu allais tout régler avant mon retour, quitter ta femme et m'accueillir dans une situation nette, mais tout ça, ce n'était que des mensonges. Les hommes sont des menteurs. Ils embobinent les femmes et gardent leurs distances. C'est atroce de me faire prendre conscience de ça en m'entraînant dans un endroit pareil. Tu m'avais dit : quand on sera rentré au Japon, on recommencera tout à zéro, on travaillera comme journaliers tous les deux s'il le faut...

Yukiko avait fermé ses yeux pleins de larmes et caressait Tomioka. Les os de ses hanches ressortaient. Il lui avait dit qu'il ne mangeait pas bien, et cela l'attristait de sentir les aspérités de cette peau d'homme mal nourri. Elle toucha son propre bas-ventre et trouva mystérieuse la texture douce de sa peau lisse. C'était étrange que sa peau soit si douce, après la vie qu'elle avait menée. La défaite d'un pays ne changeait donc rien à la peau des jeunes femmes... Elle effleura doucement le bas-ventre de Tomioka.

– Demain, on partira chacun de notre côté, et puis on se reverra dans un endroit comme ici, où tu te soûleras et tu t'endormiras, voilà tout. Ça t'est bien égal que je sois revenue de loin. C'est pourtant un miracle que je sois ici. Je veux que tu m'aimes encore comme quand on était à Dalat, que tu t'inquiètes pour moi. Hé, réveille-toi, c'est affreux de t'endormir comme ça ! Ne dors pas.

Elle pinça Tomioka de toutes ses forces.

Tout somnolent, il ouvrit les yeux d'un air ivre. Il se sentit dans un endroit étrange, regarda autour de lui. Mais le sommeil l'accabla de nouveau. Ses paupières se refermèrent sur ses orbites creuses.

– Ce que tu es agaçante, marmonna-t-il. Tu es fatiguée, tu ferais mieux de dormir un peu. Ça ne sert à rien de ressasser indéfiniment le passé.

– Ça alors ! Tu es vraiment sans cœur. Le passé est important pour nous deux. S'il nous échappe, on n'aura plus nulle part où aller. Vivre comme des vieux alors qu'on est encore jeunes, être sous-alimentés, sans énergie, épuisés, moi ça ne me dit rien ! La plus grande liberté règne au Japon maintenant, paraît-il. Tu les entends se faire des mamours à côté ? Allez, réveille-toi, au lieu de rester là comme un vieillard. Si tu ne te réveilles pas, demain je vais parler à ta femme. C'est ça que tu veux ?

15

Lorsque Yukiko rentra à Saginomiya le lendemain, après avoir quitté Tomioka, il était midi passé.

Ils n'avaient échangé aucune promesse claire, mais il lui avait expliqué que, même s'ils devaient vivre un jour ensemble, il fallait se donner du temps, sinon cela ne marcherait pas, et elle s'était dit qu'elle n'y pouvait rien. Il jura de lui trouver un logement dans les jours à venir et dit qu'il s'emploierait aussi à mettre de côté une petite somme pour elle. Ce ne serait qu'un expédient momentané, songea Yukiko mais, vu le contexte, elle n'avait d'autre choix que de lui faire confiance.

Elle l'avait quitté à la gare d'Ikebukuro ; il s'était aussitôt fondu dans la foule. Elle se sentit seule, resta un moment adossée à un pilier à regarder les passagers que les trains engouffraient ou recrachaient sur le quai. Une masse indistincte de visages de gens mal nourris, longtemps exploités par la guerre, s'écoulait sans fin autour d'elle.

Elle n'avait pas le moindre but.

Elle aurait beau retourner à Saginomiya, personne ne l'y attendait. Elle songea à aller voir Iba à Shizuoka, mais Tomioka était trop présent dans ses pensées pour qu'elle quitte Tokyo. Cet attachement avait changé de forme depuis qu'elle l'avait revu, cependant elle était contente d'avoir pu passer ces moments avec lui. En même temps, elle savait bien au fond que, tant qu'elle serait dans cette situation, elle ne serait qu'un poids pour lui. Elle devait avant tout entrer dans la vie d'ici comme cette foule, chercher du travail. Elle se rappela tout à coup le dancing qu'elle avait aperçu depuis la gare de Shinagawa. Et si je devenais danseuse ? se dit-elle.

Elle essaya de s'imaginer, maquillée et transformée, dans un flot de musique joyeuse, mais dans son état actuel il lui était impossible de se mettre réellement dans la peau d'une danseuse.

Tomioka lui avait donné un peu d'argent de poche et elle se dirigea vers Shinjuku, pour voir. Le quartier était toujours aussi grouillant que quelques années auparavant. Elle ne retrouva pas un seul visage d'autrefois, ce qui lui donna l'impression de marcher en terre inconnue. De nouveaux modèles de voitures circulaient, une foule engoncée dans des vêtements d'hiver avançait sur les trottoirs glacés. Parvenue devant un grand immeuble sans vitres, Yukiko leva la tête : ah, c'était donc là, le grand magasin Mitsukoshi ! Elle tourna à droite le long du building : des étalagistes se côtoyaient en rangs serrés dans les étroites ruelles. Ils vendaient des sardines qu'ils sortaient de vieux barils de pétrole, ou encore des bonbons dans de petites boîtes en verre. Toutes les ruelles regorgeaient d'étalages, proposant des mandarines empilées en pyramides, des chaussures de caoutchouc, des seiches surgelées à cinq yens pièce. Au milieu des décombres sinistres des bombardements, des groupes d'enfants sales fumaient des cigarettes.

Yukiko acheta un paquet de mandarines à vingt yens, s'assit sur un tas de gravats, éplucha un fruit et le mangea. Tout l'ancien formalisme ennuyeux du quartier avait été balayé et il régnait un air de renouveau, comme après une révolution, qui consolait Yukiko de sa solitude. Elle se sentait mieux ici que nulle part ailleurs, et recracha un peu partout les quartiers acides des mandarines.

Se demandant si cette espèce de révolution parviendrait à ouvrir un peu le cœur sans compassion de ces gens, elle regardait avec nostalgie les visages de la foule qui s'écoulait autour d'elle, comme s'ils faisaient tous partie de sa famille.

Tomioka devait être rentré chez lui à présent. Quelle excuse avait-il trouvé pour justifier son absence cette nuit auprès de sa femme ? se demanda-t-elle avec amusement. Tel qu'elle le connaissait, il devait se comporter avec naturel, comme s'il ne s'était rien passé. Sa femme n'aurait sans doute pas le moindre soupçon. Yukiko pensait à tout cela non sans jalousie. Elle s'en voulait de sa propre naïveté : dire qu'elle avait pu croire que Tomioka viendrait la chercher le jour de son retour au Japon, pour commencer une nouvelle vie avec elle !

Elle regagna Saginomiya dans l'après-midi. Elle donna aux enfants les deux mandarines qui lui restaient et entra dans la chambre où étaient stockées les affaires d'Iba, mais cette pièce sans présence humaine lui parut triste et glacée.

En regardant les bagages entreposés autour d'elle, l'idée lui vint tout d'un coup d'y chercher des choses intéressantes à vendre. Ce serait une sorte de vengeance vis-à-vis de lui. Elle n'aurait pas l'impression de mal agir en vendant pour vivre des objets de valeur appartenant à Iba. Si elle ouvrait ses malles, il suffirait de dire aux gens de la maison, pour ne pas éveiller leur méfiance, qu'elle cherchait des affaires qu'elle avait confiées à Iba avant de partir. Et si Iba revenait et se rendait compte que certains de ses biens avaient disparu, si la responsable était Yukiko, il ne pourrait rien lui reprocher.

Le soir, la maîtresse de maison donna à Yukiko une part de patates douces et les fit cuire à la vapeur pour elle avec celles de la famille.

Tout en mangeant ses patates, elle regardait l'étroit jardin à travers les vitres de la cloison, quand elle aperçut un petit chat malingre au pelage tricolore qui épiait quelque chose, caché au milieu d'un bosquet d'azalées mal entretenu. Elle se souvint des fleurs d'azalées aux couleurs de pivoine qui s'épanouissaient au début du printemps, et le passé lui revint brusquement, comme si c'était la veille. Le chat sortit peu après du buisson et passa en traînant les pattes sous le néflier près de la clôture.

Yukiko ouvrit la cloison, sortit dans le couloir, appela le chat ; il ne revint pas.

16

Tomioka avait pensé à Yukiko pendant deux ou trois jours, mais finit sans trop savoir quand par oublier la maison dans laquelle il devait l'installer, l'argent qu'il devait mettre de côté. Il avait juste envie de mettre un terme à sa relation avec Yukiko. Leurs retrouvailles avaient été étouffantes ; il priait pour qu'elle suive désormais librement sa propre route.

Il avait le projet d'aller acheter du bois dans la montagne, avec un ami marchand de bois. Ils auraient voulu partir dans la préfecture de Nagano, au nord de Tokyo, pour s'approvisionner, mais son ami avait du mal à trouver des fonds, et de plus il était très difficile d'acheminer les trains de bois depuis la montagne, si bien qu'ils reportaient toujours leur expédition au lendemain. Si tout se passait bien, cela lui procurerait un peu d'argent, songeait Tomioka. Le bois se vendait rapidement et à bon prix au marché noir, et il désirait ardemment se lancer dans l'aventure. Depuis son retour au Japon, il était plus que las de sa vie de fonctionnaire et était tenté de saisir cette occasion de changer sa vie.

Ce jour-là encore, il alla téléphoner à Tadokoro, le marchand de bois, qui lui répondit qu'il lui fallait encore quatre ou cinq jours pour trouver les fonds ; il s'en revint déçu. À son retour, Kuniko, son épouse, lui annonça qu'une femme était venue le voir et le priait de bien vouloir lui rendre visite le lendemain à la société de commerce Hotei à Ikebukuro. Il comprit tout de suite qu'il s'agissait de Yukiko.

La « société de commerce Hotei » était l'hôtel Hotei où ils avaient dormi à Ikebukuro. Tomioka, mécontent, faisait grise mine, mais Kuniko semblait ne s'être rendu compte de rien et s'enquit :

– Qui est cette personne ? Elle m'a demandé si j'étais ta femme. A-t-elle un lien avec M. Tadokoro ?

– Non, elle n'a rien à voir avec Tadokoro. C'est peut-être l'épouse du gérant de la société Hotei avec qui j'ai fait connaissance récemment...

– Ah bon ? En tout cas, elle ne m'a pas fait très bonne impression. Depuis la fin de la guerre, on voit toutes sortes de gens, tu sais. C'est le genre de femme pour lequel je n'éprouve pas la moindre sympathie... « Où est-il ? À quelle heure rentre-t-il ? » Elle m'a posé des questions avec une telle familiarité, à la limite de la grossièreté.

« Les intuitions féminines doivent se faire écho », pensa Tomioka avec une sorte d'effroi.

Kuniko avait dû se sentir instinctivement en présence d'une rivale. Tomioka était tourmenté. Ne valait-il pas mieux tout lui avouer dès maintenant ? se demanda-t-il. Cependant, en regardant son épouse rapiécer une couverture, son nécessaire de couture sur les genoux, dans son pantalon de travail de coton grossier, l'idée de lui avouer son histoire d'amour à l'étranger lui parut cynique. La seule pensée de faire à l'innocente Kuniko un aveu qui n'aurait pu que la blesser profondément lui était insupportable. Pendant la guerre, elle avait attendu son retour chez ses beaux-parents et avait bravement supporté de vivre dans le dénuement.

Le lendemain, à midi passé, Tomioka se rendit à l'hôtel Hotei. Yukiko l'y attendait, adossée au brasero, dans une tenue voyante à la rendre méconnaissable : elle portait un manteau rouge, et une longue frange lui retombait sur le front.

– Je suis allée te voir hier...

– Hmm...

– Ta femme a l'air douce et calme.

– Dis donc, c'est nouveau, cette élégance !

– Oui, je me suis acheté ce manteau, il me va bien ?

– Comment as-tu fait ?

– J'ai vendu des affaires de ma famille en cachette, et j'ai acheté ça. Il faisait trop froid, je me sentais triste à un point...

– Tu as le droit de faire ça ?

– Non, mais je n'ai pas le choix.

Tomioka contemplait Yukiko dans sa tenue clinquante. Sa métamorphose en femme langoureuse et mélancolique lui parut vaguement pitoyable et lui rappela une pièce de kabuki qu'il avait vue autrefois, le *Journal de la Belle du Matin*, et notamment la crise de folie de l'héroïne, Miyuki, qui se lamente près de la rivière Ooi, enlacée à un piquet. Il voyait bien que s'il abandonnait Yukiko maintenant, elle se laisserait sombrer dans le gouffre de la déchéance. Il se demandait avec angoisse ce qu'elle deviendrait sans lui.

– À quoi penses-tu ?

– À rien de particulier, mais ça va être difficile pour nous deux...

– Oui, il n'y a pas moyen de s'arranger, c'est ça ? Mais j'ai complètement renoncé, tu sais. Ça m'a attristée de voir ta femme ; sur le chemin du retour je me sentais très préoccupée. Une épouse qui fait confiance à son mari, belle, pure... J'aurais trop peur de rendre malheureuse une femme aussi vertueuse...

Tomioka regarda longuement Yukiko, en se demandant si elle parlait sérieusement. Il l'imagina devant chez lui, la tête baissée sans doute. Elle sortit un mouchoir de la poche de son manteau pour s'essuyer les yeux. Chose inattendue, c'était celui que Tomioka utilisait à Dalat.

– Tu as envie de te débarrasser de moi, n'est-ce pas ? Je le vois bien. Ça t'est bien égal à présent ce que je peux devenir. Je ne suis qu'un tourment pour toi, hein ? Mais moi, si tu m'abandonnes, je tomberai en enfer. Je ne serai plus qu'une poignée de cendres jetée au vent. Je ne peux pas vivre en n'ayant que les miettes, tu comprends ? Tu aimes ta femme et tout ce que tu as à me donner, c'est un petit excédent de cette affection, comme à une mendiante, mais moi, je ne veux pas de ça !...

– Qu'est-ce que tu racontes, c'est ridicule. C'est bizarre de te mettre à parler d'amour comme ça, ce n'est pas le moment. Je réfléchis de mon côté, moi aussi. Si on ne réfléchit pas à la façon de s'y prendre pour régler les choses, ça te causera des ennuis à toi aussi ; c'est pour t'éviter ça que je suis venu aujourd'hui, malgré mon emploi du temps chargé.

– Non et non ! N'essaie pas de m'obliger à t'être reconnaissante... Tu n'as pas bien compris ce dont je parlais. Pourquoi est-ce que je ne peux pas me laisser gâter égoïstement par toi ? Tu penses tout le temps à autre chose, oui, et en ce moment aussi... Mais je ne te demande pas l'impossible : trouve-moi un endroit où vivre, et où tu viendras me voir de temps en temps... Je veux trouver un travail tout de suite. Je sais bien que je ne suis pas née pour être ton épouse officielle !

Tomioka avait écouté la sortie hystérique de Yukiko en sirotant du thé refroidi, agitant nerveusement ses genoux à cause du froid. Yukiko se sentait abandonnée parce qu'il ne l'avait pas vue pendant trois jours, et avait entrepris, dès qu'elle l'avait vu, de lui lancer toutes ses récriminations au visage en même temps.

– Tu me cherches une chambre ?

– Oui, je cherche. Tu te dis sans doute qu'une chambre, ce n'est pas la lune, mais ce n'est pas facile de trouver, tu sais, toute la ville a brûlé. Même en admettant que je trouve, il faut plusieurs dizaines de milliers de yens de caution. Sois un peu patiente...

– Évidemment, tu peux garder ton calme, toi, tu vis dans une maison indépendante, mais moi, je n'ai pas de toit au-dessus de ma tête. Je n'ai aucun droit à rester là où je suis en ce moment. J'aimerais avoir rapidement un endroit à moi. J'ai juste trouvé refuge pour quelques jours dans une maison occupée par des inconnus après l'évacuation de ma famille à la campagne. C'est vraiment dur, mais je n'ai pas le choix.

– Je vais bien finir par te trouver quelque chose. Je ne chôme pas, tu sais. Mais par les temps qui courent, il n'y a pas beaucoup de logements dignes de ce nom. À propos, il n'y a pas de chauffage dans cette auberge ? Il fait un froid de canard...

– C'est vrai. Tu veux que j'aille acheter du saké en bas comme l'autre jour ?

Yukiko paraissait avoir changé d'humeur. Elle tira son sac vers elle et se mit à fouiller nonchalamment dedans. Lorsqu'elle trouva finalement son porte-monnaie, elle se leva d'un geste vif.

– Achètes-en juste un peu, hein. Je n'ai pas envie de boire beaucoup...

– Tu rentres tôt aujourd'hui ?

– Je n'ai pas d'obligations particulières...

– Tu ne veux pas rester dormir ? J'ai de l'argent, tu sais.

– Pas ce soir, je ne peux pas.

– Ah, tu n'es pas drôle. Pourquoi ? Tu t'es fait gronder l'autre jour ?

– Je ne suis pas un enfant, personne ne me gronde. Aujourd'hui, ce n'est pas possible, c'est tout.

Yukiko n'insista pas et sortit de la chambre. Ce n'était pas la même que la dernière fois, mais il y faisait tout aussi froid, et elle était tout aussi sinistre, avec ses tatamis sales et grossièrement tissés.

Tomioka sortit une cigarette, l'alluma, se rappela que Kuniko avait trouvé Yukiko extrêmement déplaisante.

Il songea qu'il était plus gai de lire le journal auprès de Kuniko dans le séjour en écoutant l'eau du thé chauffer dans la bouilloire que de retrouver en secret sa maîtresse dans une chambre d'auberge douteuse. Il lui vint même une pensée terrible : pourquoi Yukiko n'était-elle pas morte en Indochine ? Il se souvint avoir lu quelque part qu'il y a toujours deux prières qui cohabitent dans le cœur humain : l'une s'adresse à Dieu, l'autre à Satan.

Tomioka suivit des yeux la fumée de sa cigarette, puis son regard s'arrêta soudain sur le sac gonflé de Yukiko. Il tendit la main, le tira vers lui. Le sac en feutre un peu sale contenait un paquet rigide enveloppé dans un carré de tissu violet : un rouleau d'étoffe pour kimono, sans doute. À part cela, il y avait des produits de maquillage, un stylo Parker qu'il avait acheté à Saigon, avec un logo représentant un diamant bleu, des cigarettes Peace, une serviette et une savonnette, et également deux lettres adressées à des parents de Yukiko à Shizuoka. Il remit rapidement le sac à sa place et planta son mégot dans la cendre durcie du brasero. Son esprit commençait à déborder de culpabilité vis-à-vis de Yukiko. En même temps, en pensant à la douceur de sa vertueuse épouse, un frisson glacé lui parcourut le dos à l'idée de son égoïsme : il sacrifiait Kuniko pour venir s'égarer dans cet endroit louche et s'empêtrer dans sa relation avec Yukiko à seule fin d'échapper grâce à elle à la tristesse de sa vie présente.

Il se rappela l'époque où il avait enlevé Kuniko, mariée à un autre à l'époque, pour pouvoir l'épouser. L'inconstance qui lui avait fait accumuler mauvaise action sur mauvaise action lui apparaissait à présent comme une fatalité.

La servante Nyu, qu'il avait laissée à Dalat, était retournée dans sa campagne enceinte de lui. Il avait cru tirer un trait sur cette histoire en donnant à Nyu une somme d'argent assez conséquente, mais de temps en temps, curieusement, cela le tourmentait encore, et il lui arrivait même de rêver d'elle. Elle avait sans doute déjà accouché. Il pensait avec nostalgie à la vie en Indochine et au rejet de la société auquel Nyu devait sûrement faire face pour avoir mis au monde un petit métis de père inconnu.

Peu après, Yukiko revint, le visage empourpré par sa sortie dans le froid.

– J'ai racheté des sushis. Et du saké aussi, une bouteille pleine à ras bord, regarde !

Elle lui montrait le contenu de la bouteille par transparence à la lumière de la fenêtre. Elle jeta violemment le reste de thé froid dans un coin du brasero et versa du saké dans la tasse à la place.

– Je goûte d'abord, dit-elle en portant la tasse à ses lèvres. Ah, c'est bon, fit-elle après en avoir bu la moitié. Ça brûle la poitrine et le ventre !

Tomioka vida également d'un trait, sans respirer, le saké qu'elle lui servit. Elle remplit aussitôt sa tasse à nouveau.

– Dis... Tu ne veux pas rester dormir ici, ce soir ? Juste ce soir, après je n'insisterai plus, promis. Si ça ne te plaît pas ici, on peut aller n'importe où ailleurs. Si tu n'as pas assez d'argent, j'ai des choses à vendre avec moi, on pourra dormir dans un endroit plus agréable.

Tomioka sentit une chaleur monter soudain en lui ; il s'empara de la main de Yukiko. Le caractère indompté de la jeune femme, qui exprimait dans l'instant tout ce qu'elle ressentait, lui parut adorable. Soudain libéré de l'abattement où il était plongé un instant plus tôt en songeant à ses responsabilités de famille, et peut-être aussi sous l'effet du saké, il mordit les doigts de Yukiko.

– Plus fort, mords-moi plus fort !

Il couvrit sa main de petites morsures. Incapable de se contenir davantage, elle posa la tête sur les genoux de Tomioka, qui grelottait de froid, et éclata en sanglots.

– Regarde quelle femme je suis devenue ! Je ne comprends pas moi-même. Fais ce que tu veux de moi. Fais ce que tu voudras de moi, je t'en prie...

Elle caressait les genoux de Tomioka en pleurant. La chambre commençait à s'assombrir. On entendait nettement les boniments des vendeurs dans le marché en contrebas, sans doute à cause du vent. Tomioka posa ses lèvres sur la frange de Yukiko, mais ses propres gestes lui paraissaient vains et théâtraux.

Cette sauvagerie dans ses émotions, voilà ce qui manquait à Kuniko : cette vérité lui apparaissait avec une évidente clarté, uniquement lorsqu'il avait bu, comme la lumière d'un réflecteur brusquement dirigée sur sa figure.

– J'aurais mieux fait de ne pas voir ta femme. C'est quelqu'un de bien. Mais quand je pense que c'est ta femme, ses traits me paraissent tout de même haïssables. Depuis que je suis allée chez toi, le souvenir de son visage ne cesse de me revenir, ça me fait chaque fois un pincement au cœur. Elle a dû sentir quelque chose à propos de moi. Elle t'en a parlé, non ?

– Elle ne m'a rien dit.

– Menteur ! Je l'ai regardée fixement, avec une expression terrible. Elle a eu l'air intriguée et m'a inspectée des pieds à la tête, en souriant d'une façon très désagréable. C'était un sourire grotesque, insupportable. J'ai vu étinceler une dent en or dans sa bouche. Quelle idée de mettre une couronne en or sur une dent de devant !

Yukiko souriait, le visage levé vers son amant. Son maquillage avait coulé à cause des larmes, mais paradoxalement elle avait l'air plus fraîche ainsi. Sa frange en désordre lui donnait un air provocant. Tomioka la regarda comme s'il la voyait pour la première fois. Était-ce à cause de l'ivresse que le visage de Yukiko tremblait ainsi, comme les images d'un film, tantôt proche et tantôt lointain, et passant tour à tour du clair au foncé ?

– Elle est bien plus âgée que moi, hein ?

– Tu me cherches querelle ?

– Exactement. Elle n'a pas le droit de te monopoliser. Moi, un homme qui embrasse une femme qui a une dent en or sur le devant, ça me dégoûte...

Tomioka n'appréciait guère qu'elle évoque ainsi ouvertement les défauts de Kuniko. Il prit une des couvertures empilées dans le coin de la chambre, la tira à lui et la mit sur ses genoux. Elle était collante de saleté.

– Ça fait comme un *kotatsu*[1] comme ça. Je peux mettre mes jambes de l'autre côté ?

Elle était soûle.

– Tu dis que tu veux travailler, mais qu'as-tu l'intention de faire ? demanda Tomioka après avoir bu trois ou quatre verres de saké.

Yukiko reprit un air un peu sérieux.

– Je voudrais devenir danseuse, ce n'est pas bien, tu crois ? dit-elle avec une lueur de provocation au fond des yeux.

« Pourquoi pas ? » se dit Tomioka, mais il ne fit aucun commentaire.

---

1. Appareil de chauffage traditionnel, composé d'un brasero encastré dans le sol, surmonté d'une table basse recouverte d'une couette. *(N.d.T.)*

Quand il fut près de 22 heures, Tomioka murmura :
– Bon, je ne vais pas tarder...
Il tira une liasse de billets à demi enroulés de sa poche et la posa telle quelle sur les genoux de Yukiko.
– Il y a mille yens. Trouve-toi un travail avant d'avoir fini de les dépenser. Pour le logement, je te préviendrai dès que j'en aurai trouvé un. Je dois partir pour la préfecture de Nagano demain soir, je ne te verrai pas pendant une dizaine de jours ; en attendant, donne un peu d'argent à tes logeurs et demande-leur de te garder encore un moment...
Yukiko eut l'impression qu'il cherchait à se débarrasser d'elle avec ces mille yens.
– Je ne veux pas de ton argent. Tu ne pourrais pas plutôt rester dormir ? C'est triste de se quitter comme ça. Ça ne me plaît pas. Tu pars dix jours ! Tu me fuis, c'est ça ? Hein, c'est ça ? Allez, dis-le franchement...
Tomioka termina sa tasse de saké d'un trait et se mit à agiter nerveusement ses genoux.
– Mais non, ce n'est pas ça. Je suis désolé pour toi, tu sais. Pour parler franchement, là-bas, on rêvait, le pays était si beau... Tu vas te fâcher si je te dis ça mais, en rentrant au Japon, j'ai vu un monde complètement différent, et je me suis dit que je ne voulais pas faire souffrir les membres de ma famille. Ils ont tous horriblement souffert, et pourtant ils ont tout enduré sans rien dire. Je ne peux pas quitter brutalement les gens qui ont attendu mon retour dans des conditions pareilles. Du coup, je brise la promesse que je t'avais faite, mais je ferai tout pour que tu sois heureuse. J'y réfléchis sincèrement, tu sais... Je t'aime. Et si on ne peut pas vivre ensemble, c'est à cause de ma faiblesse. En fait, j'aurais pu rester dormir ce soir, mais je me dis que ce serait mal, ce serait de la tromperie envers toi, alors, depuis tout à l'heure, je me dis que je dois partir.

« C'est vrai que je pars en montagne, tu sais. J'avais l'intention de te dire tout ça à mon retour, mais voilà, tout d'un coup j'ai eu envie de vider mon sac. Si je te quitte pour de bon maintenant, c'est sûr que ce sera bien triste pour toi. Mais en même temps, il m'est impossible de quitter mon foyer maintenant. Tout le monde compte sur moi pour vivre...

Yukiko secoua précipitamment la tête en se bouchant les oreilles, tout en foudroyant Tomioka d'un regard étincelant de rage. Il repoussa calmement la couverture, posa ses deux mains sur les genoux de Yukiko et ajouta dans un gémissement :

– Il faut qu'on se quitte, on n'a pas le choix.

– Non, je ne veux pas ! Du moment que toi et les tiens vous êtes heureux, tu te moques bien de ce qui peut m'arriver, hein ? Je n'en veux pas, de ton argent ! Ce n'est pas en me donnant de l'argent que tu feras mon bonheur. Je ne vais pas me taire parce que ça t'arrange. J'ai le droit de dire ce que je veux, moi aussi ; ta femme et moi, c'est la même chose. Tu es prêt à me sacrifier pour qu'elle soit heureuse, hein ?... Pourquoi ne me l'as-tu pas dit au début, dans l'entrée, la première fois que je suis venue te voir ?

L'ivresse était montée en elle d'un seul coup, et Yukiko ne savait plus très bien ce qu'elle disait, mais elle ne pouvait laisser Tomioka tenir des propos aussi égocentriques.

Cet homme qui ne se souciait de rien en Indochine, voilà que de retour au Japon il se faisait tout petit et mettait en avant sa maison, sa famille... Comme elle détestait cette lâcheté ! Elle prit les deux mains de Tomioka, les secoua de toutes ses forces. Puis elle retourna soudain sa manche gauche et exhiba le long bourrelet de la cicatrice sur son bras.

– Et ça, tu te souviens de ça ? Tout est arrivé à cause des mensonges que tu avais racontés à Kanô. Je suis au courant de tout, tu sais, même de ta liaison avec Nyu. Tu considères les gens passionnés comme des fous, non? Tout le monde fait confiance aux êtres de ton espèce, alors que des gens comme Kanô, comme moi, on nous considère comme des anormaux, on ne nous fait pas confiance... Pourtant, là-bas, je n'avais pas l'impression que tu jouais la comédie... Si tu veux vraiment qu'on se quitte, je n'y peux rien, mais est-ce que c'est juste? Tu auras une maison magnifique, tu feras plaisir à ta femme, à ta famille, tu auras la conscience tranquille, mais pour bâtir ce bonheur, tu auras sacrifié plusieurs personnes. C'est affreux de faire semblant d'ignorer ça. Si ta famille et ta femme sont si précieuses à tes yeux, tu n'avais qu'à te montrer inflexible dès le départ. Je n'ai jamais eu envie de chasser ta femme, mais j'avais cru à des choses un peu trop belles. Moi, je reste dormir ici ce soir; tu n'as qu'à t'en aller si tu veux.

Elle avait le regard fixe. Elle lâcha les mains de Tomioka, s'enroula dans la couverture qui se trouvait là et se laissa rouler sur le tatami. Tomioka avait assisté en silence à ces manifestations de désespoir.

17

Quatre jours plus tard, Iba débarqua à Tokyo. Yukiko s'apprêtait à sortir quand elle se retrouva nez à nez avec lui. En le voyant arriver ainsi précipitamment, elle le prit d'abord pour son frère aîné. Il eut l'air aussi surpris qu'elle.

– Tiens, mais c'est la petite Yuki!

La soudaineté de cette rencontre la fit rougir.

– Quand es-tu rentrée? Pourquoi n'es-tu pas venue à Shizuoka tout de suite? C'était bien toi qui étais là, alors!

Il avait vieilli au cours de ces quatre années, ses traits avaient changé.

– Comment as-tu su que j'étais là?

Iba remonta le col de son pardessus noir et lui tourna le dos.

– On ne peut pas trop parler à la maison, si on allait prendre un thé tranquillement quelque part?

Sur ces mots, il se dirigea vers la large avenue toute sèche, balayée par un vent froid. Yukiko le suivit, contemplant avec étonnement son dos fatigué. Il traversa le passage à niveau, mais poursuivit son chemin sans entrer dans la gare et se baissa pour passer sous le rideau d'entrée d'un restaurant de nouilles de sarrasin qu'on apercevait en face de la gare, un peu en biais. Il n'y avait même pas de chauffage dans cet établissement obscur, où s'alignaient près de l'entrée des tables couvertes de poussière blanche. Iba et Yukiko s'installèrent face à face dans un coin, mais le froid était tel qu'ils ne pouvaient garder les pieds posés sur le sol de terre battue. De plus, ils étaient à côté de la porte vitrée à claire-voie, un coin particulièrement sombre et froid.

– Pouvez-vous préparer des nouilles de sarrasin? demanda Iba.

Une jeune fille aux cheveux noués en coques de part et d'autre de la tête, un masque en gaze sur la figure, répondit qu'il était encore trop tôt pour préparer des *soba*, les horaires de service étaient stricts. Tout ce qu'elle pouvait proposer était du thé noir, du *shiruko*[1] et de la limonade. Comment pouvait-on boire de la limonade alors qu'il faisait si froid? s'étonna Iba, tout en commandant deux *shiruko*. L'établissement était un vieux restaurant de *soba*, dans le style des relais de voyage d'autrefois. Iba sortit ses cigarettes, en alluma une. Il allait remettre le paquet de Hikari dans sa poche, quand Yukiko, les épaules frissonnantes, lui en demanda une.

– Tu fumes, toi?

– J'ai l'impression que ça va un peu me réchauffer...

Iba tendit une allumette vers la cigarette qu'elle avait mise entre ses lèvres. Il lui posa un tas de questions insistantes. La serveuse leur apporta deux bols de purée de haricots rouges pâteuse, sucrée à la saccharine. Sous les couvercles couverts de buée à l'intérieur, deux petites boulettes farineuses flottaient sur un liquide marron pâle.

– Il paraît que tu as ouvert mes affaires sans me demander la permission? dit Iba, la tête baissée vers son bol, tout en saisissant une boulette du bout de ses baguettes.

---

1. Dessert à base de purée de haricots rouges sucrée et de gâteaux de riz glutineux. (*N.d.T.*)

Yukiko se taisait. Elle prit elle aussi une boulette et la porta à sa bouche, en se disant que les habitants de la maison avaient dû la dénoncer.

– Je verrai bien ce que tu as pris en allant vérifier à la maison. Mais pourquoi avoir agi de façon aussi arbitraire ? Si tu avais besoin d'argent, tu n'avais qu'à me le dire, je t'aurais aidé. D'abord, j'ai trouvé curieux que tu arrives à Tokyo et que tu ne me préviennes même pas de ton retour. J'ai reçu une lettre à Shizuoka, on me dit que tu as liquidé pas mal de mes affaires. C'est vrai ?

Iba ralluma sa cigarette sur le point de s'éteindre et tira dessus de toutes ses forces. Yukiko n'avait à présent plus le moindre sentiment pour lui.

– Il faisait si froid, j'ai ouvert tes affaires pour t'emprunter deux ou trois vêtements.

– Ah. Tu les as vendus ?

– Euh, oui. J'étais gênée vis-à-vis de toi, mais après tout il y a des gens qui ont eu leur maison entière brûlée, je me suis dit que ce n'était pas trop grave comparé à ça, et que tu me pardonnerais. J'ai acheté ce manteau avec l'argent.

– Pourquoi n'es-tu pas rentrée d'abord à Shizuoka ?

– Je n'avais pas envie d'y retourner. Je suis revenue avec une amie, que je voulais voir, et puis je voulais trouver rapidement du travail et m'occuper de mon installation ici avant d'aller à Shizuoka...

Sur ces mots, Yukiko sortit de son sac deux lettres adressées à sa famille et les tendit à Iba. Elle les avait écrites quelques jours auparavant et avait oublié de les poster.

– Qu'est-ce que tu as vendu exactement ?

– Deux kimonos d'été en crêpe de soie et quelques rouleaux d'étoffe.

– Tu crois que c'est bien d'agir d'une façon aussi grossière ? Tu as bien changé en allant là-bas.

Yukiko ne répondit pas.

– J'ai quitté mon travail à la banque, et j'ai fait le paysan à la campagne toutes ces années, mais finalement, quand on a vécu en ville, on ne peut pas supporter longtemps la campagne. J'avais donc envoyé mes affaires à Tokyo dans l'intention de revenir avec toute ma famille à la fin de l'année. Les choses de valeur doivent se vendre un bon prix à présent, j'avais l'intention de financer mon commerce avec. Tu avais bien un manteau que tu as laissé à la campagne, non ?

– Oui, tu n'as qu'à le vendre. Tu peux vendre toutes mes affaires si tu veux. Si je suis venue d'abord à Tokyo, c'est que j'avais l'intention de me marier.

– Ah ? Et c'est pour quand ?

– Non, en fait, ça ne s'est pas bien passé. Il avait une femme et des parents à sa charge, et en rentrant au Japon tout est tombé à l'eau.

– Qu'est-ce qu'il fait dans la vie ?

– Il est aussi au ministère de l'Agriculture et des Forêts, on travaillait ensemble. Il veut se lancer dans le commerce du bois, maintenant.

– Quel âge a-t-il ?

– Il est bien plus jeune que toi.

– Tu t'es fait avoir...

– Pas du tout, mais on a dû se séparer...

La transformation de Yukiko, autrefois fille peu loquace et plutôt sage, intriguait Iba au plus haut point ; elle avait l'air d'une adulte maintenant et disait clairement ce qu'elle avait à dire. Pour lutter contre le froid, Yukiko se couvrit la tête du carré de tissu violet qu'il y avait dans son sac ; cette ombre violette seyait bien à son visage au teint blanc.

– Tu vas rester à la maison maintenant ?

– Juste trois ou quatre jours. Je compte aller voir mes amis de Tokyo, observer un peu comment les choses se passent et repartir à Shizuoka. On peut y retourner ensemble si tu veux.

– Tu n'as pas de bagages ?

– Je les ai confiés à la sage-femme du coin de la rue ; c'est elle qui m'a dit que tu étais là.

– Ah...

Ils quittèrent le restaurant puis, n'ayant pas d'endroit particulier où aller, restèrent à discuter près d'une cabine de téléphone cassée devant la gare.

– Moi, je vais à Shinjuku maintenant, tu peux rentrer inspecter tes affaires, dit Yukiko sans le moindre signe de gêne.

Iba, qui tournait frileusement le dos au vent pour éviter de le recevoir de plein fouet, répliqua qu'il préférait l'accompagner à Shinjuku. Il entra dans la gare avec Yukiko et acheta deux billets.

Ils montèrent dans le train en direction de Shinjuku. La détermination de Yukiko inquiétait Iba. Il n'arrivait pas à deviner ce qu'elle avait derrière la tête. Un soleil pâle brillait dans le ciel, mais le vent était particulièrement violent. Même dans le train, dont presque toutes les vitres étaient cassées, il faisait froid comme à l'intérieur d'une glacière.

– La ville a été sacrément détruite...

Par la fenêtre, Iba contemplait avec étonnement les étendues désolées, en ruine, entre les gares.

– Tu sais, j'aimerais bien devenir danseuse, tu crois que j'en serais capable ? demanda soudain Yukiko, d'un air de ne pas y toucher.

Iba, sans doute surpris par la brusquerie de cette déclaration, ne répondit pas tout de suite.

– Ça ne te plaît plus, d'être dactylo ?

– Non, j'en ai assez. Les salaires sont trop bas, alors que dans les dancings spécialisés pour les troupes d'occupation américaines, il paraît qu'il y a moyen de gagner pas mal d'argent.

– Sans doute, mais est-ce que ça va durer longtemps ?

Une fois à Shinjuku, ils marchèrent un moment sans but, puis entrèrent dans le cinéma Musashino, où l'on passait un film intitulé *Madame Curie*. Yukiko n'avait pas vu de films occidentaux depuis des années. Iba et elle s'installèrent côte à côte sur les fauteuils en lambeaux. Dans le cinéma aussi il faisait un froid glacial. Ce film occidental, visionné au fond d'une baraque délabrée qui n'avait rien gardé de l'atmosphère d'antan, parut à Yukiko étrangement déconnecté de la réalité.

Iba, qui devait avoir une idée derrière la tête, s'empara de la main de Yukiko dans le noir. La sensation de cette main chaude emprisonnant la sienne était désagréable, pourtant Yukiko se laissa faire. Dans les reflets argentés de l'écran, le profil d'Iba ressemblait à celui d'un mort. Yukiko repensa avec un pincement au cœur à la séparation de l'autre jour ; à la pensée que Tomioka était responsable de sa profonde tristesse, les larmes lui vinrent aux yeux rétrospectivement.

Quand ils sortirent du cinéma, il commençait à faire nuit.

Les étalagistes étaient partis, et les alentours semblaient étrangement désolés. Les réverbères qui éclairaient des coins de rue en ruine ne faisaient qu'accentuer la misère de la défaite. Un vent glacial soufflait. Ils débouchèrent dans l'avenue du tramway, le long de laquelle s'alignaient des baraques de marchands, fermées elles aussi. Ces derniers temps, des cambrioleurs armés couraient la ville, aussi tous les magasins fermaient-ils leur porte dès la tombée du jour.

Yukiko emmena Iba à Tsunohazu, dans un petit restaurant en planches proposant des nouilles chinoises, où elle était déjà allée. Quand le soir venait, elle avait envie de boire. Elle avait l'impression que seules les liqueurs fortes permettaient à son cœur dévasté de tenir le coup.

Ils s'installèrent près d'un petit poêle allumé, chose rare, et commandèrent des *soba* aux pousses de bambou. Yukiko se demanda, en effleurant du bout des doigts le conduit en fer-blanc à l'éclat bleuté, depuis combien d'années elle n'avait pas vu un poêle brûler aussi bien que celui-là.

– Je n'approuve pas ton idée de devenir danseuse, décréta Iba en fumant une cigarette.

Yukiko ne répondit rien à cet homme qui lui avait pris la main tout à l'heure et qu'elle trouvait obscène. Iba poursuivit, contemplant le visage de Yukiko, maquillée à outrance, comme s'il ne l'avait jamais vue :

– Je me suis inquiété continuellement pour toi, tu sais, dit Iba d'un ton attendri. Je me demandais si tu allais pouvoir rentrer sans problème. C'est terrible, ce qui se passe au Japon en ce moment. Tous les gens haut placés ont été arrêtés, c'est comme si le monde était sens dessus dessous. Ceux qui faisaient les importants autrefois sont déchus. Le monde a changé, à un point presque réjouissant.

– Que veux-tu, le succès leur était monté à la tête... En tout cas, à l'avenir, il n'y aura plus de guerre, j'en suis heureuse. Toi, tu as eu bien de la chance de ne pas avoir été mobilisé.

– Oui, c'était mon principal souci. C'est aussi pour échapper à l'enrôlement que j'ai travaillé à l'usine d'armement de Hamamatsu. Quand j'y pense maintenant, tout ça me paraît un rêve. Hamamatsu a été bombardé, et après, j'ai fait le paysan. Je suis étonné moi-même de ne pas avoir été mobilisé. À la fin de la guerre, c'était ton sort qui me préoccupait le plus, je n'aurais jamais imaginé que tu puisses revenir aussi facilement...

Leurs nouilles de sarrasin étaient arrivées, ils commencèrent à manger en serrant le bol bien chaud dans leurs mains. Les pousses de bambou étaient teintées de rouge.

– C'est bon...

– Oui, c'est délicieux ici. Le restaurant est tenu par des Chinois. C'est copieux et bon marché.

Yukiko repensa soudain à l'hôtel Hotei. Elle n'avait aucune envie de retourner à la maison de Saginomiya et de dormir serrée contre Iba dans cette chambre exiguë encombrée de bagages. Elle avait l'impression que le destin lui refusait tout ce qu'elle désirait alors que ce dont elle ne voulait plus continuait à coller à sa vie. À cette idée, elle sentit son cœur se dessécher complètement dans sa poitrine.

– Tu dors chez toi ce soir ? demanda-t-elle.

– Hmm.

– Il n'y a pas assez de chambres, si ?

– Tu dors dans quelle pièce, toi ?

– Celle où sont entreposées tes affaires.

– On n'aura qu'à dormir ensemble.

– Il n'y a rien à manger chez toi.

– J'ai apporté cinq kilos de riz. Je suis chez moi après tout, je peux me servir librement de la cuisine et faire cuire mon riz, je ne vais pas me gêner. En ce qui concerne les matelas, j'en ai fait envoyer un, de la meilleure qualité, avec les couettes de dessus aussi. Je déferai les bagages en rentrant.

– Dans ce cas, moi, je vais aller à Ikebukuro, j'y ai un endroit où dormir.

– Je te trouve bien méfiante.

– Ce n'est pas ça, mais ce soir, je devais absolument discuter avec une amie à propos d'un travail. Ça m'ennuie d'être obligée de ressortir exprès demain...

– Ce soir, on fête nos retrouvailles. J'ai encore des tas de choses à te dire. Rentre avec moi. Je ne sais pas combien de kimonos tu as vendu, mais je ne te ferai pas de reproches.

– Ça, ça ne me dérange pas, tu peux me faire tous les reproches que tu veux... Mais il faut que j'aille voir mon amie pour cette histoire de travail.

La seule idée de dormir à côté d'Iba lui donnait le frisson.

18

Le voyage à Nagano de Tomioka avait été repoussé, son projet avec Tadokoro n'avançait pas. C'était la même chose dans tous les domaines : il fallait se dépêcher d'agir, autrement, tout changeait trop vite. Selon certaines rumeurs, le cours de l'argent allait flamber, et Tomioka souhaitait réserver une importante quantité de bois avant l'inflation ; il avait aussi entendu dire que le papier au marché noir atteignait des prix exorbitants et avait envie de toucher un peu à ce domaine également. Seulement, quand il se retrouva seul dans la jungle du marché noir, il se rendit compte de son impuissance. Tout le monde se prétendait digne de confiance, tout en faisant des messes basses, pour finalement se livrer dans son coin à des calculs on ne peut plus personnels... En dépit de la défaite et de la situation difficile, ils refusaient tous de s'inquiéter. Ils se persuadaient avec désinvolture que, malgré le contexte chaotique, ils seraient les seuls à trouver sur leur chemin une idée, un projet qui leur permettrait, à eux et uniquement à eux, de s'en sortir... Tout le monde s'accordait à trouver cette époque révolutionnaire et excitante, bien plus plaisante que les années de guerre. L'être humain est un animal qui s'ennuie vite, et une époque de mutations rapides, si radicaux que soient les changements, est plus stimulante que l'inverse.

Après réflexion, Tomioka était arrivé à la conclusion que le seul moyen de se constituer un capital pour pouvoir se lancer dans une activité lucrative était de vendre sa maison. Sur une base de cinquante à soixante mille yens en liquide à investir, il pourrait s'en sortir. L'idée de laisser passer les occasions de l'époque sans rien pouvoir faire lui était insupportable.

Le lendemain matin, Kuniko déclara soudain lors du petit déjeuner :

– À propos, hier soir, j'ai croisé près de la maison la dame de la société de commerce Hotei. Aurait-elle des connaissances dans le quartier ?...

Le visage de Yukiko, qu'il s'efforçait d'oublier, revint flotter devant les yeux de Tomioka. Tandis qu'il buvait sa soupe au miso à petites gorgées, en silence, une image d'elle, errant avec énervement dans le quartier, s'imposa à lui.

– Elle m'a demandé quand tu allais rentrer de voyage. Je ne savais pas quoi lui répondre, je me suis dit que ce serait ennuyeux qu'elle te croise au moment où tu rentrais à la maison, aussi lui ai-je dit que tu étais revenu hier... Je lui ai proposé de te transmettre un message de sa part, et elle m'a dit qu'elle logerait un certain temps dans les locaux de la société Hotei, et qu'elle te priait de bien vouloir passer la voir, même dans la soirée... Elle a ajouté qu'elle souhaiterait se faire rembourser ce que tu lui dois, et que si je te disais juste ça, tu comprendrais. Là-dessus, elle est repartie très vite. Elle était maquillée de façon plutôt tapageuse, tu sais.

À l'écoute de ces nouvelles, Tomioka se sentit oppressé. Yukiko se serait-elle installée dans cet hôtel faute d'avoir trouvé un logement ? Le soir de leur séparation, elle avait refusé avec véhémence les mille yens qu'il voulait lui donner. Les phrases qu'elle avait prononcées alors, lui reprochant de vouloir la sacrifier à son bonheur et à celui de sa famille, résonnaient encore à son oreille.

En Indochine, pour avoir Yukiko, il avait été jusqu'à rendre fou l'honnête Kanô, qui avait fini par blesser Yukiko avec un sabre... Seulement, à cette époque, ils croyaient naïvement pouvoir se marier et étaient prêts à tout pour y parvenir. Tomioka reposa ses baguettes sur la table du petit déjeuner, devenu soudain insipide. Il se sentait coupable : il avait fait le malheur de Yukiko.

Il regretta son irresponsabilité d'homme en voyage en pays lointain. Il se demanda s'il ne devrait pas vendre la maison, donner de l'argent à ses parents et à sa femme, et tout recommencer à zéro avec Yukiko, mais cette idée ne le consola pas.

— Tu as emprunté de l'argent à cette société de commerce ? demanda Kuniko.

L'inquiétude s'était peinte sur son visage exempt de tout maquillage.

— À quelle heure l'as-tu croisée ?

— Vers sept heures, je crois. Je revenais des courses. Comme tu es rentré tard hier soir, j'avais oublié de t'en parler, mais ce matin à la radio, ils ont annoncé ce nom, «Hotei», dans la liste des personnes recherchées, et ça m'y a fait repenser. Mais dis-moi, de quel genre de commerce s'occupe cette société Hotei ?

Tomioka ne prit pas la peine de répondre. Comme il prenait son petit déjeuner tard, ses parents n'étaient déjà plus dans la salle. Kuniko demanda, tout en repliant son journal :

— Je ne pourrais pas y aller, moi ?

Tomioka contempla les traits fins de son épouse d'un air égaré. Il avait envie de tout lui avouer. Il était fatigué, rompu même. Il aurait voulu que Kuniko devine son secret. Il n'aurait pas le courage de prolonger longtemps cette situation angoissante, et en même temps il était conscient de l'égoïsme qu'il manifestait en n'ayant pas la moindre attention pour Yukiko. Tout cela était son œuvre. Depuis son retour au Japon, il semblait un autre homme, et arborait en permanence un masque de dureté, se refusant à extérioriser ses sentiments. Kuniko ressentait de l'insatisfaction envers ce mari distant. L'intuition qu'il avait une liaison avec cette inconnue outrageusement maquillée la rendait sombre et inquiète. Elle avait remarqué une certaine nervosité dans le regard de Tomioka depuis quelque temps. Quand il la serrait dans ses bras et la caressait, il lui arrivait de suspendre brusquement son geste pour pousser de profonds soupirs. Lui qui manifestait tant d'ardeur autrefois, il la repoussait maintenant avec froideur.

« Tu as beaucoup changé depuis ton retour, tu sais... », avait fait remarquer Kuniko avec étonnement peu après le rapatriement de Tomioka. Lui-même avait nettement conscience de ce changement. Tous les matins, en se rasant, il trouvait à son reflet dans la glace une expression obscène, à l'instar de Stavroguine. Il n'était pas un Apollon, lui, il n'avait pas les lèvres de corail, ni le teint blanc et les traits doux, mais il lui semblait pourtant que la même écœurante obscénité se lisait sur son visage d'Asiatique, blême et boursouflé, que sur celui de Stavroguine dans *Les Possédés*.

Si Tadokoro, son ami de longue date, était si curieusement distant ces temps-ci, n'était-ce pas parce qu'il avait deviné ses pensées ? Tadokoro était un homme qui comprenait la vie. Déjà, à l'époque du mariage de Tomioka avec Kuniko, il lui avait été d'un grand soutien et, quand Tomioka s'était retrouvé isolé, au retour d'Indochine, il lui avait tendu la main sans manifester le moindre agacement à son égard. C'était injuste d'attribuer uniquement à son ami la responsabilité de ses hésitations à s'associer avec lui.

– Cela ne me plaît pas que cette femme tourne autour de la maison, dit Kuniko. Il se passe quelque chose entre elle et toi, non ? Tu as tellement changé...

– Ne dis pas de sottises. Je n'ai absolument pas changé.

– Alors pourquoi ne puis-je pas aller lui rembourser ce que tu lui dois ?

– Ne te mêle pas inutilement des affaires des hommes.

– Mais il y a quelque chose de bizarre dans cette histoire.

– C'est moi qui suis concerné, et je te dis de ne pas t'inquiéter, tu n'as qu'à me croire.

– Oui, tu as raison, mais n'aurais-tu pas une dette particulière vis-à-vis de cette femme ? Tu te fâches dès qu'on parle d'elle.

– C'est à cause de tes soupçons ridicules que je me fâche. Je me fais du souci pour mon travail. Pour mon projet avec Tadokoro aussi, l'avenir est plutôt sombre. Tu ferais mieux de t'abstenir d'inquiétudes superflues.

Tomioka avait une envie obsédante de retrouver la forêt indochinoise. Hormis la montagne et la forêt, rien ne lui convenait, et tout l'agaçait – ses parents, son épouse, sa maison. Il lui semblait encore préférable de vivre toute sa vie comme coolie dans la grande forêt que de mener cette existence.

Le rouge vif des arbres, pareils à des ancres emboîtées dans la boue séchée de la lagune, revenait assaillir sa mémoire. Ce mur d'arbres rouges, aux feuilles grasses étincelant au soleil, dont les branches maîtresses s'enroulaient au tronc comme des pieuvres, se poursuivait jusqu'à l'embouchure du port, aussi bien à Haiphong qu'à Saigon. Il ne pouvait oublier cette ceinture de forêt pareille à du velours. Le désir de retourner dans le Sud le tenaillait.

S'il y retournait maintenant, l'état de folie qui avait prédominé pendant la guerre se serait complètement calmé et il pourrait se consacrer sereinement à ses recherches. Cependant, ses plongées incessantes dans ses souvenirs d'Indochine ne faisaient que l'épuiser psychologiquement : il était bien inutile de penser à tout cela, à un moment de sa vie où il était pieds et poings liés.

Si embarquer sur un navire était impossible, se disait-il, il était prêt à traverser la mer même à la nage. Peu lui importaient ses problèmes familiaux. Si seulement il avait pu disparaître purement et simplement, avec quelle joie il aurait quitté cette vie étouffante, pour confier son destin à un cargo clandestin en partance vers le sud !

Kuniko regardait son mari qui continuait à se taire, l'air renfrogné, et les larmes débordèrent soudain de ses paupières.

– Qu'est-ce que tu as à pleurer ?

– Je souffre. Je souffre tellement. Je me dis que c'est la punition du ciel !

– Tu penses à ton ex-mari ?

– Oh, non, ce n'est pas à lui que je pensais ! J'ai l'impression que tu veux me quitter, et que c'est ma punition pour mes nombreuses fautes.

– Tu es nerveuse parce que la vie est dure, c'est tout. Je n'ai pas la moindre intention de te quitter...

Sa propre hypocrisie était insupportable à Tomioka. Il crut voir tous ses mensonges se muer en boule et rire de lui, la bouche fendue comme une grenade.

19

Ces temps-ci, Yukiko avait les larmes étrangement faciles et se demandait parfois si elle n'était pas en train de devenir folle. Des images de l'avenir qui l'attendait venaient flotter devant ses yeux sous forme d'angoissantes ombres noires. Ses mauvais pressentiments allaient sûrement se réaliser, se disait-elle. C'était un jugement objectif : puisqu'elle n'avait personne pour la soutenir, comment pourrait-elle vivre autrement qu'en se laissant donner des coups de pied comme un caillou ?

Son amour pour Tomioka était à présent devenu semblable à ce qu'il éprouvait lui-même vis-à-vis d'elle ; elle commençait à assimiler son point de vue, et sentait ses sentiments s'affadir, comme si quelqu'un leur faisait des reproches quand ils se voyaient. Ils se forçaient presque à se voir, faisaient resurgir leurs souvenirs d'un passé commun, avec le désir exclusif de s'enivrer à nouveau de ces souvenirs, qui pourtant perdaient peu à peu leur couleur et leur goût ; c'était insupportable. Il ne s'agissait de rien de plus que cela, et pourtant Yukiko insista pour revoir Tomioka, une fois, deux fois, trois fois. Mais chaque entrevue ne servait qu'à leur faire prendre conscience de l'affadissement de leurs souvenirs. Dans la dure réalité de l'après-guerre, ces lointaines images n'allumaient plus la moindre flamme en eux. À Dalat, Tomioka avait dit un jour à Yukiko que, lorsqu'on s'aimait, il fallait vivre cette passion tout de suite, sous peine d'avoir des regrets pour l'éternité. À présent, elle se rendait compte que cette phrase était la vraie réponse à leur situation actuelle.

Elle n'avait pu se payer très longtemps l'hôtel d'Ikebukuro et était retournée vivre à la maison de Saginomiya ; Iba était reparti pour Shizuoka en annonçant sa prochaine réinstallation à Tokyo et avait en conséquence fait libérer le séjour de six tatamis et le salon de quatre par la famille qui occupait les lieux. On avait beau appeler ça le salon, ce n'était qu'une pièce nue, avec des tatamis sans cadre, sans renfoncement pour la décoration, ni placards, directement surmontée d'un toit de tuiles rouges. Yukiko y dormit une nuit et y trouva un message qu'Iba avait laissé pour elle : « J'ai vérifié mes bagages. Je ne t'en veux pas particulièrement et on ne peut plus rien pour ce que tu as déjà vendu, mais je n'ai pas envie que tu continues à me causer des ennuis. La maison est trop petite pour te garder après notre retour. Va donc t'installer où ça te chante. Si tu ne sais pas où aller, rentre en province voir ta famille, et discute une bonne fois avec tout le monde de ton avenir. Si tu touches encore à mes affaires pendant mon absence, j'ai moi aussi ma petite idée. Je t'aurais prévenue. » Telle était la teneur du message.

Toutes les malles étaient hermétiquement fermées et scellées avec du papier. Cela amusa Yukiko au plus haut point. Elle avait envie de couper toutes les ficelles avec des ciseaux.

« Les hommes sont tous des lâches », se dit-elle, profondément écœurée par l'avarice enracinée dans le cœur des hommes. S'il avait une idée en tête, cela pouvait être amusant de jouer le jeu ; elle ne passa qu'une nuit à Saginomiya et, le lendemain, elle pria un transporteur du quartier d'emmener toute la literie d'Iba, matelas et couvertures, à l'hôtel Hotei. Les occupants de la maison ne lui firent aucune remarque. Comme ils ne s'entendaient guère avec Iba, ils gardaient une attitude neutre vis-à-vis du comportement de Yukiko. Cependant, leur silence ne parvenait pas à dissimuler leurs pensées secrètes : fais donc ce que tu veux, semblaient-ils dire tacitement à la jeune femme.

Lorsqu'elle ouvrit le colis contenant les matelas à l'auberge d'Ikebukuro, elle y trouva également le kimono d'intérieur ouaté d'Iba, une assez vieille redingote, ainsi qu'un sac contenant une dizaine de kilos de haricots rouges *azuki*. Côté literie, il y avait deux matelas en coton, une couverture et une couette en bourre de coton : Yukiko en avait chaud au cœur. Elle vendit aussitôt la redingote et les haricots au marché près de la gare. Elle trouvait que c'était finalement assez amusant de voler. Ce n'était pas bien grave que ces quelques affaires aient disparu des bagages d'Iba. À l'idée que cet homme avait abusé d'elle pendant trois ans, une violente rage rétrospective l'envahit. Elle se dit qu'elle aurait dû le voler encore plus.

Le lendemain, grâce à l'aide du patron de l'hôtel Hotei, elle put louer l'ancien débarras d'une quincaillerie du quartier. Le commerçant à qui il appartenait venait de se faire construire une maison à côté.

Le débarras, qui ne comptait qu'une petite lucarne, faisait une douzaine de mètres carrés, et un rouleau de fer-blanc tout neuf, entreposé là, encombrait une partie de la chambre. Il n'y avait ni eau, ni électricité. Le patron de la quincaillerie lui installa deux vieux tatamis. Cela faisait un espace suffisant pour qu'une femme y dorme seule. À peine eut-elle trouvé ce logement de fortune mais indépendant, qu'elle commença à avoir envie de revoir Tomioka ; elle vendit l'un des matelas à l'hôtel Hotei, et acheta au marché avec cet argent des ustensiles de cuisine, un petit fourneau portable et enfin, pour la première fois, deux kilos de riz de marché noir ainsi qu'un peu de charbon. Elle se fit cuire du riz dans sa casserole neuve en aluminium, à l'odeur métallique, déposa les braises dans le *kotatsu*, versa un œuf cru sur son riz, appréciant au plus haut point le bonheur de pouvoir faire la cuisine elle-même.

Après avoir mangé du riz blanc à satiété, elle resta blottie près de la chaufferette, les yeux dans le vague. Un sentiment de solitude que la nourriture seule ne pouvait combler tombait sur son cœur comme une bruine. Elle compta les coutures du matelas, contempla le mur de planches grossièrement taillées. La flamme de la bougie tremblait au vent qui pénétrait par les interstices entre les planches et elle menaçait de temps à autre de s'éteindre. Yukiko se demanda avec angoisse si elle pourrait supporter de vivre seule ainsi. Le seau empli d'eau dans un coin de la chambre rajoutait encore à la sensation de froid. Une petite vague de bonheur monta en elle à l'idée qu'on pouvait vivre en se contentant de si peu, mais c'était un bonheur incertain : elle ignorait de quoi l'avenir serait fait.

Le lendemain matin, il pleuvait.

Elle se leva tard, alla poster une lettre à Tomioka, puis se rendit au bain public. En rentrant, elle acheta le journal, ouvrit les pages des petites annonces d'emploi ; son œil était uniquement attiré par les demandes pour des dactylos. Elle avait envie de se remettre à travailler le plus vite possible, mais en même temps elle se sentait le corps et l'esprit vides, sans désir d'aucune sorte, et elle passa le reste de la journée à somnoler au fond de cette baraque obscure.

Quatre ou cinq jours s'écoulèrent ainsi. Tomioka ne venait pas. «Il doit pourtant être rentré de Nagano maintenant, se disait Yukiko. Pourquoi ne vient-il pas?

Peut-être n'a-t-il pas reçu ma lettre?» Elle se rendit à Shinjuku, sans rien de spécial à y faire. C'était la tombée du jour, un vent froid soufflait. Avec ses étalages presque tous fermés, le quartier paraissait aussi désolé qu'une ville en plein désert. Elle se mit à marcher comme si elle allait vers un but précis, mais elle ne ressentait que vide et frustration. «Et si je retournais à Shizuoka?» se disait-elle vaguement, mais en même temps, puisqu'elle avait eu la chance de trouver cette baraque pour se loger, c'était peut-être bien aussi de réorganiser sa vie à partir de là. Elle arrivait vers le grand magasin Isetan, plongée dans ses pensées, quand un étranger de haute taille l'interpella. Il lui demanda où elle allait. C'était si inattendu qu'elle s'arrêta en souriant. L'homme se mit à marcher à ses côtés. Elle se sentit devenir audacieuse. Il parlait à toute vitesse, elle se contentait de marcher près de lui en silence. Le destin se décidait-il enfin à l'emmener quelque part? Ils n'étaient que deux inconnus qui se croisaient, mais les pulsions de l'un réchauffaient un peu le cœur de l'autre.

De temps en temps, l'étranger se penchait vers Yukiko et touchait son menton en lui parlant à toute allure en anglais. Yukiko se rappela le temps où elle parlait un mélange d'anglais et de français avec les Vietnamiens de Dalat; elle finit par dire quelques mots:

– Je marche au hasard.

– Ça tombe bien, moi aussi.

À un moment, il lui prit le bras et ils continuèrent à marcher ainsi, bras dessus bras dessous. Yukiko riait fort sans raison, comme si elle était ivre.

Elle marcha ainsi jusqu'à la gare de Shinjuku avec l'étranger et il la fit monter dans un wagon réservé aux étrangers, chose étonnante pour elle. Toute joyeuse, elle se faisait toute petite et s'appuyait contre son compagnon.

Tout cela lui donnait vaguement l'impression de retourner dans le passé, et elle repensait aux rues de Saigon. Elle ramena l'étranger dans sa misérable baraque. Il était si grand que sa tête touchait le plafond. Il glissa maladroitement ses longs genoux sous la couverture qui recouvrait le *kotatsu* éteint, en regardant autour de lui d'un air intrigué. Yukiko entreprit d'allumer le petit fourneau, à la lueur tremblotante de la bougie. Comme la fumée commençait à former d'épais tourbillons, elle désigna la lucarne en ordonnant à l'étranger :

– *Window, get up !*

Il se leva d'un bond, ouvrit la fenêtre. Les couches de fumée accumulées furent aussitôt aspirées au-dehors.

20

L'étranger revint le lendemain après-midi. Un sac marin vert à la main, il entra en se pliant dans la baraque au plafond bas. Il ouvrit le sac et en sortit des cadeaux les uns après les autres, en parlant vite. Il déposa côte à côte par terre un gros oreiller, une petite boîte assez lourde, des rations de nourriture et des gâteaux. La petite boîte était une radio à piles, et lorsque l'étranger tourna le bouton, une musique douce se répandit dans la pièce. Yukiko colla son oreille contre l'appareil, joyeuse comme une enfant. Cet air lui parut symboliser les brusques changements de l'Histoire ; en l'écoutant, il lui semblait sentir le destin s'écouler, impassible au-dessus d'eux. Elle avait du mal à communiquer en paroles avec l'étranger, mais leurs corps se comprenaient avec insouciance, témoins de leur humanité commune, et Yukiko reprit soudain confiance dans la vie. Elle n'avait aucune crainte à avoir désormais. Que signifiait ce grand oreiller qu'il avait apporté pour leurs deux têtes ? Les larmes montèrent aux yeux de Yukiko, tandis qu'elle contemplait, fascinée, la taie d'oreiller d'une blancheur immaculée.

Pour elle qui était seule et affamée, ce grand oreiller avait un sens particulier. C'était comme s'il essayait de la ramener à la vie. Elle n'éprouvait pas la moindre honte. Elle trouvait parfaitement louables les intentions de l'homme qui lui offrait cet oreiller.

– Ma chérie, comme tu me manques... Cette fleur, aujourd'hui fanée, était jadis d'un bleu vif comme le béryl. Elle est semblable aux souvenirs joyeux, qu'elle évoque en mon cœur, des jours passés auprès de toi, quand tu étais vivante.

L'étranger s'appelait Joe. Tout en fredonnant à voix basse *Myosotis*, la chanson que diffusait la radio, il nota les paroles sur un bout de papier, qu'il tendit à Yukiko en lui recommandant de l'apprendre d'ici leur prochaine rencontre. Yukiko suivit chaque mot du doigt, se fit expliquer la prononciation, s'exerça à chanter. Elle était frappée par le tempérament ouvert de l'Américain, typique d'un peuple qui se comportait avec une totale liberté où qu'il fût. Il y avait en lui une gaieté qui manquait à Tomioka. Quand elle le voyait, elle ne ressentait rien de cette tristesse lancinante qui présidait à ses rencontres avec Tomioka. Il n'y avait aucun décalage entre eux, rien qui vînt entraver leur relation. Tout se déroulait entre eux avec une absence de contrainte qui donnait à penser qu'il était inutile de sonder davantage leurs cœurs. Une radio qui se mettait en marche toute seule était un jouet extraordinaire aux yeux de Yukiko. À la tombée du jour, quand Joe fut reparti, elle se rendit aux bains publics, avec une savonnette dont il lui avait fait cadeau. Une Palmolive qu'il avait achetée à Saigon, ce qui la toucha profondément. Désormais, elle se sentait assez sûre d'elle pour se dire qu'elle pouvait vivre seule, même si Tomioka ne venait plus. C'était tout de même plus gai de vivre comme ça que d'attendre un homme qui ne lui causait que du tourment. Mais elle n'ignorait pas que cette joie était aussi évanescente que la neige qui fond.

Un soir, dix jours après son installation dans la baraque, elle reçut la visite de Tomioka. Elle se précipita vers la porte, croyant que c'était Joe, et s'exclama d'un

ton surpris à la vue de Tomioka, qui se tenait frileusement debout sur le seuil :

– Ah, c'est toi !

Tomioka était aussi étonné qu'elle : dans la lumière du
crépuscule, Yukiko, dans son maquillage éclatant, paraissait transfigurée. Ses cheveux noués en chignon brillaient
de laque, ses sourcils étaient épilés, elle avait du noir aux
yeux. Ses oreilles étaient ornées de petits diamants artifi-
ciels ; en revanche, ses pieds sales étaient nus dans des
sandales, malgré le froid.

– Tu as emménagé dans un drôle d'endroit.

– Oui. Mais pour moi c'est un vrai palais.

Sur le mur recouvert de papier blanc, un panier à
fleurs rempli de chrysanthèmes pendait à un clou. Sur
la petite table basse tremblotait la flamme d'une bougie ;
une petite radio diffusait de la musique à tue-tête. Dans
une élégante boîte de chocolats scintillaient les papiers
argentés de ceux qu'elle avait déjà dévorés.

Tomioka regarda autour de lui sans s'asseoir, devinant
d'un seul coup d'œil les changements qui avaient eu lieu
en quelques jours dans la vie de cette femme.

– Tu vis dans le luxe, on dirait.

– Ah, tu trouves ?

La radio diffusait une musique de danse. Yukiko leva le
regard vers Tomioka, rit comme une petite fille prise en
faute et glissa ses genoux sous la couverture du *kotatsu*.

– Quand es-tu rentré de Nagano ?

– Il y a deux jours, je crois...

– Tu as lu ma lettre ?

– C'est pour ça que je suis venu.

– Si tu venais te mettre au chaud ?

Tomioka ramena son chapeau en arrière, s'installa près
de la chaufferette. Le grand oreiller, posé à l'endroit où
Joe s'asseyait d'habitude, attirait étrangement l'attention.
Tomioka le regardait fixement.

– Tu as l'air heureuse.

– Vraiment ? Disons simplement que j'ai eu la chance de ne pas crever de faim.

Elle avait marqué un point. Tomioka se tut et la regarda en silence. À la lueur de la bougie, le visage de Yukiko avait une certaine familiarité avec celui de Nyu. Toute sa force de caractère y semblait enracinée. Tomioka envia cette force typique des femmes, leur aptitude à survivre sans se laisser influencer par aucune circonstance. Il contemplait avec jalousie la métamorphose de Yukiko. Chaque fois qu'il était ainsi témoin de cette force de vie innée chez les femmes, il ressentait une secrète angoisse en songeant à l'instabilité de sa propre situation. Évidemment, se disait-il, cette femme était libre, rien ne l'empêchait d'avoir une vie parallèle et de choisir cette voie. Cependant, lui qui trouvait cette femme gênante jusqu'alors avait à présent complètement oublié sa propre lâcheté et ressentait un violent désir de se réapproprier ce poisson qui échappait à ses filets.

– Je t'envie..., laissa-t-il échapper.

– Mais qu'est-ce que tu racontes ? De quoi m'envierais-tu ? Qu'est-ce que cette vie a d'enviable ? Décidément, tu changes constamment de discours !

– Ah, pardon, je t'ai vexée. C'est juste une pensée qui m'a traversé. Tu sais, quand rien ne va plus, la vie des autres paraît enviable.

– Tu te moques du monde. Les hommes sont tous comme toi. Les hommes japonais sont égoïstes jusqu'au fond des tripes ! Ils ne pensent qu'à ce qui les arrange.

Yukiko était outrée. Tomioka, qui agitait nerveusement ses genoux sous la couverture du *kotatsu*, tourna à plusieurs reprises le bouton de la petite radio, qu'il avait prise dans sa main. Yukiko sortit de la maison et alla attendre Joe à la gare. S'il venait, elle le prierait de la laisser seule ce soir. Comme au bout d'une demi-heure, il n'était toujours pas arrivé, elle se résigna et partit acheter de l'alcool de patates au marché. Elle en fit emplir une bouteille de bière et retourna à la baraque. Tomioka somnolait, la tête sur la table basse du *kotatsu*. Vu de dos, il avait une présence étrangement impalpable, il ne lui restait rien de cette virilité dont il débordait à Dalat.

– J'ai acheté de quoi boire. Tu en veux ?

– Ah, c'est toi qui régales ?

Elle remplaça la bougie par une nouvelle qu'elle venait d'acheter, versa l'alcool à ras bord dans une coupe, y trempa également les lèvres.

– Ton travail marche bien ?

– Pas comme je voudrais. J'en suis à vendre ma maison pour essayer de m'en sortir. Il faut que je tente le tout pour le tout cette fois.

– Que va devenir ta famille ?

– Ma tante a une maison à Uwara, tout le monde va déménager là-bas. Il faut que j'investisse... Je ne peux plus compter sur le portefeuille des autres.

– C'est dur pour toi...

– Je te trouve bien distante. Tu t'en tires étrangement bien, et tu as l'air en pleine forme. Je suis impressionné...

– C'est de l'ironie ?

Sous l'effet de l'alcool, Yukiko commença à se sentir indifférente au fait que Joe vienne ou non. Cette tendance à recourir à des expédients sans savoir de quoi le lendemain serait fait, c'était cela sa vraie nature. Rendue audacieuse par cette pensée, elle se mit dévisager Tomioka. Maintenant, son air à la dérive lui faisait pitié, et elle se disait qu'il était étrange de voir à quel point la vie d'un homme pouvait changer en fonction des circonstances. Il n'y avait rien de triste à se sentir devenir plus lucide, et pouvoir regarder ainsi Tomioka de haut l'emplissait d'une sorte de fierté.

Tomioka avait mis une petite somme de côté pour elle et la lui avait apportée. Il fouilla dans sa poche, sortit l'argent enveloppé dans un papier d'emballage et le jeta plus qu'il ne le posa sur la table basse de la chaufferette.

– Ce n'est pas beaucoup, mais c'était au cas où tu serais dans la gêne.

Yukiko ne parut pas particulièrement émue à la vue de l'argent.

– J'ai compris beaucoup de choses depuis mon retour au Japon, tu sais. J'ai compris que le Japon avait vraiment perdu la guerre. À l'idée que c'est ça la réalité, je n'ai même plus la force de t'en vouloir..., dit-elle en ajoutant un peu de charbon dans le fourneau pour griller de la seiche séchée.

Tout en découpant la seiche grillée en petits morceaux sur une assiette, elle se sentit heureuse tout d'un coup, comme si la vie crépitait au bout de ses doigts. C'était si facile le bonheur ! Elle avait l'impression que l'odeur même de la seiche renfermait ce bonheur, qu'il était là, juste sous ses yeux, prêt à se laisser saisir. « Tout finit par s'arranger dans la vie », se dit-elle, et cette idée la fit rire sous cape. Elle apostropha Tomioka intérieurement : « Regarde comme je me débrouille bien, alors que toi... Toi, tu te débats comme une anguille au fond de la vase, non ? »

Les trains de la gare voisine faisaient trembler le sol. Yukiko se dépêcha d'aller fermer la porte d'entrée à clé. Au fur et à mesure que leur ivresse montait, leurs cœurs sombraient dans un abîme sans fond de tristesse.

– On aurait dû rester à Dalat et vivre là-bas, dit Tomioka comme si l'idée lui venait à l'esprit à l'instant.

– Oui. Mais, c'est bien aussi d'être revenus, non ? Moi je me dis qu'on a bien fait, finalement. Même si on était restés à Dalat, on n'aurait pas été heureux. On n'y aurait jamais eu la vie aisée qu'on avait pendant la guerre, et ni toi ni moi n'aurions supporté d'y vivre sans le sou, en tant que vaincus. C'est plus authentique de vivre dans la misère comme tout le monde.

«Est-ce que je pense vraiment ce que je dis?» se demanda Yukiko en se répétant ses propres paroles. Elle leur trouvait une vague rouerie. À tout le moins, la pensée humaine manquait de précision. Les hommes étaient maîtres dans l'art de faire dire aux mots ce qui les arrangeait, c'était l'unique fonction de la pensée, se dit Yukiko tout en mâchouillant un morceau de seiche. Dans l'air empuanti par l'odeur de calamar grillé, elle réfléchit au courage qu'elle avait manifesté depuis son retour au Japon; il lui parut bien insipide.

Tomioka tira la radio à lui et l'alluma: un présentateur débitait, en articulant chaque mot, un bulletin d'information qui leur parut sinistre.

Tomioka éteignit brusquement la radio, comme si ce qu'il entendait était insupportable.

– Au fait, il paraît que Kanô est revenu...

– Ah... Vraiment? Quand ça?

– Un ami du Bureau national des Eaux et Forêts de Tottori que je n'avais pas vu depuis longtemps me l'a annoncé l'autre jour...

– Ah bon?... Et il va bien?

– Tu veux le voir?

– Oui, j'aimerais bien. Contrairement à toi, c'était quelqu'un de sincère, lui.

– Oui, sans doute...

À la nouvelle du retour de Kanô, Yukiko éprouva une soudaine nostalgie pour l'Indochine. Chaque fois qu'elle évoquait ces souvenirs de jeunesse dont, elle le savait, elle ne retrouverait jamais l'intensité, Kanô y était également associé, en tant que rival de Tomioka. Soudain, on frappa à la porte; Yukiko se leva précipitamment pour ouvrir la porte et bondit au-dehors. Joe était là. Elle le repoussa d'un geste, en expliquant:

– Un parent est venu me voir de province, peux-tu venir plutôt demain ? Je te raccompagne à la gare...

Tomioka l'avait écouté parler dans une langue étrangère avec une sensation de poids sur sa poitrine. Il aurait bien voulu savoir comment Yukiko avait fait la connaissance de cet étranger. Le regard fixé sur le grand oreiller, il avait le pressentiment de l'imminence de sa rupture définitive avec Yukiko. Environ une heure plus tard, elle revint, seule.

– Je n'ai pas dérangé ?

– Ça va, je l'ai renvoyé.

– Comment l'as-tu rencontré ?

– Quelle importance ? Lui aussi il est seul. J'éprouve la même chose pour lui que toi pour ta chère Nyu.

– Ne dis pas de choses bizarres comme ça...

– Moi aussi, je vais changer dorénavant...

– Sûrement. Mais pourquoi pas ? Je n'ai rien à y redire.

– Il est jeune, et tellement gentil. Il m'apprend même des chansons.

– Pff...

– C'est vraiment quelqu'un de bien. Mais il rentre dans son pays dans deux mois.

– Tu n'auras qu'à en chercher un autre.

– Oh, ce que tu peux être désagréable... Je l'ai rencontré à un moment où j'oscillais entre le désir de vivre et celui de mourir, et il a été ma chance. Toi tu te dis : ah oui, voilà comment sont les femmes... Tu n'arrives à rien de bien satisfaisant toi-même, alors ne te moque pas de moi, veux-tu ? Tu ne penses qu'à ce qui t'arrange, tu te comportes avec les femmes d'une façon lamentable. Alors laisse-moi tranquille avec tes insinuations ambiguës !

La bougie s'était éteinte. La lucarne ressortait dans le noir, étrangement claire. Yukiko chercha une autre bougie à tâtons et frotta une allumette.

– Tu as l'intention de t'en aller après m'avoir dit des choses pareilles, c'est ça ?

Yukiko avait l'air en colère. Tomioka vida sa coupe de saké, ôta son chapeau, le posa sur les nattes. Il n'avait pas envie de s'en aller. L'ivresse n'était qu'un palliatif temporaire, mais elle lui donnait la force de rompre avec ses habitudes pour se jeter dans le gouffre inconnu de l'aventure.

Boire sans but, jusqu'à l'ivresse, vous détend et vous égaye comme si vous étiez entouré de nombreux amis... Cela rend vaillant.

Il ressentait en présence de Yukiko une douceur faite de tous les instants accumulés du passé. Il avait envie de faire asseoir cette femme devant lui, et de mettre son indécence à l'épreuve dans l'instant à venir. Sous l'effet de l'ivresse, les yeux de la femme brillaient comme ceux d'une marte et commençaient à émettre des lueurs éthérées.

Depuis leur retour au Japon, leurs cœurs à tous deux s'étaient affaiblis au point de ne pouvoir même supporter les rayons du soleil, cependant voilà que l'instant qui passe venait leur lancer à nouveau son appel, gonflant leurs corps d'une force qui refusait de se laisser abattre par de petites blessures d'amour-propre.

– Je peux rester dormir ce soir ?

– Ce n'est pas dans cette intention que tu étais venu ?

– Si...

– Menteur. L'envie de rester t'a pris tout d'un coup. Je le sais. Je suis devenue un peu plus intelligente qu'avant. Tu as toujours été comme ça. De belles paroles pour me rouler dans la farine, ah, tu es bien un homme japonais ! Tu peux rester, toute la nuit si tu veux. Je resterai réveillée et je te tourmenterai jusqu'au matin...

– Non, je n'ai pas dit ça dans cet esprit. Si tu ne veux pas que je reste, je m'en irai. Je ne sais plus où j'en suis, je n'arrive à rien...

Yukiko alluma la radio. Tomioka poursuivit:

– Mets une émission étrangère. Il n'y aurait pas de la musique pour danser plutôt? La radio japonaise, ça me donne mal au cœur. Je ne peux pas écouter ça. Éteins, s'il te plaît.

L'émission était apparemment consacrée au procès des criminels de guerre. Yukiko la posa exprès, par méchanceté, sur la table basse de la chaufferette devant eux. Tomioka s'emporta, éteignit la radio, la jeta violemment sur le plancher.

– Mais qu'est-ce que tu fais?

– Je ne veux pas écouter ça, je te dis!

– Il faut écouter avec attention, au contraire. Ça ne parle pas de n'importe qui: c'est de nous qu'il est question, non? C'est ça qui est désespérant chez toi: tu ne veux voir que le bon côté des choses...

Sans faire mine pour autant de ramasser la radio, elle trempa ses lèvres dans son verre de saké en foudroyant Tomioka du regard. À présent que la fureur de la guerre s'était calmée, le tournant presque servile qu'avait pris la vie au Japon, cette platitude sans vagues faisait à Yukiko l'effet d'être une comédie. Et Tomioka et elle, complices de cette comédie, étaient assis face à face, dans cette petite baraque. Tomioka enleva ses chaussettes douteuses et s'allongea sans même enlever son manteau. Feignant d'ignorer le gros oreiller immaculé, doux et bien gonflé, posé près de lui, il avait posé sa tête sur sa main. Yukiko, elle non plus, ne prêtait pas attention à l'oreiller. Tomioka vit là la force d'une femme qui refusait toute contrainte.

– Finalement, ce n'est pas toi qui vas m'aider à m'en sortir, pas vrai? Puisque tu ne peux pas vivre avec moi, je suis déterminée à prendre moi-même ma vie en main, tu es prévenu.

– Je ne te dérangerai pas. Je pourrai quand même venir te voir de temps en temps, non?

– Non ! Ce soir, déjà, tu me déranges.

– Je t'empêche d'exercer ta profession ?

– Ça alors ! C'est donc ça que tu penses ? Tu veux jouer les hommes parfaits, te moquer des faiblesses des autres, c'est ça ? C'est dans ce piège-là que tu nous as pris, Kanô et moi.

– Tu voudrais dire que je t'ai dupée, alors ?

Yukiko ne répondit rien. Ils n'étaient pas à égalité, pour ce qui était des sentiments. C'était elle qui avait éprouvé une folle passion pour Tomioka, plus que l'inverse. Elle recracha dans sa main le morceau de seiche séchée qu'elle mastiquait et se mit à hurler :

– C'est moi, oui, c'est moi qui suis tombé amoureuse de toi ! C'est ça, hein ? C'est moi qui suis responsable de tout ?

Après quoi, elle jeta rageusement dans le fourneau le bout de seiche qu'elle avait recraché. Une flammèche bleue s'éleva aussitôt, répandant une fumée à l'odeur de poisson.

Tomioka repartit tard ce soir-là, mais ne resta pas dormir. Il la quitta, vexé, sur une dernière dispute. Yukiko écouta ses pas s'éloigner en retenant son souffle, puis, en proie à un regret soudain, elle poussa la porte et sortit à son tour. Le ciel était empli de petites étoiles, le givre recouvrait le chemin glacé. Passant derrière le marché plongé dans l'obscurité, Yukiko courut jusqu'à la gare. Tomioka n'y était plus.

Les larmes lui vinrent brusquement aux yeux et, incapable de les retenir, elle retourna à la baraque en pleurant. Une flamme tremblotait sur le reste de la troisième bougie, dans la chambre déserte. Yukiko regrettait la brutalité de ses propos. Les piques qu'elle lui avait lancées successivement ne s'adressaient pas uniquement à lui. Cependant, il avait lentement remis ses chaussettes et s'était levé en disant : « Si tu as envie de me démolir à ce point, moi, je n'ai plus envie de rester. » Elle avait levé les yeux, surprise, mais il était trop tard pour retirer ce qu'elle avait dit. Elle aurait aimé qu'il reste pourtant. Qu'il reste et qu'il partage sa tristesse.

Elle éteignit la bougie. Elle se glissa sous la couverture de la chaufferette et sanglota en se tordant dans tous les sens, comme un animal.

21

Tomioka rentra tard chez lui. Il gardait encore en tête la scène déplaisante qu'il avait eue avec Yukiko. Malgré l'heure tardive, Kuniko avait l'air d'être encore en train de faire les bagages. À l'idée qu'il allait vendre cette maison dans laquelle ils avaient vécu si longtemps, il se disait qu'il aurait finalement eu l'esprit plus tranquille si elle avait brûlé dans les bombardements.

Sa vie entière s'en allait à vau-l'eau. Pour quelqu'un qui vivait comme lui dans le provisoire, avoir une famille, si réduite soit-elle, équivalait à étouffer au fond d'un caveau hermétiquement clos. La façon de vivre de Yukiko lui paraissait enviable. En même temps, cela lui faisait pitié de la voir devoir faire preuve d'une telle pugnacité pour survivre, et il s'en voulait de ne pas avoir la force de se tenir à ses côtés pour la protéger. Avant de la quitter une bonne fois pour toutes, il faudrait qu'il aille la voir de nouveau, se dit-il, pour vérifier si sa colère était retombée, sinon ce serait lui le perdant. S'ils ne mettaient pas un terme définitif à cette relation, ils n'aboutiraient jamais nulle part... Mais où auraient-ils pu aboutir de toute façon ? songea-t-il, en réfléchissant aux raisons de leur affrontement. Depuis son retour au Japon, il avait eu l'impression d'entrevoir pour la première fois toutes les subtilités du cœur de femme de Yukiko, mais il avait aussi connu la désillusion de voir son propre cœur changer.

L'esprit humain était une chose si volatile et changeante, qui se transformait à chaque instant en fonction des miasmes de son environnement. À cette idée, Tomioka baissa la tête. Pouvait-il laisser sans réagir traîner dans la boue les millions de promesses échangées et la pureté de sentiments affichée autrefois avec tant de fermeté ?

Bah, après tout, ils pouvaient bien se quitter comme ça, Yukiko et lui. Mais à peine avait-il pensé cela que l'instant d'après il se disait qu'il n'était sans doute pas trop tard pour la revoir et vérifier d'abord ce qu'il en était... Et ainsi de suite ; des sentiments contradictoires continuaient à se succéder dans l'esprit capricieux de Tomioka.

Vers l'aube, Yukiko rêva de son logement de fonction à Dalat. Dans ce rêve étrangement réaliste et mélancolique, elle était assise avec Kanô sur le balcon et il la tenait dans ses bras.

Elle se réveilla avec en tête le souvenir de la journée qu'ils avaient passée autrefois à la plantation de thé d'Ontoré. C'était le jour où ils s'étaient rendus tous les trois, Tomioka, Kanô et elle, à la plantation de thé d'Arpuru-broi. C'était le Nouvel An, et les Vietnamiens de la haute société, vêtus de pantalons de soie blanche dépassant d'une veste noire, allaient tous prier à l'église, située au centre d'Ontoré. Ce village, situé sur une petite éminence, entouré de jungle, avait l'air d'un tableau tant il était pittoresque.

À mille six cents mètres d'altitude, la température maximale atteignait vingt-cinq degrés, et la plus basse six degrés, mais la terre rouge, où dominait le basalte, compensait largement les inconvénients du climat pour la culture du thé, leur expliqua Tomioka.

Les arbustes se développaient beaucoup à l'horizontale, à cause de l'altitude et des basses températures, ajouta-t-il à l'adresse de Yukiko qui marchait à son bras, dans sa robe blanche ornée de dentelle, sur les sentiers de la plantation, disposés comme les cases d'un échiquier sur tout le vaste espace. Kanô faisait grise mine et s'arrêtait de temps à autre. Il finit par dire :

– Je ne me sens pas bien depuis tout à l'heure, je crois que je vais saigner du nez...

Surpris, Tomioka et Yukiko s'arrêtèrent tous les deux pour le regarder.

– Qu'est-ce qui se passe ? Vous vous sentez mal ?

– Yukiko, vous êtes vraiment horrible avec moi. C'est pour me ridiculiser que vous m'avez emmené jusqu'ici ?

– Mais pourquoi ? Je n'ai pas...

Yukiko s'empourpra, fut sur le point de dire quelque chose, mais Kanô se mit à rire juste à ce moment-là d'une façon étrange et déclara :

– Je préférerais que vous ne teniez pas le bras de Tomioka.

Tomioka se demanda s'il n'était pas devenu fou. Yukiko dégagea son bras précipitamment.

Tomioka éclata brusquement de rire et le guide vietnamien, surpris, se retourna d'un air inquiet en se demandant s'il avait commis une erreur.

Ils se remirent à marcher séparément tous les trois.

– Des plants vigoureux âgés de dix-huit mois sont mis en terre. Il faut désherber, creuser la terre autour du plant pour aérer les racines, cinq à six fois par an. La répartition de l'engrais est de trente kilos d'engrais azoté, quarante kilos de phosphaté, cinquante kilos de potasse, une fois tous les deux ans. On peut commencer à cueillir les feuilles à partir de la deuxième année environ, et à partir de la sixième ou septième année la quantité récoltée compense les frais de gestion. Les plants atteignent leur taille adulte en dix ans.

En écoutant les explications du guide, Yukiko commença à se sentir effrayée par l'âme continentale des Français, qui laissaient patiemment les plantations de

140

thé parvenir à maturation. Jamais elle n'aurait pensé que les théiers mettaient si longtemps à grandir, et elle eut soudain honte de la vision à court terme des Japonais, qui cherchaient à tout contrôler en si peu de temps.

Elle remit en cause l'attitude mesquine de ses compatriotes : que faisaient-ils d'autre, eux tous, que fouler d'un pas méfiant, animés de mauvaises intentions, tels des chats sauvages, la terre gorgée de la sueur d'autres hommes qui la cultivaient depuis longtemps ? La remarque de Kanô la tracassait également. Le guide continuait sans fin ses explications, mais Yukiko ne pensait pas que les Japonais pussent dominer cette terre indochinoise pendant des dizaines d'années encore. Il lui sembla qu'un jour, sous une forme ou une autre, ils seraient atrocement punis de leur conduite.

– À supposer même que l'armée japonaise déferle jusqu'ici, le Japon sera incapable de gérer cette immense plantation de thé et les exploitations de quinquinas. Nous serons tout juste capables de voler et de souiller ces lieux, en jetant tout ici ou là..., fit remarquer Tomioka d'un air indifférent.

Kanô ne répondit pas, mais arracha la grande médaille d'ivoire que le Vietnamien portait sur la poitrine, pour l'accrocher sur son propre torse. Yukiko trouva cette scène fort déplaisante. C'est ce soir-là que Kanô, ivre, devait la blesser au bras.

Tout cela n'était plus que de lointains souvenirs. Et les hordes de Japonais dispersés ici et là sur cette terre magnifique avaient tous été renvoyés chez eux.

Quoi de plus normal ? se dit Yukiko, les yeux écarquillés, contemplant fixement le ciel pluvieux de l'aube à travers la lucarne.

Le gros oreiller moelleux était sa seule, sa grande consolation. Il lui sembla qu'elle avait rêvé la visite de Tomioka la veille, dans cette baraque.

Elle prit la radio et l'alluma quand, au même moment, on tapa violemment à sa porte. Elle n'attendait personne de si bon matin ; pensant qu'il s'agissait de quelqu'un de l'hôtel Hotei, elle se leva pour aller ouvrir la porte. À sa grande surprise, elle se trouva nez à nez avec Iba, une expression effrayante sur le visage. Une servante de l'hôtel Hotei, qui se tenait juste derrière lui, disparut aussitôt dans la ruelle sans mot dire.

– C'est bien ce que je pensais ! fit Iba en enlevant ses chaussures pour entrer dans la maison sans ménagement.

Yukiko tremblante, restait muette.

– Tu n'avais pas pensé que je viendrais te chercher jusqu'ici, hein ? Ah, tu as drôlement changé depuis ton retour...

– Ne parle pas si fort.

– Pas d'insolence, je te prie !

– Pourquoi te fâches-tu comme ça ?

– C'est normal que je me fâche, non ? J'ai trouvé le transporteur, tu sais. Tu m'as volé, et en plus tu as vendu ma literie à l'hôtel, ça ne suffit pas pour que je me fâche, ça ? Il paraît que tu es devenue une prostituée pour Américains, maintenant ?

Yukiko ne parvint pas à répliquer tant elle était en colère. L'impudence d'Iba lui donnait la nausée.

– Il faut bien que je vive, non ? Quelques matelas, qu'est-ce que ça peut faire ?

– Tu ne pouvais pas gagner ta vie sans vendre mes matelas ?

– Que voulais-tu que je fasse ? Tu fais le matamore, parce que je t'ai pris tes matelas, mais qu'est-ce qu'il y a de si mal à ça, hein ? Tu as abusé de moi pendant trois ans et tu viens me reprocher des vétilles pareilles ? Tiens, si tu le veux, tu n'as qu'à le reprendre, ton matelas.

– Il est sale mais je le reprends, ça oui. Une fois lavé, je pourrai le réutiliser. C'est que c'est précieux, ça.

142

Iba sortit une cigarette en jurant, la planta entre ses lèvres, parut chercher des allumettes. Son regard tomba sur la radio et le gros oreiller, ce qui lui arracha un sourire ironique. Yukiko le remarqua et sentit une flambée de rage monter en elle. Qu'il pense ce qu'il voudrait, après tout, mais qu'il ne reste pas là une minute de plus ! Iba laissa alors tomber, comme une idée soudaine :

— Dis donc, ça a l'air de bien marcher pour toi. Il n'y aurait pas de bonnes affaires dans l'air ?... Tu n'aurais pas un projet dont tu pourrais me faire profiter aussi ?... Si tu me mets dans le coup, je te prête le matelas un moment.

Yukiko ne répondit pas.

Elle se sentit triste d'avoir été le jouet d'un tel homme à l'époque où elle était jeune fille. Pourquoi les hommes de son entourage étaient-ils tombés si bas, devenus si vils ? se demanda-t-elle avec stupéfaction.

— Tu n'aurais pas de bonnes relations ? Tu ne pourrais pas me procurer des cigarettes ou des vêtements ?

— Mais qu'est-ce que tu racontes ? Reprends ton matelas et sors d'ici. Je n'ai besoin de rien.

Ses larmes se mirent à couler sans ostentation. La seule vue des traits d'Iba l'horripilait. Iba tendit la main, tira la petite radio à lui et l'alluma. Le son rafraîchissant d'un *shamisen*[1] se mit à retentir dans la pièce.

— Ah, ça marche à piles, c'est pratique...

Il ouvrit l'arrière du boîtier, où plusieurs petits cylindres étaient rangés côte à côte. Yukiko le regarda faire un moment, puis brusquement elle ôta la couverture qui recouvrait le *kotatsu* et se mit à la plier à toute vitesse.

— Bah, il n'y a rien qui presse autant, voyons...

---

1. Instrument de musique traditionnel : sorte de luth à trois cordes. *(N.d.T.)*

Rendue mélancolique par le son du *shamisen*, Yukiko avait l'impression que cette petite radio lui portait étrangement malheur depuis la veille.

– À propos, j'ai rapporté une trentaine de kilos de patates séchées, tu ne sais pas où je pourrais les vendre ? demanda Iba en refermant le couvercle de la radio.

Elle ne répondit même pas. Comment aurait-elle su où vendre des pommes de terres séchées ?

– Ça doit valoir cher, une radio comme ça.

– Elle n'est pas à moi.

– Je me demande si on ne pourrait pas imiter ce genre de choses et les faire breveter ici, au Japon... Les objets évoluent, hein, c'est intéressant...

Tenant la radio dans les *airs* d'une main, Iba tendait l'oreille au son du *shamisen*, l'*air* impressionné.

22

Tomioka envoya une lettre exprès à Yukiko, dans l'intention de la voir une dernière fois. Il n'avait aucune envie de la rencontrer chez elle. Il n'avait pas envie de se trouver à nouveau assis face à elle, l'esprit plein de crainte, dans cette maison. Il lui indiqua le jour et l'heure où ils pourraient se voir, près de la gare de Yotsuya-Mitsuke.

Malheureusement, il pleuvait ce jour-là. Noël venait de passer et, après cette période trépidante, la ville semblait comme repliée sur elle-même, et la pluie tombait dans l'indifférence générale, en ce jour humide.

Tomioka attendit dix minutes à la gare.

Il n'y avait pas beaucoup de va-et-vient devant les guichets, mais des gens issus de toutes les classes sociales dépassaient Tomioka d'un pas pressé. Il se sentait désespéré, sans raison particulière. Il avait connu cette même sensation de désespoir en Indochine. C'était une angoisse contenue, poussée à l'extrême ; une impression d'être acculé à une impasse, qui venait saboter son esprit comme un voyou attaque les passants.

Tout en battant la semelle sur le trottoir, Tomioka regardait la rue en pente. Sur l'asphalte luisant, couleur de plomb, un chien bâtard trempé avançait çà et là en titubant, comme s'il cherchait son maître.

Tomioka jeta un coup d'œil à sa montre et se dit que Yukiko ne viendrait peut-être plus. Il n'avait qu'à l'attendre encore un peu et, si elle ne venait pas, il saurait au moins à quoi s'en tenir. Il siffla le chien errant, qui se retourna pour regarder dans sa direction, puis s'en alla d'un pas rapide vers un bosquet de fatsia, l'œil triste de voir son espoir déçu.

– Je t'ai fait attendre ?

Yukiko, qui venait de le rejoindre sous l'auvent de la gare, lui donna une bourrade à l'épaule.

– Comme j'avais une demi-heure de retard, j'ai pensé que tu ne serais plus là, j'ai failli faire demi-tour. Excuse-moi...

Elle avait un foulard de soie rouge sur la tête, attaché sous le menton, et levait un regard vif vers Tomioka. Tomioka n'apprécia guère sa remarque. Il avait l'impression que cette femme, dont l'air décontracté lui déplaisait au plus haut point, essayait de le mener par le bout du nez. « L'heure de la séparation est arrivée », se dit-il.

Il se mit en route. Yukiko le suivit, marchant dans les flaques d'eau. Tout en ne supportant pas sa solitude, il avançait de son côté, à pas rapides, et imaginait au fond de son cœur l'expression de Yukiko, derrière lui sur la route détrempée. Cela éveilla en lui le désir de faire de cette femme la compagne de sa solitude. En même temps, marcher avec elle l'emplissait d'un vague sentiment de culpabilité.

Il méditait sur sa solitude mais sentait bien qu'il tremblait de peur face à elle. Ce dénuement qu'il ressentait lui était insupportable. Il avait perdu jusqu'au dieu intérieur qui le consolait autrefois, et seul le vide du désespoir s'agitait dans sa poitrine et venait l'oppresser.

Son désir le plus profond était de rester dans cet état d'esprit, de le partager avec Yukiko et de se suicider avec elle. Il repensa à un fait divers récent : un jeune Japonais s'était enfui avec une femme étrangère et, pour ne pas être rattrapés, ils avaient bu du poison ensemble dans une gare de banlieue.

146

Il sentait flotter au-dessus de lui, comme un nuage, cette vague tristesse indissociable de la vie humaine. Il n'avait pas assez confiance en lui pour vouloir continuer à vivre. Ils marchèrent lentement, au hasard, avant de s'arrêter devant une station de tramway.

– Dis, il fait froid... Si on allait prendre un thé quelque part ?

– Oui.

– Tu as l'air au bout du rouleau, non ?

– Au bout du rouleau ?

– Oui.

– Ne dis pas de choses désagréables...

– Quand on est seul, on apprend du vocabulaire... J'ai peur de devenir une dévergondée...

– Ah, tu crois ? Tu as l'air de bien t'amuser, pourtant.

– Tu parles ! Je ne m'amuse pas du tout, oui... Ça me vexe que tu me dises ça... Toi-même, tu as complètement changé depuis l'Indochine. Je ne comprends plus rien à l'avenir, tu sais...

Debout dans la rue pluvieuse, Tomioka regardait en direction d'une ancienne demeure princière, bordée d'une rangée d'arbres. Il ignorait à quoi servait cet immeuble à présent, mais cette bâtisse gris fumée à travers la grille, et les masses noires des arbres derrière le rideau de pluie, étaient à ses yeux aussi nouvelles qu'une peinture occidentale.

Tandis qu'il regardait fixement ce paysage, un désespoir indéfinissable l'envahit.

Il se mit à marcher le long de l'enceinte de la demeure. Yukiko avançait en silence à ses côtés.

– On était mieux en Indochine, fit-il.

– Ah, tu pensais à ça toi aussi. J'avais la nostalgie de là-bas, justement... Cet endroit-là, c'était un rêve. On rêvait, n'est-ce pas ? On rêvait. Pourtant, même si c'était un rêve, je t'ai rencontré. C'est étrange...

– Moi, de temps en temps, je me dis : tiens, j'ai vécu là-bas, c'est arrivé...

– On était des gens bien là-bas, toi et moi. De vrais êtres humains, tout simplement.

– Oui, mais peut-être que ce n'est pas ça, le vrai bonheur. Tu ne crois pas ? À l'instant, en regardant cette résidence, il m'a semblé que j'étais plus heureux maintenant. Il y a une beauté des choses déchues. Je ne sais pas à quoi sert ce bâtiment à présent, mais autrefois, c'était un palais. On peut encore sentir les vestiges d'un luxe passé. Ça pénètre le cœur, en un sens, non ?

Yukiko regarda distraitement le mur de pisé qui entourait la résidence. Il y avait une vague odeur de terre alentour. Tomioka devenait sentimental, et elle ne pouvait pas le suivre sur ce terrain, mais elle ressentait également cette mélancolie des choses qui passent ; le paysage qui les entourait était impressionnant peut-être à cause de la pluie et du froid. Une élégante voiture bleu cobalt passa en chuintant sur la large avenue devant le palais.

La tristesse ne relâchait pas son emprise sur Tomioka. Il avait envie que cette femme l'accompagne dans la mort, naturellement, sans forcer quoi que ce soit.

Avoir vécu jusqu'à ce jour pour finalement tout perdre et faire le deuil même de son pays était d'une tristesse insupportable et glacée, qui s'infiltrait dans son dos comme cette pluie d'hiver. Dans ce pays isolé du monde, chaque individu était cloué sur place. C'est toujours quand on perd les guerres qu'on les trouve tristes. Dans l'âme du perdant, il y a quelque chose qui, à l'insu de tous, rappelle les fantaisies d'autrefois et pousse tout le monde à se remettre en cause.

Tomioka enviait la combativité et la force de vie de cette femme qui semblait ne pas se poser de questions et il ressentait une frustration secrète devant la simplicité des mouvements de son cœur. «Elle ne manque de rien, elle», se dit-il, en jetant un regard vers Yukiko : elle marchait à ses côtés, tout contre lui. Il fit avec effroi cette découverte étrange : non seulement elle, mais aucune des autres femmes de ce pays, ne portait plus les traces des longues souffrances dues à la guerre.

– Dis, on va marcher jusqu'où comme ça ?

– Tu es fatiguée ?

– J'en ai assez d'être mouillée comme ça. On va attraper froid.

– Ce serait bien d'aller jusqu'à Akasaka et, de là, de prendre un tram jusqu'à Shibuya.

– D'accord. Dis, de quoi voulais-tu me parler ?

– Parler ? Oh, ce n'était pas très important.

– Quel égoïste tu fais.

– Tu crois ça ? J'avais envie de te voir, voilà tout.

– Menteur ! Tu mens. Envie de me voir ! C'est bien la première fois que tu me dis quelque chose d'aussi gentil.

– Les femmes ont donc tellement envie d'entendre des mots tendres ?

– Mais bien sûr...

Tomioka commençait à ne plus supporter le déroulement de leurs conversations. Ils avaient beau se voir, cette relation n'apportait rien, finalement. La confusion de la défaite et la recherche quotidienne du gagne-pain pesaient sur leurs esprits comme de lourds nuages noirs. Tomioka ne comprenait pas lui-même ce désir irraisonné d'enfant gâté qu'il avait, d'entraîner cette femme ignorante dans sa déchéance, conscient qu'il n'avait rien à lui offrir. Il se trouvait aussi empli d'une certaine rouerie, à l'idée des journées qui s'écoulaient dans l'illusion qu'il pourrait obtenir quelque chose de cette relation.

23

Une fois à Shibuya, ils entrèrent dans un restaurant chinois sous le pont de chemin de fer. Ils s'installèrent l'un en face de l'autre, à une table près du poêle. Des flammes bleues s'échappaient des orifices en forme de lotus. Trois serveuses, portant des blouses blanches chiffonnées, attendaient dans un coin de la pièce vide, désertée par les clients.

Yukiko étendit ses mains au-dessus du poêle, et mit son écharpe mouillée par la pluie à sécher sur un fil de fer.

Une serveuse vint prendre la commande. Tomioka demanda des nouilles.

– Ah, et apportez-nous aussi un flacon de saké.

Yukiko sortit de son sac à main vert des cigarettes de marque étrangère et en offrit une à Tomioka en souriant.

– On dirait qu'on n'a nulle part où aller...

– Hm...

Tomioka savourait sa cigarette. Cette errance sous la pluie l'avait épuisé. Il avait beau lui avoir envoyé une lettre exprès, à présent il ne savait même plus pour quelle raison il voulait absolument parler à cette femme.

– Quand est-ce que tu déménages ?

– Ma famille a déjà déménagé. Je vais passer le Nouvel An dans une maison vide...

– Ah bon, tout seul ?

— Ma femme restera sans doute...

— Ah, tu voulais juste te faire plaindre !

Yukiko fit une moue enfantine pour manifester sa déception. Peu après, le saké arriva.

— Au fait, j'ai l'adresse de Kanô. Tu veux aller le voir ?

— Ah, tu as son adresse ? Où est-il ?

Tomioka sortit un petit carnet, le feuilleta, nota l'adresse au dos d'une de ses propres cartes de visite, puis la tendit à Yukiko.

— Tiens, il est à Odawara ?

— Oui, avec sa mère, je crois. Apparemment, il est encore célibataire.

Elle le fusilla du regard en réponse à sa méchanceté. Pourtant, au fond de son cœur, elle éprouvait une violente nostalgie et un désir ardent de revoir Kanô, dont elle n'avait pas eu de nouvelles depuis l'Indochine.

Le saké réchauffa l'estomac, puis tout le corps glacé de Tomioka. Yukiko lui tint compagnie en vidant deux ou trois coupes.

— C'est dans trois jours, fit-il.

— Quoi donc ?

— Le Nouvel An.

— Ah, je n'y pensais même pas.

— Qu'en penses-tu ? Ça ne te dirait pas de partir, pour Nikkô ou Ikaho ?

— Oh, je ne suis jamais allée à Ikaho, ce serait bien... J'aimerais bien me tremper dans des eaux thermales brûlantes ! On peut vraiment y aller ?

— Pour une nuit ou deux, oui. On tente le coup ?

Quitte à se laisser voguer sur la mer de l'éternité, ils pouvaient bien n'en faire qu'à leur tête et suivre la direction où les entraînait le cœur humain, se dit Tomioka, qui se sentait prêt à achever sa misérable existence en compagnie de Yukiko dans la montagne aux arbres morts.

« Tu es là à sourire, sans même savoir que c'est vers la mort que je t'entraîne... »

Il la regarda dévorer ses nouilles avec un appétit féroce. Des boucles en plaqué or tremblaient aux lobes de ses minuscules oreilles. Ses cheveux noirs étaient coupés court sur la nuque.

– Il ne fait pas froid à Ikaho ?

– Qu'est-ce que ça peut faire ?

– Tu as raison.

L'air réjoui comme une jeune mariée discutant avec son époux du voyage de noces, Yukiko prit la carte avec l'adresse de Kanô, la rangea dans son sac, sortit discrètement son poudrier et l'ouvrit devant le bout de son nez.

Pendant ce temps, Tomioka s'imaginait en train de la tuer. Comme dans une pièce de théâtre silencieuse, Yukiko s'agitait mollement, couverte de sang, dans son paysage imaginaire. C'étaient des pensées dangereuses, mais le simple courage d'y plonger lui paraissait déjà rafraîchissant. « Je la tuerai. Et puis je m'étendrai sur son corps et je me tuerai aussi. » C'était aussi facile que ça. Personne n'y trouverait rien à redire. Tomioka commanda un deuxième flacon de saké, en regardant d'un œil vague Yukiko se remaquiller. Comment un visage pareil pouvait-il plaire à un étranger ? C'était bizarre. Elle avait une tête vulgaire : plate, le menton large, d'une inqualifiable banalité. Mais en l'observant bien, on pouvait presque trouver que sa physionomie se rapprochait de celle d'une femme primitive. Et le front, les sourcils, le contour des yeux évoquaient une statue de Bouddha.

– Mais ça ne te pose pas de problème de laisser ta maison vide ?

– J'ai fermé à clé en partant ; même si quelqu'un vient me rendre visite, il verra que je ne suis pas là.

– Alors Iba est venu récupérer son matelas ?

– Ah, tu as donc reçu ma lettre ? Oui. Je dors sur une couverture maintenant.

Yukiko n'avait pas l'air particulièrement ennuyée. Elle souleva le flacon de saké, emplit la coupe de Tomioka. Il continuait à boire, en grignotant les bouts d'oignons frais et les pousses de bambou qui parsemaient les nouilles refroidies. « Comme ma vie est pitoyable », songea-t-il, tout en commençant à se trouver comique. Tout le monde, se disait-il, croyait avec le plus grand sérieux vivre des tragédies répétées, mais il doutait que quiconque, depuis des milliers d'années, eût vécu une seule véritable tragédie, propre à enrichir l'humanité. La vie des hommes n'était qu'une succession de farces. Les hommes vivaient, le cœur tremblant, des comédies pleines de désordre et de confusion. Brandir le spectre de la justice était également une farce. Le bien et le mal ne pouvaient être que des bouffonneries. Les êtres humains vivaient en poussant chacun à l'extrême la logique qui lui convenait le mieux, dans une ambiance d'une drôlerie à pleurer de rire. C'est peut-être seulement devant la mort que, soulagé, on poussait enfin pour la première fois un soupir authentique.

Sans hésiter, Tomioka emmena Yukiko à Ikaho. Ils y arrivèrent tard dans la soirée. Un rabatteur les emmena dans une auberge du nom de Kintayu. Ikaho était une ville thermale parcourue d'étroites ruelles en pente, où flottait partout l'âcre odeur du soufre que contenaient les eaux. Yukiko avançait en regardant avec étonnement les maisons qui bordaient les rues. Ikaho, ville célèbre pour ses coucous, était un lieu romantique, d'une étonnante rusticité. Était-ce parce qu'ils étaient arrivés tard dans la nuit ? Le vacarme des eaux ruisselantes des sources chaudes et le grondement du vent de la montagne semblaient transpercer leur peau gelée. Un grand *kotatsu*, recouvert d'une planche en guise de table, était installé au milieu de leur chambre, au fond de l'auberge. Yukiko glissa ses genoux glacés sous la couverture, où régnait une douce chaleur.

– C'est vraiment bien ici. Comment se fait-il que tu connaisses cette ville ? Tu es déjà venu ? demanda Yukiko en minaudant.

– Oui, quand j'étais étudiant.

– C'est formidable. On se croirait à Dalat. Si on avait de l'argent, j'aimerais vivre un moment ici à ne rien faire.

– Hm. On doit finir par se lasser. À mon avis, deux jours, c'est la limite...

– Oui, deux jours, ça doit être parfait.

La chambre était exiguë et on entendait en permanence un bruit d'eau sous la fenêtre, comme s'il y avait un ruisseau en contrebas. Une servante au visage rougeaud leur apporta des kakis séchés et du thé. Dans le renfoncement destiné à recevoir les décorations étaient disposés un vase en forme de panier contenant de petits chrysanthèmes, ainsi qu'un rouleau peint – une lithogravure représentant un paysage de montagne et de cascades. C'était une chambre banale, mais une chambre d'auberge, et qui plus est dans une ville thermale, si bien que Tomioka sentait fondre peu à peu la tristesse qu'il éprouvait le matin même. On avait beau parler de désespoir, du moment qu'on connaissait la méthode pour se distraire, un être humain pouvait changer rapidement d'état d'âme, devenir tout joyeux, grâce à un palliatif temporaire. Tomioka commençait à se sentir bien, au chaud. « C'est étrange comme les émotions sont fluctuantes », songea-t-il avec amusement. Finalement, même chercher un décor grandiose pour s'y donner la mort avec une femme n'était qu'un événement insignifiant, une goutte d'écume dans l'immensité de l'univers. Sans quitter son manteau, Tomioka installa ses jambes sous le *kotatsu*, s'allongea de tout son long, une main sous la tête comme oreiller, le regard fixé sur le plafond noir de suie.

— Enfilez ceci, vous serez plus à l'aise, dit la servante en leur apportant deux grands kimonos d'intérieur molletonnés.

Yukiko se changea aussitôt dans la petite chambre attenante et demanda une serviette de bain à la servante. Tomioka se sentait d'humeur trop paresseuse pour aller aux bains. Le moindre mouvement lui était pénible. S'il avait pu, il eût aimé disparaître ainsi au fond de la terre.

— Dis, si tu te changeais ?

— Hm...

— Allez, changeons-nous vite et commandons le repas. Je suis affamée, moi.

— Tu es agaçante. Laisse-moi prendre mon temps. Tu n'as qu'à aller aux bains.

Yukiko jeta dans un coin de la chambre les vêtements qu'elle venait d'enlever et s'approcha du *kotatsu*, tout en reniflant une manche de son kimono molletonné.

— Ah, il y a l'odeur de quelqu'un là-dedans, il y a l'odeur de quelqu'un !..., s'exclama-t-elle comme une maniaque de la propreté.

24

Tomioka était assez ivre. Il se sentait l'esprit léger et libre, ce qui ne lui était pas arrivé depuis longtemps. Appuyé contre le pilier décoratif de la chambre, il se mit à fredonner une chanson en vietnamien.

«Ton amour et mon amour n'étaient sincères que le premier jour. Ce jour-là, à cet instant-là, nos regards disaient vrai. Maintenant, toi et moi, nous avons le regard du doute...»

Tel était à peu près le sens de cette chanson populaire. Comme Yukiko était passablement soûle, elle aussi, elle repensait avec une intense nostalgie à la vie de Dalat, tout en suivant les paroles de la chanson, dont elle se souvenait à peu près.

Il était parfaitement stérile de s'en souvenir maintenant, cependant ce rêve lointain lui inspirait toujours la même nostalgie. Sous la couverture, elle étendit une jambe, chercha celles de l'homme. Sa plante de pied frôla un autre pied tiède.

– Tomioka, je te souhaite d'aller bien longtemps. Appelle-moi de temps en temps, quand tu penseras à Dalat... Tu vois, je me suis résignée. C'est mieux de se retrouver juste comme ça, de temps en temps. Oui, c'est mieux ainsi. Entre nous, c'est comme dans la chanson, j'ai bien compris, va...

Tomioka, les yeux clos, fredonnait doucement la chanson vietnamienne. Même quand Yukiko se glissa près de lui sous la couverture, il continua à chanter, sans même ouvrir les yeux.

– À quoi réfléchis-tu comme ça tout seul ? Fais-moi partager tes pensées ! Allez, dis, donne-m'en la moitié.

À ces mots, Tomioka ouvrit les yeux d'un seul coup.

Yukiko lui parut soudain adorable. Ces paroles féminines, qui sortaient de sa bouche avec tant de naturel, étaient pareilles à un arc-en-ciel surgi à l'instant. Séduit, il prit les doigts de Yukiko dans les siens, les porta à ses lèvres.

– Je suis triste, triste, triste, tellement triste..., gémit-elle d'une toute petite voix, en s'agrippant à la poitrine de Tomioka.

Tomioka observait sans la moindre émotion ce comportement extravagant. Le cœur féminin changeait d'instant en instant, comme le cours d'eau qui s'écoulait sous la fenêtre... Lui ne réfléchissait qu'à la façon de mourir. Parviendrait-il à l'étrangler correctement ? Et à se tuer lui-même une fois qu'elle serait morte ? Il faisait des calculs, comme s'il maniait des chiffres. Personne ne saurait une fois qu'ils seraient morts tous les deux qu'il ne s'agissait pas d'un véritable suicide d'amour... Tant mieux, après tout.

Tomioka avait besoin de l'idée de la mort. Mais pourquoi vouloir entraîner cette femme ? « Elle n'est que l'instrument de ma propre mort, songeait-il. Quel égoïste ! Je suis comme ça... » Tout en sondant ainsi son propre cœur, il serrait de temps à autre avec force les doigts de Yukiko entre les siens. Que ça fasse peur, que ça paraisse artificiel, que ça paraisse obscène, tout cela ce serait aux autres de s'en soucier ; ceux qui meurent n'ont pas d'autre intention que de jouer une tragédie.

La lumière se reflétait sur le plat posé devant lui, contenant les reliefs de leur repas. C'était un grand plat de laque rouge, avec de petits pins dorés dessinés dessus.

«C'est la dernière fois que je vois tout ça», se dit-il en jetant un coup d'œil circulaire sur la chambre. «Cet homme et cette femme vont bientôt s'enfoncer dans la montagne pour mourir...», pérorait-il au fond de lui-même.

Quand on se dit que c'est la dernière fois de sa vie, tout paraît à la fois triste et beau. Tout ce qu'il voyait autour de lui, lui paraissait beau et devenait cher à son cœur : les chrysanthèmes jaunâtres paraissaient blancs... Le vent paraissait souffler dans le paysage de montagne, sur le rouleau peint à l'air douteux. La vision de la pluie tombant sur l'ancienne demeure princière, le matin même, lui traversa l'esprit.

À Ikaho, la pluie avait cessé.

– Comment vont tes affaires ?

– Mes affaires ?

– Oui, ton commerce de vente de bois.

– Ah, le travail ? Ça devrait s'arranger...

– Ta maison n'est pas encore vendue ?

– Si, elle est vendue, et j'ai touché la moitié de l'argent. L'acte de vente sera enregistré en début d'année, et fin janvier on libère les lieux...

– Tu l'as vendue combien ?

– Qu'est-ce que ça peut faire ?

– Rien, mais je peux quand même demander, non ?

Yukiko, sa crise de folie passée, regardait fixement Tomioka, en se demandant ce qui pouvait l'attirer chez un homme pareil. Elle trouvait tout cela comique. On aurait dit deux amants qui ne se voyaient qu'ici en cachette. Elle se leva, prit la serviette et se rendit de nouveau aux bains.

Elle descendit l'étroit escalier, entra dans la grande salle de bains commune, où se trouvaient déjà deux jeunes femmes aux cheveux longs permanentés, qui bavardaient à voix haute dans la nuit.

L'eau rouge et opaque clapotait contre le rebord carrelé du bain. Yukiko plongea une jambe dedans, passant devant les femmes sans mot dire. Sans doute parce qu'elle était ivre, elle trébucha, glissa et plongea dans l'eau avec un bruit sourd et des éclaboussures qui firent reculer précipitamment les deux baigneuses, une grimace sur le visage. Claquant la langue d'un air réprobateur, elles sortirent brusquement de l'eau.

– Excusez-moi...

Les deux femmes n'eurent pas un sourire. Vexée, Yukiko étendit les jambes. C'était sans doute des citadines, mais elles avaient des reins robustes, des hanches larges de paysannes aux os épais.

Yukiko, fière de la finesse de son corps nu, fut prise d'une impulsion subite d'aller s'installer sous leur nez. Assises sur le carrelage, là où les eaux s'écoulaient, elles avaient repris leur conversation.

– Il paraît que Tami lui a dit avant de le quitter « *come again* ». C'est tout ce qu'elle sait dire en anglais. Et l'autre, il a fait un geste, comme s'il faisait semblant de pêcher, et lui a dit d'arrêter de fricoter avec les étrangers et de trouver plutôt un travail, dans un bureau par exemple... Mais elle, elle est repartie tout de suite à la pêche, tu penses, c'était peine perdue... Elle dit que les hommes japonais, elle ne peut plus les voir en peinture.

Elles éclatèrent d'un rire vulgaire. Ah, c'était donc des femmes de ce milieu-là, se dit Yukiko, puis elle pensa à sa baraque d'Ikebukuro. Peut-être que Joe était en ce moment même en train de frapper à sa porte. Les deux femmes utilisaient des savons au parfum agréable et se coiffaient mutuellement avec un gros peigne en plastique.

Dans son ivresse, Yukiko prit leur attitude pour un défi. Exhibant leurs grosses bouteilles chics contenant des crèmes émulsionnées pour la peau, et leurs grandes serviettes, elles semblaient dire à Yukiko qu'elles n'étaient pas de la même race qu'elle. Yukiko, elle, utilisait une mince serviette qui paraissait avoir longuement bouilli dans une lessiveuse, et une savonnette à l'odeur de poisson, fournies par l'auberge.

– Dis, demain, en rentrant, je vais chez le tailleur, tu ne veux pas m'accompagner ? Je me suis fait faire un tailleur rouge, avec des boutons dorés.

– Ça doit être superbe. C'est le *heart* à *you* qui te l'a fait faire ?

– Ben oui, c'est qu'il est généreux, hein.

Yukiko eut un rire sous cape. Une des deux femmes, aux lèvres maquillées de rouge vif, jeta un coup d'œil vers elle.

– Qu'est-ce qui te fait rire ? dit-elle d'un ton agressif.

– Ah, mais vous vous faites des idées ! Je riais en pensant à quelque chose de tout à fait personnel.

– Tss ! Tu te moques de nous. Tu es soûle, tu nous as éclaboussées tout à l'heure.

– Je me suis excusée, non ?

L'autre femme, plus osseuse que sa compagne, intervint :

– Allez, ne discute pas avec cette ivrognesse.

Elles se dirigèrent, d'un pas si précipité que l'eau giclait autour d'elles, vers les vestiaires.

– Ça porte des boucles d'oreilles, et ça se sert d'une serviette sale, non mais qu'est-ce que ça veut dire, hein ?

– On devine bien, allez...

Yukiko les entendit pouffer de rire. Elle se lava en s'aspergeant d'eau brûlante, tout en chantant en vietnamien :

« Ton amour et mon amour
n'étaient sincères que le premier jour. »

Sa voix, étonnammônt douce et sensuelle, fit aussitôt taire les rires.

« Ce jour-là,
à cet instant-là,
Nos regards disaient vrai.
Maintenant toi et moi,
nous avons le regard du doute... »

Tout en continuant à chanter, Yukiko avait le sentiment d'être parvenue au fond de la débauche.

25

Tomioka et Yukiko passèrent deux journées absurdes à Ikaho. Il plut tout au long de ces deux jours. Comme c'était la veille du Nouvel An[1], il n'y avait pas un seul client, et l'auberge était plongée dans le silence.

Pendant ces deux jours, Tomioka fut incapable de réfléchir. Il avait beau essayer, son esprit n'était absolument pas centré.

Il était prisonnier de ses propres contradictions. Il ne savait que faire de lui, et se disait que sans doute, tous ceux qui étaient revenus de loin, après la guerre, devaient connaître ce genre d'hésitation.

Certains devaient en avoir conscience, d'autres non, mais les êtres cloués par le destin dans ce monde étroit n'avaient d'autre choix que de vivre ainsi, éparpillés ici et là, dans la solitude.

Poursuivre la recherche d'une vérité universelle sur le sol exigu de ce pays vaincu était trop difficile. C'était un impossible idéal.

À chaque instant, il pouvait rencontrer à l'improviste des obstacles qui l'empêcheraient de vivre et bloqueraient toutes possibilités... Il était las de l'étroitesse de

---

1. Au Japon, le Nouvel An se célèbre en famille, dans le calme. Les magasins sont fermés, les rues vides. (*N.d.T.*)

cette terre, épuisé aussi par ses tentatives pour soutenir sa famille en temps de paix.

La mauvaise humeur devenait générale. Dans sa famille aussi, chacun s'enfermait de son côté, au fond de sa solitude, c'était la seule réalité.

— Tu n'as pas de cigarettes ? fit Yukiko.

— Non.

— Qu'est-ce que tu as à rester plonger comme ça dans tes pensées ? Tu es énervé, hein ?... Tu ne veux pas qu'on passe le Nouvel An ensemble ici, tant qu'à faire ? Si on n'a pas assez d'argent, je pourrai laisser mon manteau en gage, ou cette montre. Si tu trouves que le procédé manque d'élégance, je peux aussi aller vendre ma montre en ville et payer la note ensuite...

Sur ces mots, Yukiko ramassa un mégot dans le cendrier, le planta dans un fume-cigarette et le ralluma.

Tomioka, les pieds au chaud sous le *kotatsu*, relisait le journal de la veille, puis il se retourna, comme sur une idée soudaine, et, un coude sur la natte, dévisagea Yukiko d'en bas.

— Qu'est-ce qu'il y a ?

— Non, rien, mais décidément la vie me dégoûte...

— Pourquoi, qu'est-ce que ça veut dire ?

À cette question, il eut l'impression que ses joues s'engourdissaient. Il ouvrit grands ses yeux secs, regarda le visage de Yukiko, dont le fond de teint s'écaillait, et déclara d'un ton froid et distant :

— J'ai perdu le goût de vivre...

Yukiko ne comprit pas tout de suite ce qu'il voulait dire. Tomioka reprit, en tirant sur un bouton du chemisier de Yukiko, qui menaçait de se détacher :

— On est fichus, on n'a plus aucun avenir, tu comprends...

— Je ne crois pas qu'on n'ait plus d'avenir. Ton esprit a touché le fond, on dirait.

– Hm, c'est bien dit. C'est exactement ça. Mais toi, tu n'as pas touché le fond. Tu dois t'amuser. Tu trouves le monde intéressant.

– Qu'est-ce qu'il y a de si intéressant ?

– Eh bien, l'époque qu'on vit...

Yukiko comprenait peu à peu ce que Tomioka avait en tête ; elle sentit des larmes douces monter en elle, se bloquer dans sa gorge.

– Veux-tu que je te dise à quoi tu penses ?

– Non, ce n'est pas la peine.

– Tu veux parler de séparation ?

– Non.

Le bouton sauta d'un coup. Tomioka le garda dans la main et se rallongea sous la couverture tiède, comme s'il se recroquevillait.

– Je peux aller vendre ma montre ? Dis, j'ai envie de passer le Nouvel An ici, moi.

Une pluie blanchâtre commençait à suinter sur les carreaux ; un petit oiseau passa sous l'auvent en pépiant. Yukiko se leva, ouvrit la porte vitrée. Les montagnes et le ciel d'une couleur laiteuse fumaient devant elle. Elle pensa aux paysages de montagne de l'Indochine, qui semblaient fumer eux aussi sous la pluie... Pendant ce temps, Tomioka jouait avec le bouton ; il l'avait posé sur les tatamis et lui donnait des chiquenaudes du petit doigt ou de l'index.

– On va avoir un Jour de l'An pluvieux.

Elle referma les vitres et retourna près de la chaufferette. Tomioka se redressa, posa le bouton sur la table basse, et marmonna, sans qu'on sût si cette phrase s'adressait à lui-même ou à Yukiko :

– J'ai envie de mourir...

Yukiko ne releva pas. Elle ramassa son bouton, le posa un instant à la hauteur de sa poitrine, puis laissa échapper, tout en tirant nerveusement le fil qui restait là où le bouton avait sauté :

– Moi aussi j'ai envie de mourir.

– Toi, tu n'es pas du genre à mourir si facilement ; tu vas prospérer dans l'avenir, il faut que tu profites encore un peu de la vie...

– Ça alors ! Prospérer, moi ? Ne dis pas de choses aussi bizarres, je te prie.

– Alors, toi aussi, tu as déjà pensé sérieusement à mourir ? Il vaut mieux ne pas parler de mourir à la légère, tu sais, sans y avoir réfléchi sérieusement et avec lucidité.

– J'y pense sérieusement. J'y ai toujours pensé. À Haiphong, déjà, j'avais envie de mourir, et à Dalat aussi, après l'incident avec Kanô, j'y ai pensé. Mourir ne me fait pas peur.

– Hmm... Dans ce cas, tu n'es pas encore prête à mourir. Tant que tu fais la forte en disant que mourir ne te fait pas peur, ça veut dire que tu es trop optimiste. La mort est une chose terrible. On ne peut pas mourir, sinon sur un coup de tête, dans un moment de vide et de désespoir total. Supposons que tu décides de mourir, quel moyen choisirais-tu ?

– Le cyanure, c'est le plus simple, non ?

– Si tu n'en avais pas à ce moment-là ?

– Ça, on ne peut pas savoir avant que le moment soit venu. Si on est dans un état de vide, on ne doit pas tellement choisir son style de mort, non ?

– Alors, si deux personnes qui s'aiment se suicident ensemble, si l'une des deux n'est pas dans cet état de vide, elles ne sont pas sur la même longueur d'onde ?

– Ce n'est pas comme ça que ça se passe. Il ne faut pas agir sur un coup de tête, mais dépasser cette étape et agir en silence, profondément, de sang-froid ; c'est comme ça que ça doit se passer, non ? Si ça fait peur de mourir, penser au moyen à employer doit être effrayant aussi, et si on doit mourir à deux, il faut bien programmer les choses.

– J'avais imaginé de monter au sommet du mont Haruna, par exemple, et d'y mourir avec toi.

– Quelle coïncidence ! Moi aussi, j'ai pensé à ça, l'autre jour.

Tandis qu'ils se confiaient ainsi leurs pensées secrètes, l'idée de mourir se mua peu à peu en une ombre obscure et furtive au fond de leurs yeux. Tomioka trouvait cela absurde, mais en pensant à la réalité de leur retour à Tokyo, il se sentait accablé de tristesse. Tant que la souffrance et les problèmes le tourmentaient, il était parvenu à rassembler sa force de survie, mais à présent, tout cela avait disparu, ne laissant plus qu'une mince traînée de fumée.

26

Tout en allumant une cigarette, Tomioka sentit une vague idée traverser son esprit. Il pouvait bien mourir en entraînant cette femme avec lui, le monde ne changerait pas pour autant. Il avait beau désespérer du monde, sa mort à lui ne le ferait pas changer. Il ne serait plus là, c'est tout. Bien étrange est l'être que son mal de vivre pousse à errer à la recherche d'un endroit où mourir, malmené par un monde qui ne lui manifeste pourtant qu'indifférence. Tout en se livrant à ces pensées, Tomioka s'allongea à plat ventre sur le matelas, regardant distraitement le bout incandescent de sa cigarette briller dans les ténèbres.

Finalement, il n'y avait qu'une alternative : mourir d'extrême jouissance ou de désespoir, mais le désespoir n'était qu'une sorte de faux-semblant destiné à la société ; en fait, s'il décidait, sur une impulsion soudaine, de mourir, ce serait sans doute sans le moindre désespoir dans son esprit. Il eut un sourire amer. Ces profondes ténèbres n'allaient pas durer éternellement ; cependant, dans la chambre où la lampe était éteinte, les traces de tous les voyageurs qui s'y étaient succédé semblaient animer l'obscurité avec des frôlements soyeux.

Peut-être y avait-il dans cette chambre les fantômes d'un homme et d'une femme qui s'y étaient juré fidélité. Tomioka se sentit étouffer comme si on l'écrasait avec une couette; Yukiko, endormie sur le matelas voisin, gémissait dans son sommeil. Il l'écouta un moment puis, n'y tenant plus, écrasa sa cigarette à tâtons dans le cendrier et alluma la lampe de chevet entourée d'un abat-jour de papier. Les ténèbres s'éclairèrent soudain.

– Hé!... Hé, qu'est-ce que tu as? fit-il en tirant l'oreiller de Yukiko.

Elle lui tournait le dos, mais en se réveillant, elle se retourna vers la lampe de chevet.

– Ah, j'ai fait un horrible cauchemar. C'était un rêve très bizarre, effrayant.

– Tu n'arrêtais pas de gémir.

– J'étais poursuivie par un cheval écorché, couvert de sang. J'avais beau courir et courir, il était toujours derrière moi... Un homme sans visage, en kimono bleu, le chevauchait. J'étouffais, j'étouffais, j'appelais au secours, mais aucun son ne sortait de ma bouche.

Tomioka étendit ses jambes sous la chaufferette. Les braises étaient encore tièdes. Yukiko regardait la lampe de chevet d'un air ébloui.

– C'est le Jour de l'An, dit-elle.

Il lui semblait qu'ils vivaient tous les deux dans cette auberge depuis longtemps. Ils n'y avaient pourtant passé que trois nuits. Tomioka prenait conscience de la puissance du destin. S'il n'y avait pas eu la guerre, jamais il n'aurait rencontré cette femme, jamais il n'aurait vécu dans un pays lointain comme l'Indochine. Il mènerait sûrement à présent une vie d'honnête fonctionnaire. Mais grâce à cette guerre, les Japonais avaient appris à connaître la diversité du monde, se disait-il. En regardant les taches, sur le plafond couvert de suie, qui évoquaient une carte du monde, il se rappelait la ville de Huê, les jeunes feuilles dorées des camphriers, dans l'avenue qui menait de la gare au centre-ville. Sur la promenade qui longeait la rivière de Huê, surnommée la Rivière parfumée, fleurissaient des cannas et des clématites splendides – on aurait dit un décor de kimono de soie de Yûzen. Le feuillage luxuriant des cocotiers, des banran et des oliviers odorants s'étendait partout. Il revoyait les Moïs seulement vêtus d'un pagne rouge, qui vendaient des perruches en cage sur les trottoirs.

La vie nostalgique de Dalat était gravée dans sa mémoire comme les motifs sur une étoffe de batik. À présent, M. Malcone, le directeur des Eaux et Forêts, de retour à Dalat, devait être en train de fumer tranquillement un cigare sur le balcon. Il n'avait sans doute pas gardé un très bon souvenir de l'armée japonaise, mais Tomioka, lui, pensait avec nostalgie à son visage empreint de bonhomie. M. Malcone était arrivé en Indochine en 1930 en tant que fonctionnaire chargé des Eaux et Forêts. Il était diplômé de l'École nationale des eaux et forêts de Nancy. Il devait éprouver au fond de lui des sentiments mitigés pour les fonctionnaires japonais comme Tomioka, jeunes, sans aucune expérience, rustres et grossiers ; pourtant, au moment de la reddition du palais, son comportement avait été irréprochable. Il s'était montré particulièrement bienveillant avec Tomioka, et lui avait donné des explications détaillées sur la sylviculture en Indochine.

« Il faut se dire que s'occuper des montagnes et des forêts indochinoises, c'est comme affronter un énorme tigre », aimait à répéter M. Malcone. Tomioka et ses collègues étaient venus travailler dans cette région sur ordre de l'armée, ils n'avaient pas la moindre connaissance du terrain et, d'après les cartes, ils s'étaient imaginé une forêt aux arbres clairsemés, comme un bois de pins sur une terre plate.

Lorsqu'il fut invité au domicile de M. Malcone, ce dernier lui demanda s'il connaissait les noms des arbres qui se trouvaient dans son jardin, mais Tomioka ne sut

169

même pas reconnaître un banran. Les limu, les cassia siamea, les ficus religiosa, kyen-kyen, sao, yau, ven-ven, ban-ran : tout en désignant chaque arbre, M. Malcone lui avait expliqué sa terre d'origine et ses caractéristiques.

«Dans cette région, avait-il dit, il pleut beaucoup, la forêt est immense ; ça fait longtemps que je suis là, mais je n'ai guère pu approfondir mes recherches sur les forêts de ces montagnes, aussi avant de commencer à couper les arbres à tort et à travers, j'aimerais que vous vérifiiez bien tous les aspects de la question. Notamment, le défrichage par brûlis pratiqué par les ethnies montagnardes a pas mal réduit la superficie de forêt primaire, donc il faut en tenir compte.» Il avait entendu dire que dans les deux provinces du nord du Vietnam, Vinh et Than Hoa, l'armée japonaise avait procédé à d'importants défrichages, mais dans le centre du pays, où les montagnes abruptes plongeaient directement dans la mer, le terrain était trop pentu, et les rivières praticables pour les trains de bois trop peu nombreuses ; il ne suffisait pas de couper les arbres pour pouvoir les transporter. Il n'y avait que dans le Nord et le Sud que les terrains en pente douce permettaient le transport du bois par voie fluviale, mais par ailleurs il convenait de réfléchir à leur mono-utilisation. La sylviculture, c'était en un sens bien autre chose que la guerre, avait averti M. Malcone, l'air inquiet.

— Dis, tu te rappelles le jour où on est allés visiter le cimetière japonais dans un endroit dont j'ai oublié le nom, près de Tourane ?

Tomioka eut l'impression qu'on l'avait brusquement arraché à son vagabondage à travers sa mémoire ; il détourna les yeux des taches du plafond et se tourna vers Yukiko.

— Comment s'appelait cette ville déjà ?

— Tu veux parler de Hei-ho ?

– Oui, c'est ça, Hei-ho ! Kanô, toi et moi, on y est allés tous les trois une fois. Pour un voyage de trois jours, je crois. Kanô était énervé, il nous surveillait continuellement, tu te souviens ? Et nous, on déjouait sa vigilance pour se retrouver en pleine nuit. On était comme des fous, tu te souviens ?

– Je m'en souviens, oui.

– Il y avait une rangée d'arbres, des fukugi, non ? De vieux arbres touffus. À un moment, on a arrêté la voiture pour se reposer et des enfants se sont approchés de nous en disant : « Tombeau Yaponais. » Moi tu sais, à ce moment-là, j'ai jeté un coup d'œil dans la glace de mon poudrier et je me suis dit : « Dommage que je ne sois pas plus belle. » Parce que, j'avais beau être une femme, les enfants n'avaient pas du tout l'air de s'intéresser à moi, ils ne s'adressaient qu'à toi, ta haute taille devait les impressionner. Sur le chemin du cimetière, il y avait d'énormes cactus, je m'en rappelle très bien. Si j'avais été aussi belle qu'Isuzu Yamada[1], le voyage aurait été bien plus intéressant.

Yukiko tenait des propos pour le moins étranges.

---

1. Célèbre actrice des années trente. *(N.d.T.)*

27

Trois cent cinquante ans plus tôt, la ville de Hei-ho avait été habitée par de nombreux Japonais. Ils embarquaient du Japon sur des navires à sceaux rouges – les seuls qui avaient à l'époque l'autorisation de voyager à l'étranger, et faisaient de fréquentes allées et venues, ramenant au Japon du palissandre, de l'ébène, du bois d'aloès, de la cannelle... Ensuite, le Japon ayant fermé ses frontières, certains Japonais qui ne pouvaient plus rentrer au pays avaient été assimilés par cette terre. Sur les pierres tombales, on pouvait lire des inscriptions telles que : « Ci-gît Tarôbê Tanaka », ou d'autres noms de ce genre.

Ces Japonais d'autrefois, qui voyageaient au loin, n'importe où, paraissaient à Yukiko très courageux. Sur l'un des monticules de terre, était inscrit un simple prénom féminin : « Hanako ». Yukiko avait trouvé cela attendrissant.

– Hei-ho était une jolie ville. Les rues étaient si étroites qu'une voiture pouvait tout juste y passer. Il y avait des rangées de maisons peintes en blanc, qui ressemblaient à des boîtes d'allumettes superposées, et puis un petit pont avec un toit qui s'appelait Nihombashi, le pont du Japon. Kanô avait pris des photos mais on n'a pas pu les ramener. Tout de même, si on essayait de faire un voyage pareil aujourd'hui, tu imagines ce que ça coûterait. C'était la grande vie à l'époque !

– On en a bien été punis.

– Oui, c'est la meilleure façon de voir les choses. Quelle heure peut-il être ?

Yukiko s'allongea sur le ventre, prit la montre sur la table de chevet et regarda l'heure : il était un peu plus de 4 heures du matin. Ils avaient discuté tant et plus de la mort la veille, mais maintenant, elle n'y pensait plus du tout. Il lui paraissait absurde de vouloir mourir dans un endroit pareil. Les discours de Tomioka ne lui paraissaient pas très sérieux ; elle n'avait qu'une envie : vendre cette montre et retourner chez elle à Ikebukuro. Les souvenirs de l'Indochine étaient la seule chose qui reliait leurs cœurs, mais peut-être leurs rêves, tandis qu'ils dormaient ici côte à côte, allaient-ils dans des directions totalement opposées.

Avec le souci que leur posait le paiement de la note, ils auraient beau s'attarder ainsi à Ikaho, leur état d'esprit n'aurait rien de romantique. Yukiko avait envie de faire part discrètement de ce problème à Tomioka, mais il avait l'air déprimé, et l'hypothèse d'un départ de l'auberge paraissait exclue de ses pensées.

– C'est le Nouvel An aujourd'hui, dit-elle.

– Hmm.

– Si on rentrait aujourd'hui ?

– C'est pourtant toi qui voulais rester trois ou quatre jours. Tu as changé d'avis ?

– Non. Mais j'ai l'impression d'avoir épuisé le sujet de l'Indochine, et je me disais que tu devais commencer à te lasser de moi.

– C'est toi qui te lasses, non ?

– Tu dis des bêtises.

Pour bien montrer qu'elle ne se lassait pas du tout, elle avait bien insisté sur le mot «bêtises» d'une voix forte, pourtant Ikebukuro lui manquait, c'était vrai. Elle sonda son propre cœur comme à tâtons, se demandant si elle

173

était de nature infidèle et versatile. Le ruissellement des eaux dans les vallons abrupts au-dehors retentissait profondément dans ses oreilles.

– Il faut souffrir encore un peu plus, si on veut aller de l'avant et changer de vie. Toi, ça t'est sans doute bien égal... Ça ne sert à rien de se voir pour ressasser le passé avec nostalgie, les années ont passé, et ça devient une mauvaise habitude. Ce n'est pas en parlant du passé qu'on retrouvera la passion d'autrefois. Et pourtant, même pour ma femme je n'éprouve plus le même amour qu'autrefois. La guerre nous a tous plongés dans un horrible cauchemar... Elle a fait de nous des êtres sans âme. Des gens ordinaires et indécis. Avec le temps, les histoires du passé s'affadissent, c'est la vie. Seule l'avidité s'intensifie, et on déploie toutes les ruses possibles pour éviter de faire face à la réalité. On vit une époque où les Urashima-tarô[1] abondent. Quand la réalité ne semble plus réelle, on est acculé. On se dit qu'on n'aurait jamais dû entreprendre ce long et étrange voyage...

– C'est vrai, je comprends. Mais tant qu'on est vivant, on ne peut pas rester assis par terre à ne rien faire comme Urashima-tarô. Il faut refermer la boîte, même si la fumée s'en est échappée, et se remettre à avancer, parce qu'il n'y aura personne pour te nourrir... Tout de même, tu ne trouves pas ça drôle ? Dès qu'on se quitte et qu'on ne se voit pas pendant deux ou trois jours, on a envie de se revoir. Je suis toujours en train de penser à toi. Je te déteste ou je t'adore... C'est insupportable, d'être humain. Il faut laisser passer encore un peu de temps, et la sérénité finira sans doute par venir, mais...

Ils se remirent à somnoler. Peut-être n'avaient-ils pas d'autre choix que de se laisser aller au cours des choses, au cours du temps.

---

1. Voir note 1 page 9.

Ils finirent par s'endormir profondément et plusieurs heures s'écoulèrent. Yukiko s'éveilla au son de petits tambours traditionnels qui retentissaient au loin ; Tomioka n'était plus là. Le bruit du tambour venait de la radio. Yukiko se leva, rajusta le kimono molletonné dans lequel elle avait dormi et regarda la montre : il était déjà 10 heures passées. La servante vint rajouter du charbon de bois dans le brasero.

– Votre mari est au bain, dit-elle.

Yukiko prit la serviette qu'elle avait empruntée la veille et se rendit à son tour au bain.

Tomioka était dans le petit bassin privé. Elle ouvrit la porte, jeta un coup d'œil à l'intérieur et demanda :

– Je peux entrer ?

– Hmm.

Elle se déshabilla, dans un froid glacial qui lui donna la chair de poule, puis ouvrit la porte vitrée d'un geste brusque et rejoignit Tomioka dans le bain. Une eau brûlante et rouge débordait de la vaste baignoire en cyprès du Japon. La vapeur qui s'en élevait enfumait l'étroite salle de bains.

– Bonne année ! fit Yukiko en riant.

Tomioka lui présenta ses vœux à son tour. Un vague sentiment d'intimité pénétrait leurs peaux nues. Ils avaient beau fêter le Nouvel An en voyage, ils n'étaient pas de ces clients qui venaient dépenser un excédent d'argent et de temps aux sources thermales, et ils se souhaitèrent la bonne année avec une mélancolique réserve. Lorsque Yukiko entra dans la baignoire, l'eau chaude déborda sur le sol carrelé.

– Oh, ce que c'est agréable...

– On a l'air d'être les seuls clients.

Sur ces mots, Tomioka sortit bruyamment de la baignoire. Sa peau écarlate contrastait avec le rebord de bois clair du baquet. Yukiko détourna les yeux du corps nu de Tomioka, pour regarder la terre rouge de la montagne, toute proche de la fenêtre.

– Dis...

– Quoi ?

– On s'est calmés tous les deux, non ? Mais la servante doit se dire qu'on est un couple bien étrange. On ne sort pas, on n'a pas l'air de rouler sur l'or, mais on est bien tranquille, on ne se serre pas spécialement la ceinture. Enfin, ils sont bien gentils, dans cette auberge.

– Hmm, oui...

– Comment ça, « hmm, oui » ? Tu réfléchis à quelque chose ? Tu as toujours l'intention de mourir ? Moi, j'ai envie de te redonner le goût de vivre.

– Mais non, je ne pense à rien. On va se sentir frais et dispos après le bain. On boira du saké, d'accord ? Et ce soir, on repart.

Il s'était mis à se savonner en faisant mousser le savon [1].

– Ah, bon ? Tu as renoncé à ton projet de grimper au sommet du mont Haruna pour te jeter dans le lac avec moi ?

– Non, je ne veux pas mourir avec toi. Il faudrait une femme plus belle pour un projet comme celui-là...

– Oh, je te déteste ! Enfin, tant mieux.

Elle eut un rire déluré, posa les mains sur le bord de la baignoire, fit des gestes de nageuse. Ses bras étaient potelés, sa peau lisse et douce. Elle s'étonna, en regardant avec attendrissement son corps en bonne santé, de constater qu'une vie oisive, uniquement consacrée à manger et dormir, pouvait avoir un effet si immédiat sur le physique.

---

1. Au Japon, le bain est uniquement destiné à la détente, et on se lave en dehors de la baignoire. *(N.d.T.)*

Une fois sortis du bain, comme il était près de midi, ils s'installèrent à la table basse du *kotatsu* devant leur déjeuner. L'atmosphère n'était plus la même que pendant le bain et ils se faisaient face, énervés par les pensées mornes qui leur venaient. Il y avait deux flacons de saké sur la table, mais ils n'étaient guère d'humeur à célébrer le Nouvel An. Les grands bols posés devant eux contenaient des *zôni*[1] refroidis, auxquels ils avaient à peine touché.

Après le repas, il se rendit en ville, laissant Yukiko seule à l'auberge. Il avait décidé de vendre sa propre montre. C'était une vieille Oméga ; il l'avait déjà donnée une fois à réparer, mais elle devait être d'une valeur suffisante pour payer la note de cette auberge, s'était-il dit. Laissant la montre de Yukiko dans la chambre, il sortit en kimono molletonné. Dehors, il neigeait sporadiquement.

---

1. Plat traditionnel du Nouvel An : bouillon clair aux légumes et aux gâteaux de riz. *(N.d.T.)*

28

Tomioka descendit l'escalier de pierre et se rendit en ville. Dans l'étroite rue principale se côtoyaient des tirs forains et des cafés. Des femmes en manteau de fourrure se promenaient au milieu des boutiques de souvenirs. Bravant le froid, Tomioka se mit en quête d'une horlogerie. Près du terminus des cars, il passa devant une sorte de bar : une femme aux joues fardées de rouge, assise au comptoir, l'invita à entrer. Songeant que ce pourrait être une bonne idée de se renseigner auprès d'elle, il franchit le seuil d'un pas rapide et pénétra dans le bar exigu, qui n'était en fait qu'une baraque en planches repeinte. Comme il avait froid, il commanda du saké. La femme apporta un petit brasero de porcelaine du fond de la maison et lui proposa de le placer entre ses jambes pour se réchauffer.

— Vous êtes du coin ? demanda-t-il.

— De pas très loin...

— Je croyais qu'Ikaho était une ville vieillote, mais c'est plutôt moderne.

— Il y a eu un grand incendie, c'est pour ça que tout est neuf. Il paraît qu'autrefois c'était bien plus beau...

Des corbeaux croassaient bruyamment au-dehors. Tomioka versa le saké chaud dans la coupe, le but d'un trait, paya, puis demanda à la serveuse s'il n'y avait pas une horlogerie dans le coin. Elle se dirigea vers l'arrière-boutique en disant qu'elle allait se renseigner. Tomioka ôta la montre de son poignet et demanda à la servante de la montrer en posant la question. Peu après, un petit homme chauve, qui semblait être le patron, apparut au fond de la boutique.

– Monsieur, pour combien vous sépareriez-vous de cette montre?

Un peu gêné que le patron se soit dérangé spécialement, Tomioka expliqua qu'il était venu passer une nuit à Ikaho avec une femme et que, la ville leur ayant plu, ils s'étaient finalement attardés deux ou trois jours de plus si bien que, les moyens lui manquant, il avait décidé de vendre sa montre.

– En réalité, je n'ai pas envie de m'en séparer. Je préférerais que quelqu'un accepte de la prendre en gage jusqu'à ce que je vienne la chercher.

– C'est une belle montre.

– Oui, je l'ai acheté en Asie du Sud.

– Ah... Et où dans le Sud étiez-vous, monsieur?

– En Indochine.

– Ah, bon? Moi aussi, vous savez, j'étais à Banjermassin, dans le sud de Bornéo, avec la marine. Je suis rentré l'année dernière.

– Ah, le sud de Bornéo... Les combats ont été terribles là-bas. Il y avait une base navale, n'est-ce pas?

– Oui, c'est ça... Mais c'était un endroit bien triste, vous savez. Enfin, à terre, les gens étaient plutôt de bon tempérament. Un jour, j'y ai vu une montre comme la vôtre, elle me plaisait bien. À quel prix la céderiez-vous?

– Vous avez une idée d'un acheteur?

– C'est moi qui la voudrais. J'aimerais bien avoir une montre comme ça une fois dans ma vie. Je m'étais dit qu'une Sigma, ou une Elgin, ce serait bien; je n'ai encore jamais eu de belle montre comme ça. Il y a quelques jours, j'en ai vu une qui s'appelait Balkan, mais la forme était vieillotte, elle ne m'a pas plu. Elle n'était pas aussi *smart* que la vôtre. Si vous êtes prêt à faire une concession sur le prix, cédez-la moi.

— Si vous y tenez à ce point, je peux vous la vendre, mais dites-moi le prix que vous voulez y mettre. Moi, vous savez...

— Ah, c'est que moi non plus je ne suis pas commerçant... Allez, un bâton, ça vous va ?

— Un bâton ? Vous voulez dire dix mille yens ?

— Oui, qu'en pensez-vous ? Si vous la portez chez un horloger, il en profitera, il vous en donnera à peine cinq mille à mon avis.

Il avait sans doute raison, se dit Tomioka. Dans une boutique des environs, il n'était même pas sûr d'en tirer cinq mille yens.

Le patron pria la serveuse d'apporter du saké, vint s'installer à côté de Tomioka et alluma une lampe. Il mit la montre à son poignet, la regarda longuement, la colla à son oreille pour écouter le tic-tac.

— C'est un beau son. Un beau son, bien sec.

— Ce serait bien de changer le bracelet.

— Oh, il tiendra bien encore un moment. Il me plaît aussi. On ne trouve pas de cuir aussi souple au Japon.

La femme apporta du saké. Le patron repartit dans l'arrière-boutique, et revint au bout d'un moment, en traînant ses pieds chaussés de *geta*, le sourire aux lèvres :

— J'ai quasiment gratté le fond, c'est toute ma fortune !

Il se mit à superposer en croix sur la table des liasses de dix billets de cent yens.

— Il paraît que l'Indochine, c'est magnifique, comparée à Bornéo. Vous avez été soldat ?

— Non, j'y suis allé comme fonctionnaire. Je travaillais au ministère de l'Agriculture et des Forêts.

— Ah, fonctionnaire...

Le patron lui avoua en riant que, quand la servante lui avait apporté la montre Oméga, il avait d'abord observé depuis le fond de sa boutique à quoi ressemblait Tomioka et s'était demandé si ce n'était pas un objet volé.

— Dans mon métier, on voit beaucoup de monde, vous savez, on devient observateur. Je vous avais pris pour un artiste peintre, pas pour un fonctionnaire.

Il but un peu de saké avec son client. La baraque en planches tremblait à chaque départ de bus. Tomioka rangea les liasses de billets, sortit une carte de visite de son porte-cartes et la présenta au patron.

— Oh, vous travaillez dans le commerce du bois ?

— Oui, j'ai quitté mon poste au ministère, et j'aide un ami dans son affaire, mais nous n'arrivons à rien, à cause du problème des fonds, sans compter la législation.

— La législation, la législation, les impôts, les impôts, je sais ce que c'est, allez, ce n'est pas facile de démarrer un commerce ! Quand un bon client entre chez nous, on ne peut même pas lui offrir une assiette de riz au curry. Le mouchardage va bon train, c'est trop dangereux, pas moyen de contourner les restrictions sur la vente de riz. Quant aux fonctionnaires, ils sont comme les intendants des domaines féodaux d'autrefois, de vrais chefs de bande qui font la loi... On ne peut plus prendre plaisir à son travail, je vous dis, tellement ils nous mènent la vie dure. Voilà pourquoi le marché noir prospère. À l'auberge, comment ça se passe avec le riz ?

— Ils nous ont dit qu'ils ne pouvaient pas nous loger si nous n'apportions pas notre propre riz ; ma femme en a acheté deux kilos quelque part, je crois.

— Ah, oui, c'est comme ça maintenant. Du riz au marché noir, ils en vendent autant qu'on en veut. Ce règlement, ça équivaut à renvoyer chez eux les clients qui viennent exprès jusqu'à Ikaho, ça ne nous fait pas de publicité, hein, ça non. Les commerçants veulent attirer la clientèle, mais ce fichu règlement est tellement rigide. La crise nous guette, je vous le dis !

– Bientôt, il n'y aura plus que l'argent qui comptera, hein ?

– Vous êtes de Tokyo, vous, monsieur ?

– Oui. Heureusement ma maison n'a pas été détruite par les bombardements, mais je n'avais pas le choix, j'ai dû la vendre.

– Moi aussi, je suis de Tokyo ; on vivait dans le quartier de la Sumida depuis la génération de mes parents, mais la maison a brûlé dans le grand bombardement du 9 mars, et un de mes enfants est mort. Depuis mon retour au Japon, j'ai quitté ma première femme et, avec mon épouse actuelle, nous nous sommes installés dans ce trou, comme vous pouvez le voir. J'ai une de ces envies de retourner à Tokyo, si vous saviez ! Mon vrai métier, c'est poissonnier. Mais ça ne plaît pas à mon épouse, c'est pour ça que nous tenons un débit de boissons.

– Votre épouse, c'est la jeune femme de tout à l'heure ?

– Oui. Elle a l'âge d'être ma fille, hein ? J'ai un peu honte, mais vous savez, tout est affaire de destin, quand on se rencontre, c'est que ça devait arriver, à cause d'un lien dans une vie antérieure. La destinée, monsieur, il faut en tenir compte, c'est important. Si vous voulez mon avis, ça ne sert à rien de lutter contre, et moi je n'essaie pas d'aller à l'encontre de mon destin...

Ainsi, la femme aux joues fardées de rouge était l'épouse de cet homme... « Voilà ce qui est curieux », songea Tomioka. « La destinée, il faut tenir en compte. » Cette phrase l'avait frappé. « Ma liaison avec Yukiko serait-elle aussi due à la destinée ? » se demanda-t-il.

– Quand je suis arrivé au port, à Hiroshima, il y avait un paquet de Camel par terre sur la jetée. J'ai trouvé la couleur jolie. Eh bien, voyez-vous, c'est grâce à ce paquet de cigarettes que j'ai enfin compris qu'on avait perdu cette guerre. Perdre une guerre aussi, c'est affaire de destinée.

– Vendre une montre aussi alors ?

Tomioka était soûl et commençait à se décontracter. Tout en débitant des plaisanteries, il se fit offrir une cigarette par le patron et l'alluma. Des corbeaux croassaient à grand bruit. Le patron tripotait la fermeture Éclair de son blouson, tout en mâchant des cacahouètes. Il avait les dents en avant.

– Non, croyez-moi, tout est décidé d'avance en ce monde. Si c'était le Japon qui avait gagné cette guerre, les choses auraient été bien pires pour nous... On a pris conscience de l'absurdité de la guerre, c'est déjà beaucoup... Mais, moi-même, quand je pense que je suis allé jusque dans l'extrême sud de Bornéo ! Ce n'est pas la destinée, ça ?

29

En rentrant à l'auberge, Tomioka trouva Yukiko installée sous la couverture de la chaufferette, occupée à se polir les ongles avec un mouchoir. La vue de sa silhouette de dos l'emplit d'une soudaine pitié. Un instant plus tôt, le patron du bar avait dit à Tomioka que tout dans la vie était dû aux rencontres de hasard, mais cette expression rencontrait maintenant dans son cœur un profond écho. Il trouva complètement stupide de s'être livré jusqu'à la veille à la vaine imagination de mourir avec cette femme. Il lui semblait soudain qu'ils ne pouvaient mourir si simplement. Cette rencontre grâce à la vente de sa montre lui semblait due à la fatalité, et l'abattement qu'il avait ressenti jusqu'à la veille se muait en animation sous l'effet de l'ivresse. Il se sentait pareil à un chien dans une famille en deuil.

– Mais tu es soûl ?

– J'ai un peu bu, oui...

Yukiko le regardait fixement dans les yeux, d'un air de dire : « Tu crois que c'est bien de boire dans ces circonstances ? »

Par rapport aux masques maussades qu'ils arboraient jusque-là tous les deux, la lumière douce qu'elle voyait maintenant dans les yeux de Tomioka faisait soupçonner à Yukiko qu'il lui était arrivé quelque chose d'agréable.

– Tu as réussi à vendre la montre ? demanda-t-elle.

– Oui. Je l'ai vendue dix mille yens !

Sur quoi, il entreprit de raconter l'épisode en détail à Yukiko. Celle-ci, les larmes aux yeux, soupira :

– Une rencontre due au destin ! Ah, cet homme dit de belles choses.

Il y avait quelque chose d'oppressant dans les paroles du patron du bar, pour eux qui tentaient de se raccrocher réciproquement à leur désir feint de mourir ensemble. Yukiko regardait fixement les dix mille yens que Tomioka venait de poser sur la table basse du *kotatsu*.

– Voilà qui nous tire une épine du pied...

Après avoir écouté Tomioka lui raconter toute l'histoire, Yukiko qui, depuis son retour au Japon, n'avait rencontré que des gens sans scrupules et sans cœur, fit ce commentaire :

– Il a du courage, cet homme. Revenir du Sud, et épouser une femme si jeune ! Ce n'est pas comme toi, tu ne vaux rien, avec tes fantasmes de suicide.

Tomioka n'avait pourtant pas tout à fait renoncé à son rêve de mort. Il se souvenait des préparatifs soigneux auxquels se livrait Stavroguine pour mourir, dans *Les Possédés*, qu'il avait lus autrefois en Indochine. Lorsqu'il déclare froidement, tout en enduisant d'une épaisse couche de savon la solide cordelette de soie posée devant lui, que même pour mourir, il faut prendre ses précautions pour réduire le plus possible la souffrance, on sent Stavroguine de plus en plus déterminé. Tomioka avait d'abord ressenti une sorte d'antipathie envers le personnage. Il en allait différemment maintenant. Enduire une cordelette de savon avant de se pendre lui semblait un moyen ingénieux et pratique de ne pas souffrir, et lui aussi voulait imaginer un moyen pas trop douloureux de mourir. Stavroguine avait parcouru la terre entière sans trouver la nourriture nécessaire à son esprit, et il était rentré dans son pays natal possédé par un démon, alors que Tomioka, lui, était revenu d'Indochine lassé de la vie, et c'était pour cette raison qu'il voulait mettre un terme à son existence. Ce monde n'offrait plus rien d'intéressant à ses yeux.

– Il dit qu'au lieu de rester dans cette auberge, nous devrions la quitter au plus vite et venir plutôt dormir deux ou trois jours chez lui. Qu'en penses-tu ? demanda Tomioka tout en sortant le paquet de cigarettes étrangères que le patron du bar lui avait offert et en en allumant une.

Yukiko en prit une elle aussi et la fuma d'un air ravi.

– Pourquoi pas ? Ce serait amusant. J'aimerais bien rencontrer cet homme.

– Il est plutôt liant, et c'est un brave homme. Un brave type du genre de Kanô, tu vas donc sûrement le trouver ridicule...

– Dis donc, tu es bien désagréable.

Le soir même, ils payèrent leur note dans l'intention de regagner Tokyo et s'arrêtèrent au bar en chemin. Il n'y avait que deux clients – des chauffeurs apparemment – en train de boire du saké. La patronne conduisit Tomioka et Yukiko dans une pièce exiguë du premier étage, leur dit de se mettre à l'aise et de se relaxer un moment. Une femme, qui n'était pas celle que Tomioka avait vue dans la journée, vint leur apporter du thé. Il y avait un petit *kotatsu* dans la pièce. Un manteau de femme et des vêtements étaient pendus au mur. Bientôt, la femme aux joues rouges que Tomioka avait croisée le matin monta les rejoindre. Elle avait dix-huit ou dix-neuf ans à peine, mais était plus grande que Yukiko, et arborait un air calme et ensommeillé. Elle avait la manie d'écarquiller les yeux de temps à autre, ce qui les faisait paraître immenses et étincelants. Ce n'était pas vraiment une beauté, mais les lignes de son corps souple et élastique de jeune fille semblaient prendre toute la place dans la pièce – on ne voyait plus qu'elle.

Comme c'était le Jour de l'An, les clients du bar étaient repartis de bonne heure.

L'employée vint saluer toute la compagnie avant de s'en aller, puis le patron demanda à sa femme de fermer la boutique et monta à son tour au premier, une bouteille de whisky à la main.

C'était un homme trapu, qui avait dépassé la cinquantaine. Il sortit de sa poche plusieurs pommes qu'il déposa sur la table basse en invitant Yukiko à se servir. Tomioka et lui entreprirent de vider la bouteille de whisky, tout en évoquant leurs souvenirs des tropiques.

Le plafond de l'étroite pièce de six nattes était un plafond flottant de papier, il y avait des cartes du monde accrochées au mur. La femme du patron avait étendu ses mains au-dessus du couvercle du brasero de fonte pour les réchauffer et regardait dans le vague, comme si elle réfléchissait à quelque chose. Tomioka, assis à côté d'elle, jetait de temps à autre des coups d'œil sur son profil. Yukiko avait pelé une pomme et la croquait bruyamment, tout en intervenant avec animation dans la conversation des deux hommes.

Derrière la fenêtre, la neige tombait avec un bruit feutré. On entendait aussi le vent souffler sourdement, comme si la montagne grondait. La femme avait posé un coude sur la table du *kotatsu*, et, le menton dans la main, les jambes repliées de côté, avait glissé sa main droite sous la couverture,

Comme si de rien n'était, Tomioka, qui était assis en tailleur à côté d'elle, appuya le bout de son pied contre son genou. Elle fit mine de ne s'apercevoir de rien. De sa main gauche, Tomioka effleura alors celle de la femme, sous la couverture recouvrant la table basse. Puis il pressa lentement ses doigts entre les siens, tout en observant le profil de la jeune femme. Une gerbe d'étincelles s'était brusquement allumée au fond de sa poitrine. La femme avait baissé la tête en silence et fermait les yeux. Sa main moite répondit plusieurs fois à la pression de celle de Tomioka.

Ce dernier était fou d'excitation à l'idée que cette fille de la campagne aux joues rouges dissimulait en elle une force sauvage pareille à celle d'un animal. Son verre de whisky dans une main, il en but une gorgée. Yukiko pelait une deuxième pomme.

Tomioka l'observait du coin de l'œil, la regardant manger le fruit en relevant ses lèvres peintes d'un rouge vénéneux, mais elle poursuivait sans se douter de rien une conversation sans fin avec le patron du bar, un brave homme dans le genre de Kanô, selon les propres termes de Tomioka. Il arborait fièrement, à son poignet épais, la montre dont l'or jetait un éclat sourd.

Pendant ce temps, les deux mains sous la couverture ne se lâchaient pas. La femme s'enhardit, posa son genou sur le pied de Tomioka. D'un geste résolu, Tomioka lâcha enfin la main de la femme et déclara d'une voix rendue aiguë par l'excitation :

– Ah, vraiment, ça aussi c'est une rencontre due au destin. Voilà un Jour de l'An mémorable, une bien belle soirée. Allez, mon ami, buvons cette bouteille jusqu'au bout, poursuivons ce banquet toute la nuit !

Ce disant, il remplit généreusement de whisky le verre de son hôte, enjoignit à Yukiko de boire elle aussi, étendit le bras, posa exprès le verre contre ses lèvres. En proie à une excitation pleine de sang-froid, étonné lui-même de la versatilité des émotions humaines, il obligea plusieurs fois Yukiko à lever son verre. Elle fut bientôt passablement soûle. L'ivresse était montée rapidement, sans doute parce qu'elle n'avait pas dîné avant. Yukiko prenait la fille à l'air ensommeillé assise devant elle, le menton dans une main, la tête baissée, pour une stupide campagnarde. Elle regardait même avec une certaine compassion cette fille au corps épanoui, qui passait une jeunesse sans joie dans un coin perdu de montagne, auprès d'un homme insignifiant, et qui n'avait pas dit un mot depuis le début de la soirée. Elle ne semblait même pas être vraiment présente avec eux. L'ivresse aidant, Yukiko se mit à faire des confidences au patron du bar et lui raconta avec animation la violente passion qui l'avait unie à Tomioka dans les pays du Sud.

Tomioka, lui, ne se sentait pas du tout ivre. Ils continuèrent à boire tous les trois jusqu'à ce que la bouteille soit vide, puis Tomioka se leva en décrétant qu'il allait aux bains. Le patron du bar leva un œil trouble :

— Hé, Osei, accompagne donc monsieur jusqu'à l'entrée des bains, à la boutique du marchand de riz. Et vous, madame, ça ne vous dit rien d'y aller ?

— Non, moi, je me suis déjà baignée deux fois aux sources thermales depuis ce matin... Et puis je suis ivre, je titube complètement...

Tout en mâchonnant du jambon, qui avait été servi en accompagnement de l'alcool, Yukiko porta à nouveau son verre à ses lèvres. Tomioka dit qu'il voulait emprunter une serviette, sur quoi la femme du patron décrocha la sienne, une serviette de bain couleur pêche accrochée au mur, et descendit l'étroit escalier à sa suite.

En bas de l'escalier, il faisait sombre et frais. Tomioka attendit que la femme arrive à son tour en bas des marches. Il vit une souris passer rapidement au fond de la boutique, où les chaises avaient été empilées sur les tables.

La femme descendit à son tour. Tous deux, face à face, tout près l'un de l'autre, se regardèrent, les yeux étincelants.

30

Debout dans la pénombre sur le sol de terre battue, au bas de l'escalier, qui paraissait adossé à la montagne, Tomioka enlaça brusquement Osei. Elle s'accrocha à lui et se laissa faire, répondant même à ses baisers, le souffle court. Tomioka la lâcha en entendant Yukiko rire aux éclats au premier étage. Osei se dirigea vers la porte arrière sans un mot, puis, de là, avertit Tomioka :

– Il fait sombre, faites attention où vous mettez les pieds.

À ces mots, Tomioka, dans son ivresse, sentit ses instincts brusquement réveillés et prit à nouveau fermement la jeune femme par la taille, mais elle le repoussa et entreprit de descendre l'étroit escalier de pierre qui menait à la rue. Les alentours étaient sombres mais, en bas des marches, une petite lampe était allumée en haut d'un poteau électrique. À la lumière de ce réverbère, on pouvait voir de la vapeur s'élever. Osei ouvrit une porte vitrée juste à côté du poteau et attendit que Tomioka descende à son tour. En arrivant, il croisa une jeune femme dans l'encadrement de la porte, vêtue d'un kimono à manches longues aux motifs voyants, une ceinture brillante autour la taille, chaussée de *geta*.

– Quel froid, hein ! dit-elle sans s'adresser à personne en particulier.

Elle déploya un grand châle blanc, dont elle enveloppa ses maigres épaules, que ne recouvrait pas même une veste, et lança un rapide au revoir avant de s'en aller. Tomioka la laissa passer, et pénétra à son tour derrière la porte vitrée.

– C'est une geisha, dit Osei.

Tomioka referma la porte et descendit à la suite d'Osei à travers un couloir en pente, glacial et tortueux, qui débouchait sur de vastes bains publics. Ils étaient bondés, à en croire les paniers du vestiaire, tous emplis de vêtements d'hommes ou de femmes. Une femme d'âge moyen, en train de se rhabiller devant le miroir, s'adressa à Osei :

– Madame Osei, je ne suis pas passée vous voir ce soir pour la visite du Nouvel An, mais vous passerez le bonjour à votre époux, dites-lui que je viendrai demain.

Tomioka se déshabilla et Osei enveloppa ses vêtements en un tour de main dans un carré de coton prévu à cet effet – Tomioka ne s'était même pas aperçu qu'elle en avait emporté un avec elle. En regardant les paniers carrés où étaient rangés les vêtements, il en remarqua deux ou trois contenant le même genre de ballots de coton. Il s'étonna, se demandant si les gens enveloppaient ainsi leurs vêtements dans un carré de coton pour empêcher qu'on les leur vole. Osei se déshabilla à son tour.

Tomioka entra rapidement dans la salle des thermes, au sol couvert de tuiles, d'où montait de la vapeur et où s'ébattaient déjà bruyamment et sans cérémonie six ou sept personnes d'âge et de sexe difficiles à déterminer. Osei entra à son tour et, s'installant à genoux dans un coin près de l'entrée, s'aspergea d'eau pour se laver.

Tomioka plongea dans le bain et sentit l'eau, bouillante à brûler la peau, envelopper son corps glacé. Au milieu des volutes de vapeur, il vit Osei parler avec

191

quelqu'un, il ne savait à qui, puis elle entra à son tour dans le bassin et s'approcha lentement de lui. Ses épaules blanches bien en chair semblaient flotter au-dessus des eaux thermales couleur de terre rouge. Quand elle fut près de lui, Osei lui fit un large sourire. Tomioka étendit les jambes sous l'eau, toucha le mollet de la jeune femme. Elle feignit de chercher sa serviette, lui toucha le genou. L'eau était rouge et opaque, si bien qu'on ne voyait rien au-dessous du cou des baigneurs et que personne ne remarquait leur flirt. Tomioka regardait Osei dans les yeux, un sourire insolent aux lèvres, mais la jeune femme ne souriait pas le moins du monde. Comme si leur instinct animal se concentrait sur ce qui se passait sous l'eau, leurs têtes flottaient côte à côte, au-dessus de la surface, comme deux pastèques. Tomioka avait l'impression d'avoir déjà vécu ce moment ailleurs, autre part, mais n'essayait même pas de se souvenir où ni quand. Simplement, il se laissait flotter, le sourire aux lèvres, de l'eau jusqu'au menton. Deux hommes entrèrent dans le bain en bavardant gaiement. Tomioka était plongé dans des fantasmes complètement primitifs envers l'objet de désir qu'il avait sous les yeux. Dans le bain, quelqu'un entonna un air à la mode, *La Chanson des pommes*.

Il sembla à Tomioka qu'il comprenait profondément les sentiments de cet homme, poissonnier de son métier, qui était venu vivre dans la station thermale d'Ikaho pour les beaux yeux d'Osei, et plus il écoutait cette chanson, plus il lui semblait le comprendre. Osei se dirigea de l'autre côté du bassin avec des gestes amples, comme si elle nageait, et émergea rapidement de l'eau. Sa magnifique et grande silhouette nue, vue de dos, parut à Tomioka le plus beau corps de femme qu'il eût jamais contemplé. Irrémédiablement séduit par cette silhouette de dos, il la désirait de tout son être. Il se mit à nager à son tour dans sa direction, sortit du bassin, fut rapidement debout à ses côtés. Le vent sauvage de la montagne grondait dans la nuit en rasant l'auvent de l'établissement de bains.

– Voulez-vous que je vous lave le dos ? proposa Osei.

Son grand corps nu assis sur les tuiles, avec ses grosses cuisses serrées l'une contre l'autre, ressemblait à celui de Nyu quand elle se lavait. Le souvenir de la Vietnamienne traversa inopinément l'esprit de Tomioka. Il eut soudain la nostalgie de son corps robuste à la peau sombre, de son haleine quand elle mâchait de la cannelle. Au moment le plus inattendu, ce souvenir doux-amer de sa vie en Indochine se rappelait à lui. Il était parfois arrivé que Nyu coupe de l'écorce de cannelle pour la dissoudre dans de l'eau bouillante et lui apporte ce breuvage, à des moments où, fatigué, il se reposait, alangui sur son lit, en disant que c'était un médicament qui redonnait la jeunesse aux hommes. Le cannelier, surtout le cannelier royal, était une espèce précieuse, et il était arrivé à Tomioka et ses camarades de partir à sa recherche, dans des montagnes inhabitées, telles que celles de Son, Shau, Kui ou Suan dans la province de Ne-an. Le cannelier royal, appelé gainier au Vietnam, ne poussait que rarement dans les montagnes du Nord. Le cannelier était un grand arbre, qu'on utilisait autrefois à la cour, considéré comme un arbre précieux que les gens du peuple n'avaient pas le droit d'abattre librement, si bien que les chefs des tribus montagnardes telles que les Mons allaient les chercher du côté de la cour d'Annam et obtenaient des autorisations spéciales pour les couper. M. Malcone, le directeur des Eaux et Forêts, avait expliqué à Tomioka que trouver un cannelier sauvage était considéré comme un signe de protection divine et donnait lieu à de fastueuses cérémonies religieuses, durant lesquelles on se rendait pour la première fois dans les profondeurs des montagnes. Il n'était pas rare que les Mons partis à la recherche de canneliers ne reviennent pas pendant un voire deux ans, et l'on disait que seuls des vétérans étaient capables d'en découvrir. On le cherchait en se fiant au parfum et, les rares fois où l'on en trouvait, il fallait avertir les autorités et faire apposer un sceau officiel sur l'écorce. Il était arrivé à Tomioka, au cours de ses expéditions dans les montagnes du côté de Than Hoa, de sentir l'odeur des canneliers dans la forêt.

Tandis que Osei, nue, lui savonnait le dos, Tomioka se remémorait ce parfum de cannelle. L'enfant qu'il avait eu avec Nyu devait parler et commencer à marcher maintenant... Comment Nyu faisait-elle pour vivre, avec un enfant sans père ? Tomioka essayait même en vain d'imaginer quelle vie pouvaient avoir aujourd'hui cette femme qu'il ne reverrait jamais et l'enfant qu'elle avait eu de lui.

De temps en temps, les lumières du bain clignotaient, plongeant la salle dans la pénombre.

– Depuis combien de temps vis-tu à Ikaho ? demanda Tomioka.

– Deux ans à peine. Vous savez, moi, j'ai envie d'aller à Tokyo, j'en ai assez de cet endroit, c'est triste ici... D'abord les affaires ne marchent pas bien et, quand il fait froid, les clients viennent encore moins...

– Ce n'est pas un endroit à la mode ?

– Non, absolument pas. Ça marche tellement mal que même mon mari dit qu'il faudrait rentrer à Tokyo et ouvrir un commerce normal ; seulement moi, je n'aime pas les poissonneries... Moi, je veux aller seule à Tokyo et devenir danseuse. La geisha qu'on a croisée tout à l'heure à l'entrée, vous savez ? Eh bien, elle me donne des cours de danse... Elle dit qu'à Tokyo on peut gagner sa vie comme danseuse, alors moi aussi, je voudrais tenter ma chance... Ici, on ne gagne rien, à part en été.

– Ah bon, danseuse ? Oui, c'est sûrement bien, mais tu ne pourras sans doute pas gagner ta vie rien qu'avec ça, tu finiras par devoir payer de ta personne...

– C'est égal, moi, je veux aller à Tokyo. Mais il ne veut pas me laisser partir...

Elle aspergea une dernière fois d'eau chaude le dos de Tomioka, puis retourna se baigner, entrant dans l'eau à grand bruit.

Quand ils ressortirent de l'établissement de bains et remontèrent au premier étage, Yukiko était encore en train de boire tout en bavardant avec le patron, à qui elle racontait ses souvenirs d'Indochine d'un ton animé.

– Vous avez pris votre temps, dites donc. Je commençais à me demander si vous n'aviez pas fait une fugue ensemble tous les deux ! dit Yukiko en guise de plaisanterie, mais l'intuition de sa compagne causa un choc à Tomioka.

Osei ne montra pas la moindre réaction et suspendit sa serviette encore humide au clou au mur avant de se glisser sous la couverture de la chaufferette. Elle avait les joues rouges, mais on pouvait penser que c'était de naissance, comme toutes les filles de cette région de montagne.

Le visage d'Osei, dépourvu de tout maquillage, luisait de santé après le bain. Tomioka fixait d'un regard vide la poitrine imposante de la jeune femme. Il n'avait plus le moindre sentiment envers Yukiko, plus la moindre envie de se raccrocher à cette consolation. Enfin ramené à la vie par la chair plantureuse d'Osei, il commençait à penser au lendemain. Il n'avait plus du tout l'intention de mourir, et ne se sentait absolument pas en contradiction vis-à-vis de Yukiko. Par moments, les yeux d'Osei se mettaient à briller tandis qu'elle jetait des regards à la dérobée vers Tomioka. Au fond de son cœur, ce dernier ressentait les premiers symptômes d'une envie de dilapider ce qui lui restait de jeunesse en voyageant, comme autrefois en Indochine. Un vague reste de sens moral continuait à flotter dans son esprit, mais tout au fond de lui, il se moquait éperdument du mari d'Osei ou de Yukiko. La séduction qu'Osei exerçait sur lui le poussait à revenir à la vie, il en ressentait même une sorte d'excitation qui ne le lâchait pas. Il aurait voulu faire disparaître le mari et Yukiko de sa vue. Il lui semblait que s'ils avaient été seuls tous les deux, ils auraient pu commencer ensemble une nouvelle vie. Pour elle, il se sentait même capable de renoncer à tous ses liens familiaux. Il se laissa même aller à imaginer que s'ils tuaient ensemble les deux empêcheurs de tourner en rond, ils seraient liés par le crime et la menace de la prison. Yukiko et le patron du bar étaient fin soûls. Lui ronflait, écroulé sur la table du *kotatsu*, tandis que Yukiko soulevait de temps en temps les paupières, le regard ivre. Osei coupa avec de l'eau l'alcool de patates douces qu'elle avait apporté et remplit le verre de Yukiko qui, le gosier desséché, le but aussitôt à grandes gorgées comme de l'eau, tout en prononçant des mots sans suite.

Osei traîna son mari endormi jusque dans leur chambre à coucher. Tomioka ne leva pas le petit doigt pour l'aider, mais remplit à nouveau d'alcool le verre de Yukiko. Cette dernière se mit à pouffer comme à une bonne plaisanterie, aspergeant les environs d'alcool, puis elle avala son verre d'un coup. Elle avait le visage en feu.

– Le lait de noix de coco, c'est bon, hein. C'était frais, ça sentait la nature... Ah, je voudrais boire le lait d'une noix de coco.

– Tiens, bois ça, c'est du lait de coco, fit Tomioka en remplissant à nouveau son verre d'alcool de patates.

Yukiko sentait son corps complètement engourdi, son esprit en pleine confusion. Tomioka alluma une cigarette, tendit l'oreille au bruit du vent au-dehors. Lorsque Osei, les mains étendues au-dessus du brasero rond, sentit le pied de Tomioka venir glisser sur son genou, elle l'attrapa aussitôt d'une main. Une lueur bleue éthérée semblait briller au fond de ses yeux démesurément écarquillés. Tomioka s'approcha du brasero, prit Osei par le cou et approcha son visage du sien.

– Non, arrête !

– Elle est soûle, elle ne se rendra compte de rien.

Tomioka contemplait Yukiko, avec son maquillage défait de femme soûle, d'un regard haineux où brillait un éclair de revanche. Il lui semblait que tout était fini entre lui et cette femme. Sans plus se soucier de Yukiko qui continuait à balbutier, effondrée sur la table, il entoura les épaules d'Osei de son bras et lui ferma la bouche d'un baiser impétueux. Yukiko riait en chantonnant :

– Tes yeux ne mentaient pas, à notre première rencontre...

– Qu'elle est bête ! fit Tomioka en attirant à lui Osei, qui collait ses genoux contre le brasero.

Yukiko ouvrait les yeux par moments, mais l'obscurité régnait dans la pièce. Elle percevait de gros ronflements d'homme, non loin d'elle. Il lui semblait aussi sentir une présence, peut-être des gens qui murmuraient, serrés l'un contre l'autre, à la lumière du réverbère de la rue filtrant entre les rideaux de la fenêtre. Yukiko avait le gosier en feu. Elle aurait voulu ramper jusqu'à un lieu où le lait de noix de coco coulait à flots. La pièce tanguait autour d'elle comme si elle était sur un hamac. Elle n'avait plus la moindre force dans les épaules ni dans les hanches. Elle avait soif, insupportablement soif, mais son gosier était si sec qu'aucun son ne pouvait en sortir. Elle réussit à se retourner au prix d'un effort surhumain et, quand enfin elle parvint à avancer un peu sur le ventre, elle sentit quelqu'un enjamber son matelas pour se diriger vers la cloison coulissante. Discrètement, elle souleva une paupière lourde et entrevit une grande silhouette de femme qui ouvrait la cloison et disparaissait dans la chambre voisine.

– De l'eau ! cria Yukiko, s'adressant à cette ombre vague.

La cloison se referma, sans le moindre écho à sa demande.

En colère, elle s'écria à nouveau :

– Je veux de l'eau !

Mais comme personne ne faisait mine de se lever, elle se mit à chercher en tâtonnant du côté de la table basse.

31

Tomioka et Yukiko profitèrent trois jours de l'hospitalité du patron et de son épouse, après quoi Yukiko commença à manifester le désir de rentrer rapidement à Tokyo. Avec sa sensibilité de femme, elle ressentait une certaine antipathie pour Osei. Le soir où leur départ fut enfin décidé pour le lendemain, il y eut un repas d'adieu au cours duquel le patron, à l'instigation d'Osei leur offrit à nouveau d'abondantes libations. Yukiko, cette fois, s'abstint de boire. L'abus d'alcool du premier jour lui avait causé des maux de tête et des aigreurs d'estomac qui n'en finissaient pas. Osei la servit abondamment, mais Yukiko avait approché discrètement un cendrier et vidait le contenu de sa coupe dedans, tout en feignant l'ivresse. Tomioka, les yeux fermés, fredonnait une chanson vietnamienne. Yukiko épiait de temps en temps son expression. La vague silhouette fantomatique de femme entr'aperçue la première nuit lui semblait bien être celle d'Osei. Mais que faisait-elle devant la cloison de séparation des chambres ? Cela restait un mystère. Le patron, la goutte au nez et dans un état d'ébriété assez avancé, expliquait en reniflant qu'il avait l'intention d'aller à Tokyo ouvrir un commerce.

— Je voudrais bien faire construire un débit de boissons ou autre chose sur les décombres de ma maison, mais même en comptant vingt mille du mètre carré, ça fait une somme assez importante. En plus, pour réassortir le fonds, il me faudrait trois cent mille au moins. Ce n'est plus si facile de vivre à Tokyo par les temps qui courent, à ce qu'on dit... Mais tout de même, je ne peux pas rester indéfiniment ici, j'ai bien mis mon commerce en vente mais les affaires ne marchent qu'en été, je n'aurai pas la patience d'attendre jusque-là... J'ai des frères qui travaillent au marché au poisson de Tsukiji à Tokyo, je me demande si on ne devrait pas partir d'ici et aller vivre là-bas, Osei et moi...

Tomioka ouvrait de temps en temps les yeux et opinait d'un mot, mais il se moquait pas mal de ce que cet homme racontait. Il portait sa coupe à ses lèvres avec mollesse, tandis que le patron, à qui son invité taciturne et réservé semblait plaire au point qu'il entendait le consulter sur toutes ses entreprises, lui confiait qu'Osei comme lui en avaient plus qu'assez de son commerce actuel. Il n'y avait pas un souffle de vent, mais la nuit était glaciale. Chose rare, on entendait les masseurs aveugles passer sous les fenêtres en sifflant pour prévenir les clients.

Tomioka parut soudain se rappeler quelque chose :

— Bon, dit-il, j'irais bien aux bains, moi...

Sur quoi Osei se leva, alla prendre du savon et une serviette et annonça :

— Moi aussi, ça me réchauffera.

— Ah, tiens ? Moi aussi, je viens avec vous, dit Yukiko d'un air de ne pas y toucher en se levant pour suivre Tomioka.

— Allez-y tous les deux alors, dit Osei, qui s'était aussitôt rembrunie.

Yukiko descendit l'escalier à la suite de Tomioka, mais la brusquerie d'Osei lui avait fait le même effet que si elle avait reçu un jet de caillou en pleine figure.

Elle enfila ses *geta*, sortit par la porte de derrière et sentit aussitôt l'air glacé lui piquer la peau.

– C'est une drôle de fille, cette Osei. Tu lui plais, non ? Elle a une attitude bizarre...

Yukiko essayait par ces sarcasmes de tirer les vers du nez de son compagnon, qui lui opposa un « ah, tu crois ? » prononcé sur un ton badin, tout en continuant à descendre devant elle les étroites marches de pierre.

– Cette guenon, je suis sûre qu'elle ne se gêne pas pour tromper son mari...

– Ah, tu crois ?

– « Tu crois ? Tu crois ? » C'est tout ce que tu sais dire ? Mais je te connais, moi : tu joues les indifférents et tu séduis les femmes à la première occasion...

– Je ne cherche pas à séduire cette guenon. Ne dis donc pas de bêtises.

– Mais on ne peut pas dire qu'elle ne t'intéresse pas, pas vrai ?

– Elle ne m'intéresse absolument pas.

– Ah, vraiment ? C'est bizarre qu'elle ait eu l'air aussi en rogne quand j'ai dit que j'allais aux bains. Elle est amoureuse de toi, je te dis. Elle est sans arrêt aux petits soins avec toi, c'en est ridicule.

– Ah ? Je ne m'en suis pas rendu compte. Ça fait quatre jours qu'on est chez eux, je crois ?

– Oui. C'est plutôt bien, non ?

Riant sous cape tous les deux, ils entrèrent aux bains de la boutique du marchand de riz. Sept ou huit clients s'entretenaient à voix haute du marché noir du riz. Ils paraissaient être venus en groupe, et il y avait deux geishas parmi eux, qui leur frottaient le dos à tour de rôle. Leurs compagnons taquinaient les hommes qui se faisaient ainsi laver le dos, et la salle de bains était emplie d'une certaine animation.

Tomioka observait discrètement le corps nu de sa compagne, mais il le trouvait pitoyable, comparé aux chairs opulentes d'Osei. Était-ce à cause des jeunes geishas présentes non loin d'eux ? Il crut déceler dans le corps de Yukiko les premiers signes de déclin. Ses longues jambes, cependant, conféraient un certain équilibre harmonieux à sa silhouette. Yukiko se lavait à l'écart, ne montrant pas la moindre velléité de se comporter comme les geishas d'à côté en savonnant le dos de son homme. Elle sortit rapidement du bain et se dirigea vers le panier où étaient rangés ses vêtements. Là, elle eut la surprise de constater que le panier voisin du sien, celui de Tomioka, contenait maintenant un carré de coton bleu. Elle regarda autour d'elle, pensant qu'elle s'était peut-être trompée de panier, mais il n'y en avait pas d'autre contenant les habits de Tomioka. Elle jeta un petit coup d'œil aux vêtements, à travers l'un des coins du tissu noué : ils ressemblaient en tout point à ceux de Tomioka. Voyant qu'il s'apprêtait à sortir du bain à son tour, Yukiko s'habilla prestement et se dirigea vers le miroir, devant lequel elle commença à se démêler les cheveux. Elle put ainsi voir Tomioka hésiter un instant à la vue du ballot enveloppant ses vêtements, puis l'ouvrir d'un air indifférent. Il parut chercher soigneusement à l'intérieur puis, au bout d'un moment, jeta subrepticement un coup d'œil en direction de Yukiko avant d'enfiler un caleçon propre sorti du ballot. Yukiko s'étonna à la vue de ce caleçon tout blanc. Tomioka acheva de s'habiller en hâte, roula le carré de coton en boule et le fit disparaître dans sa poche. Yukiko n'en revenait pas de le voir faire.

– Dis donc, fit-elle sur le ton de la plaisanterie en s'éloignant du miroir, c'est bizarre que tes vêtements soient si bien emballés maintenant.

– Quelqu'un a dû venir les envelopper pour moi dans ce carré de tissu.

– Ce quelqu'un t'a même apporté un caleçon propre. Et l'autre, où est-il passé ?

Tomioka partit sans répondre en direction de la salle de bains où il essora à toute vitesse sa serviette.

Yukiko ressentit un violent pincement au cœur et n'ajouta rien quand Tomioka revint. Elle sortit la première, avançant rapidement le long du corridor glacé.

Pourquoi vouloir retenir à tout prix un homme qui cherchait à s'enfuir? se morigénait-elle de temps en temps. Elle ne devait pas se laisser mener uniquement par le souvenir de sa vie d'autrefois avec Tomioka. L'idée de la solitude était d'une insupportable tristesse; pourtant, il fallait qu'elle tente de vivre seule un moment, décida-t-elle. Elle essayait de se convaincre elle-même qu'elle ne pouvait continuer à laisser ces liens desserrés diriger sa vie.

Tous deux montèrent les marches de pierre en silence. Les dernières étoiles clignotaient dans le ciel comme les feux des bateaux sur la mer. Pour dissiper la tristesse qui l'étreignait, Yukiko sifflotait un air d'une voix cassée. Tout en essuyant de la manche de son pardessus les larmes brûlantes qui montaient à ses paupières, l'attente qu'elle avait au cœur en rentrant de Haiphong, maintenant muée en larmes, tombait sans fin sur ses joues. Pourquoi, maintenant qu'ils étaient rentrés au Japon, étaient-ils plongés dans cette tristesse et cette inaction?... Tout en grimpant lourdement une à une les marches de pierre menant à l'entrée, Yukiko se sentait suffoquer sous les larmes.

– Qu'est-ce qui t'arrive?

– Rien...

– Tu me soupçonnes?

– De quoi?

Une violente colère s'était emparée de Yukiko, mais elle diminua et s'effaça de son esprit avant d'avoir pu s'exprimer en paroles. Son excitation retombait peu à peu. En haut de l'escalier de pierre, il y avait un petit chemin menant vers la rue principale qui partait en biais de la maison.

— Si on faisait quelques pas ?

— Il vaut mieux pas, on risque d'attraper un rhume.

Tomioka s'était arrêté et fit remarquer, d'une voix un peu stridente :

— Tu es neurasthénique.

Puis il ajouta aussitôt :

— Non, c'est moi qui ai les nerfs malades, en fait. C'est moi qui suis anxieux. Je suis en train de sombrer. Je suis incapable de rester seul... Je n'arrive pas à m'en sortir et je continue à sombrer inexorablement. Je marche à l'aveuglette, prêt à aller dans n'importe quelle direction dictée par le hasard... en ce moment même, je faisais des projets, en ne pensant qu'à moi.

Sur ces mots, il jeta sur son épaule sa serviette humide, que le gel avait raidie comme un bâton.

— On va geler si on reste ici, dit Yukiko. Rentrons, et allons vite nous coucher... Moi je veux partir tôt demain matin et rentrer à Tokyo.

— Tu parles comme si tu étais toute seule... Moi aussi, je rentre à Tokyo. Je suis venu avec toi, je repars avec toi.

— Ah oui, bien sûr... Mais c'est trop compliqué avec toi... Tout m'est égal maintenant. Restons-en là. Voilà que j'ai les jambes qui flageolent maintenant...

Tous deux entrèrent par la porte de derrière et montèrent aussitôt à l'étage. Dans la pièce voisine, on entendait ronfler le patron, qui dormait déjà. Osei restait invisible. Tomioka prit le flacon à saké posé sur le plateau à thé, le secoua près de son oreille : il en restait un peu. Il versa le saké froid dans une tasse et le but en se gargarisant bruyamment. L'absence d'Osei dans la chambre de son mari fit un certain effet sur Tomioka et Yukiko, chacun à sa manière. Chacun, à part soi, se demandait où elle était. Yukiko glissa ses jambes glacées

sous la couverture recouvrant la chaufferette et pensa à
sa vie à Tokyo, dès le lendemain, après s'être définitivement séparée de Tomioka. Il lui semblait aussi que sa
semaine d'absence avait mis un terme définitif à sa vie à
Ikebukuro.

32

Le soir du 5, tous deux étaient de retour à Tokyo.

D'humeur plus mélancolique encore que lorsqu'ils avaient quitté la capitale, Yukiko retourna, accompagnée de Tomioka, à sa baraque. Lorsqu'elle alla saluer la femme du patron du patron de la quincaillerie, celle-ci eut l'air mécontente. Après avoir fait face à ce visage peu amène, Yukiko songea à la durée imprévue de son voyage, et ouvrit la porte de la cabane fermée à clé avec le sentiment déplaisant d'entrer chez des inconnus. Elle alluma l'électricité, qui venait tout juste d'être amenée jusque-là, fixa la douille au fil électrique et alluma le réchaud électrique. La pièce avait l'air en désordre. Il y avait une lettre posée sur la table basse de la chaufferette : elle était d'Iba. Il expliquait qu'il avait passé deux nuits là à l'attendre et lui demandait de rentrer dans sa province natale le plus tôt possible. Il lui demandait aussi de venir absolument dormir à Saginomiya le 7 janvier, jour de *nanakusa*[1], parce que toute sa famille se réunirait ce jour-là. Yukiko déchira aussitôt la lettre en menus morceaux, les jeta dans le fourneau, qu'elle alluma ainsi que le *kotatsu*, après quoi elle prépara du café sur le réchaud électrique.

---

1. Rituel de bonne santé pour l'année à venir, durant lequel on consomme une bouillie de riz contenant sept légumes différents. *(N.d.T.)*

206

Tomioka, les genoux sous la couverture de la chauffe-rette, fumait une cigarette, tout en s'ébouriffant les cheveux d'une main.

– Hé, y a pas de saké chez toi ? fit-il.

Yukiko vérifia du regard, sans répondre, le niveau des deux ou trois bouteilles qui se trouvaient dans un coin de la pièce, puis répondit d'un bref « Non ».

Tomioka avait besoin de boire tous les soirs. Sans l'aide de l'alcool pour lui mettre l'esprit sens dessus dessous, il se laissait aller à la dépression et devenait incapable de supporter sa solitude. Son aventure avec Osei, qui lui demandait de s'enfuir avec lui mais qu'il avait laissée à Ikaho, lui semblait déjà appartenir à un lointain passé. Elle lui manquait en un sens, mais en même temps, il s'en moquait éperdument. Comme elle avait insisté pour savoir où il habitait, il lui avait indiqué une adresse complètement fantaisiste. Il était retourné à Tokyo, portant le caleçon neuf préparé par les soins d'Osei pour leur fuite, mais il n'avait cure de tout cela : c'était comme si c'était arrivé à un autre que lui.

– Tu as envie de boire ?

– Oui...

– Tu vas voir, je vais te rendre soûl à rouler sous la table ce soir, plaisanta Yukiko tout en lui versant du café.

En dépit de ce qu'elle disait, elle n'avait aucune envie de sortir acheter du saké.

– Tu m'en veux toujours ?

– Qui, moi ? Oh, mais pourquoi t'en voudrais-je ?

– Bah, de rien. Allons, si on faisait une petite fête tous les deux pour célébrer le fait d'avoir échappé à la mort ?...

– C'est Osei qui t'a sauvé la vie, on dirait.

– La petite guenon ?

207

– Elle avait un joli corps, non ? J'ai vu des larmes briller dans ses yeux, à l'arrêt de cars.

– Pff.

Yukiko posa une tasse de café à côté de Tomioka et, tout en buvant le sien brûlant, à petites gorgées, le regarda pour la première fois bien en face. Tomioka posa sa cigarette sur le rebord du cendrier et porta sa tasse à ses lèvres. Sans savoir exactement pourquoi, Yukiko avait envie d'être seule ce soir-là et de dormir tout son soûl. Depuis Ikaho, elle n'avait plus envie de boire une seule goutte de saké. Quand il eut fini son café, Tomioka se leva et sortit, déclarant qu'il allait acheter à boire. Yukiko le laissa faire. L'alcoolisme de Tomioka lui semblait une fatalité. À Tokyo aussi, il faisait étonnamment froid.

Yukiko alla chercher de l'eau à l'arrière de la maison principale, pour laver le riz. Elle se demandait si Joe était venu lui aussi pendant son absence, mais cela n'avait après tout guère d'importance. Quand elle revint à la baraque, avec un seau empli d'eau, elle y trouva Tomioka, qui venait de revenir avec une bouteille de saké. Il en avait empli lui-même une bouilloire qu'il faisait chauffer sur le réchaud.

– Tu fais des orgies avec le saké, on dirait.

– Oui, c'est la meilleure maîtresse que j'ai trouvée pour l'instant...

– Vraiment, il y a des moments où tu me fais peur, Tomioka. Tu ne penses qu'à toi, hein ?

Tomioka emplit une tasse à café de saké chaud, en but une gorgée avec un air gourmand, puis jeta un coup d'œil sur Yukiko.

– C'est parce que je pense à moi que j'ai des regrets. Ça doit faire mal de mourir... C'est juste la peur de la douleur qui précède l'instant de la mort qui m'a retenu. Je ne peux pas mourir. Ce n'est pas que je ne pense qu'à moi, c'est que je tiens à la vie, voilà tout... Tu ne veux pas un peu de saké?

– Ça ne me dit rien, après j'ai mal à l'estomac.

– Allez, ne dis pas ça, et bois un coup, ça te fera du bien.

– Non, je vais faire cuire du riz et manger un peu. Je n'ai pas envie de boire une seule goutte.

Yukiko lava du riz dans une marmite qu'elle posa sur le réchaud. Pendant ce temps, Tomioka se servit une deuxième tasse de saké, sortit deux petits dés de sa poche et les secoua au-dessus de la table basse. Osei les lui avait donnés en cachette au moment des adieux. Le deux et le cinq sortirent. Raté! pensa-t-il. C'étaient les chiffres qu'il détestait le plus. Il se dépêcha de lancer à nouveau les dés. Cette fois, ce furent le quatre et le cinq. Il secoua à nouveau les dés avec une sorte de colère refoulée. Tandis qu'il buvait sa troisième tasse de saké, il sentit la mélancolie creuser de profondes ornières dans son cœur. Il pensa à une phrase de Kirilov dans *Les Possédés*, dont il venait de se rappeler : «Tu crois donc que c'est possible de mourir sans souffrir?» La première raison de craindre le suicide, c'était la peur de la souffrance, la seconde la crainte de l'au-delà. «C'est quand on ne fait plus aucune différence entre vivre et être mort qu'on est vraiment prêt au suicide. C'est cela le but final», affirmait ce personnage. Tomioka soupira, lança à nouveau les dés d'un geste rageur. Curieusement, ce furent à nouveau le cinq et le deux qui sortirent, les mêmes chiffres qu'au début.

– Le riz est cuit?

– Presque.

– C'était bien, Ikaho, non?

– Oui. Parce que la petite guenon était là, sans doute.

– Hmm...

– Elle te manque?

– Hmm...

– Tu n'as qu'à y retourner...

– C'est ce que je vais faire, si tu ne te tais pas !

– Pourquoi tu te fâches ? Elle te plaît donc à ce point-là ?

– Oui, elle me plaît, là. Elle ne dit rien, elle s'exprime avec son corps. J'ai envie de la voir...

– Eh bien vas-y, retourne donc la voir.

– C'est trop tard. Je l'ai laissée tomber...

Yukiko allait riposter quand le vacarme du passage d'un train de marchandises à la gare d'Ikebukuro secoua la baraque comme un tremblement de terre.

Tomioka, les yeux fermés, voyait derrière ses paupières l'éclat des yeux d'Osei. Des yeux étincelants, aussi magnifiques que ceux d'un animal sauvage. Son grand corps blanc et opulent ondulait avec souplesse dans l'espace. Il avait la nostalgie de sa peau en sueur. Il eut soudain envie d'entendre à nouveau sa respiration dans le noir, tandis que leurs doigts étaient entrelacés en silence. L'alcool suscitait en lui un désir incroyablement fort pour le corps d'Osei. La sensation de ses cheveux raidis par la permanente, pareils à la crinière d'un cheval... Tomioka continuait à jeter les dés avec l'énergie du désespoir. Le train de marchandises s'éloigna, le grondement s'éteignit. Lorsque Yukiko posa la marmite de riz sur la table, Tomioka entamait sa quatrième tasse de saké. La spirale du réchaud électrique réchauffait de son rougeoiement la pièce glacée. Yukiko éprouvait maintenant une haine insupportable pour Osei. Les paroles de Tomioka – « elle ne dit rien, elle s'exprime avec son corps » – l'avaient piquée à vif. Ainsi, la silhouette fantomatique aperçue la nuit où elle était si soûle était bien celle d'Osei...

– Tu es un homme effrayant, vraiment...

Tomioka continua à lancer les dés sans répondre. Il s'ennuyait. Mais il n'avait pas pour autant l'intention de retourner chez sa femme. La vision pesante de Kuniko, assise seule dans la grande maison vide, traversa son esprit. Pourtant, il n'éprouvait pas pour Yukiko un amour particulièrement profond. Il commençait maintenant à comprendre leur rouerie à tous les deux, qui essayaient de purifier la nature de leur amour, de le transformer en quelque chose de proche de l'amitié. L'époque où Yukiko était pour lui une amante appartenait désormais à un lointain passé.

33

Tomioka avait vidé une bonne partie de la bouteille de saké.

– À Dalat, je buvais souvent du sherry...

Yukiko avait fini de manger et s'était refait du café. Tout en observant Tomioka qui continuait à boire en discourant tout seul, elle regardait avec résignation le niveau de la bouteille diminuer. L'alcool était sans doute une sorte de drogue pour Tomioka. Même avec le meilleur travail qui fût, s'il continuait à boire de la sorte, aucun salaire ne pourrait lui suffire. Yukiko ressentait envers Tomioka de la colère plutôt que de la pitié. Il se noyait tellement dans l'alcool qu'il lui devenait impossible de réfléchir sérieusement aux choses, ou d'avoir la force d'en discuter. Son visage avait complètement perdu le teint luisant de santé et de jeunesse qu'il avait à l'époque de l'Indochine. Il était émacié et paraissait exténué.

– Tu as fini de me regarder fixement comme ça ? Tu as l'intention de me chasser ?... Tu es dans tes appartements particuliers ici. Tu as peut-être peur que je te gêne dans ton commerce, si par hasard un invité de marque se présentait ?

– Qu'est-ce que tu racontes ?

– Non, c'est important de dire la vérité, à l'instant de la séparation comme à l'instant de payer la note... Si on comprenait seulement ça, on éviterait de grandes catastrophes... Enfin, la vie, c'est comme ça, la douleur des séparations, et rien d'autre... La misère de la défaite, le mauvais moment où il faut payer la note, mais là, c'est le contraire... Car le moment est venu pour chacun de nous de... comment ils disent, les Américains, déjà?... *Going my way...*

– Ce que tu peux être bavard ! Il serait temps d'arrêter de boire et d'aller te coucher. C'est toi qui parles de l'importance du moment des adieux, et de payer la note, mais ça traîne drôlement en longueur, dis donc...

– Inutile de te fâcher comme ça. Dès demain, toi et moi, c'est l'un à droite, l'autre à gauche. *Going my way*, c'est ça. Ce qui s'est passé à Ikaho, ça ne compte pas, ne m'en garde pas rancune. Hein, Yukiko, *mon chéri*[1]...

Yukiko était impressionnée par Tomioka qui continuait à faire l'idiot, parlant à n'en plus finir. Il sortit son paquet de cigarettes, continua à parler, une cigarette collée entre ses lèvres violacées. Il avait le regard flou, les cheveux lui tombaient sur le front.

– Tu es vraiment désespérant ! Les gens qui ne te connaissent pas te prennent pour quelqu'un de bien, tu as de la chance. Tu es vaniteux, volage, et en même temps tu es lâche, seul l'alcool te rend hardi... Un poseur...

– Pff. Poseur, moi?... Et je dois encore avoir bien d'autres défauts...

– Oui, tu caches ton jeu, tu es d'une rouerie inimaginable. Et bien qu'en réalité tu sois parfaitement capable de renoncer à quelque chose sans sombrer dans la déprime et que tu sois un homme de grandes ressources, tu n'es pas capable de remuer tes méninges pour mener tes affaires, tout ça parce que Monsieur est un fonction-

---

1. En français dans le texte.

naire, pas vrai ? Si avec ça tu arrives à surmonter les difficultés dans la jungle qu'est devenu le monde aujourd'hui, je te tire mon chapeau !

– Écoute, il y a encore de l'avenir. Je ne suis pas si bête. Je prends l'air faussement craintif comme ça, mais j'ai l'espoir d'amasser des millions, plus que la moyenne de gens, je t'assure...

– Eh bien, pourquoi voulais-tu mourir alors ?

– Ça ne t'est jamais arrivé à toi, de vouloir mourir ? C'est parce qu'on a envie de vivre qu'on songe à mourir. Je suis allé à Ikaho dans cet état d'esprit. Et je suis rentré à Tokyo en me disant que j'arriverais bien à m'en sortir d'une manière ou d'une autre. L'idée de mourir, je trouvais ça tellement triste, c'est pour ça que je bois autant. Je me suis rendu compte de mon manque de courage face à la mort, c'est pour ça que j'ai renoncé. Tout le monde, au moins une fois dans sa vie, a envisagé de se suicider, non ?... Seulement nous, même pour mourir, nous avons une conscience qui nous gêne et dont nous ne pouvons pas nous débarrasser si simplement. C'est sûr, vu du ciel, une vie humaine c'est une bulle de savon, mais on est doté d'une certaine raison, on a de la vanité, on cherche à faire des effets... Un être humain ne peut pas devenir un pur esprit. On fait comme on peut avec ses contradictions et on se construit comme on peut ses petites joies dans la vie, voilà tout. Et dans les sources de contradictions, il y a les affaires, il y a les femmes, il y a la politique, la loi, et même le sport, tiens ! Selon la façon dont on règle ses contradictions, les gens disent : « Ce type a de la chance » ou « Il n'a pas eu de veine ». À Haiphong aussi, quand on a levé l'ancre, il y avait bien des types qui avaient un sale caractère, non ? Des types prêts à marcher sur la tête des autres sous prétexte qu'ils voulaient embarquer les premiers pour rentrer plus vite au pays. Y en avait même qui dénonçaient les autres comme criminels de guerre : tous coupables, sauf eux !... C'est comme ça, les humains. Tu ne trouves pas que ceux qui n'ont que la justice à la bouche sont bien imprudents ? Tromper une femme comme toi, ce n'est pas grand-chose. Kanô, ça c'était un type bien. Il était honnête, et il n'a pas eu de veine, mais il n'a jamais pensé qu'il était malchanceux pour autant...

– On lui doit des excuses, à Kanô, toi comme moi. C'est nous qui sommes coupables, de l'avoir fait languir pour rien, de nous être moqués de lui... Quand il a été arrêté et qu'il est parti pour Saigon, il ne nous en a pas voulu le moins du monde... Kanô m'a blessée au bras, mais qui est-ce qui en a tiré avantage ? C'est toi. Tu es tellement roué...

– J'ai eu de la chance, voilà tout.

– Lui qui était tellement persuadé qu'on allait gagner cette guerre, il a dû être surpris en rentrant au Japon... Moi, je le trouvais bien bête à l'époque.

Tomioka, passablement ivre, s'était effondré sur la table basse, le menton dans la main, et derrière ses paupières flottait la vision d'une forêt obscure. Kanô avait mené ses recherches sur les forêts africaines, achevé ses expériences sur le charbon de bois et s'était consacré en Indochine à la diffusion de voitures fonctionnant au gazogène ; il affirmait qu'il se consacrerait toute sa vie à des tâches neutres comme la transformation de la houille en carburant, auprès de M. Arward. Tomioka admirait maintenant cette naïveté. Comment avait-il pu se consacrer avec autant de zèle et d'impétuosité à cette tâche, sans le moindre doute ? Tomioka avait eu vent du retour de Kanô au Japon et avait entendu dire qu'il avait abandonné, sous il ne savait quelle impulsion, son ancien métier pour travailler comme ouvrier journalier à Yokohama. Cependant, tant qu'il n'avait pas revu Kanô, il ne pouvait savoir si c'était vrai ou non. Kanô était homme à rester fidèle à ses idées. Tomioka avait bien envie de lui rendre visite un de ces jours.

Une fois que le traité de paix serait complètement signé et que l'on pourrait circuler à nouveau librement, Tomioka était résolu à trouver un emploi lui permettant de s'embarquer à nouveau pour Saigon.

– Tu as sommeil ?

– Non. Au contraire, je suis de plus en plus réveillé. Je pense à divers moyens possibles pour vivre, mais je n'arrive pas à me décider. Désormais... Une femme, c'est toujours une femme, mais pour un homme c'est difficile.

– Pour une femme aussi, c'est difficile, qu'est-ce que tu crois ?... Je ne peux pas compter sur ton appui. Moi, je pense retourner à la campagne, dans ma famille. C'est une idée, non ?

– Excellente idée. Retourne à la campagne et deviens une mariée pleine de santé. Une vie paisible, c'est ce qu'il y a de mieux.

– Ce que tu es désagréable. Je n'ai aucune envie de me marier. Ce n'est pas dans ce sens-là que je parle de retourner à la campagne. J'ai ma propre façon de vivre, je n'y vais pas pour me caser.

– Pff. Ta façon de vivre ! C'est sûr, tout le monde a sa façon de vivre. En tout cas, ce n'est pas la peine de te lancer dans des choses impossibles. Tu ne vas pas rester célibataire toute ta vie.

Yukiko alimenta le brasero en charbon de bois et répliqua avec colère, tout en soufflant sur le feu :

– Tu dis ça comme si ça ne te concernait pas du tout.

De temps à autre, le passage d'un train faisait trembler le sol. La veille encore, ils étaient à Ikaho, mais cela paraissait si loin déjà, se disait Yukiko. Elle était satisfaite de voir encore Tomioka allongé là sous ses yeux : une fois qu'ils seraient séparés pour de bon, sa vie dans la baraque serait sans doute bien solitaire. Jusqu'à un instant plus tôt, elle se disait qu'elle voulait rester seule et dormir, mais son état d'esprit avait changé. S'être rapprochée de lui, en se révélant l'un à l'autre leur véritable nature, était une consolation.

– Tu n'aurais pas une cigarette ? demanda Tomioka en tendant la main.

Yukiko tira un paquet de Hikari de son sac à main et le lui passa. Puis elle ramassa les deux dés sur la table et les garda un moment dans sa main, en réfléchissant de son côté. L'idée qu'elle allait bientôt devoir se remettre au travail d'une façon ou d'une autre pesait lourdement sur elle. Elle n'avait plus aucun talent de secrétaire. Elle n'allait pas s'engager comme servante, et elle n'avait pas envie non plus de se marier. Mais si elle ne faisait rien, elle allait mourir de faim. Tout en se demandant ce qu'elle pourrait bien choisir comme travail, Yukiko agitait les dés dans sa main, songeant en secret à la fille des rues qu'elle était devenue, seule dans une ville parcourue par un vent glacé.

34

Le 7 janvier, jour de *nanakusa*, Yukiko ne se rendit pas chez Iba. Après le départ de Tomioka, elle avait passé quatre ou cinq jours seule dans la maison, sans avoir envie d'aller nulle part, ni de rien faire. La blessure qu'elle avait au cœur ne donnait aucun signe de vouloir cicatriser. Elle écrivit deux cartes postales : l'une à Osei, à Ikaho, l'autre à Kanô, qui se trouvait, avait-elle entendu dire, à Minosawa, à Yokohama.

À Osei, elle fit exprès d'écrire : « Mon mari vous passe le bonjour. » Cela l'amusait de voir quelle serait la réaction d'Osei à ce mot. En ce qui concerne Kanô, elle lui disait son intention de lui rendre prochainement visite et lui demandait quel moment l'arrangeait le mieux. De manière totalement inattendue, quelques jours à peine après qu'elle eut envoyé la carte à Ikaho, elle reçut la visite du mari d'Osei, par un jour de neige. Il lui expliqua qu'Osei avait quitté le domicile conjugal le lendemain de leur départ et qu'il ne l'avait pas revue depuis.

Yukiko pensa tout de suite à Tomioka. Il était parti après avoir passé la première nuit chez elle, et avait peut-être rendez-vous quelque part avec Osei. Elle n'avait pas de preuves certaines de leur liaison, mais les larmes qu'elle avait vues dans les yeux d'Osei le jour de leur départ ne lui avaient pas paru anodines. Elle les avait observées en secret en songeant que c'était là l'attitude d'une femme amoureuse. Et maintenant, la visite du mari d'Osei venait lui confirmer que Tomioka avait menti en prétendant avoir donné une adresse fantaisiste à la jeune femme ; ils avaient dû au contraire convenir d'un rendez-vous à Tokyo. Tant qu'elle était auprès de lui, elle n'avait pensé qu'à le quitter, mais ensuite, à l'idée qu'il était retourné auprès de sa femme, elle avait même regretté qu'ils n'aient pas mis leur projet de suicide à exécution. Il lui semblait que son désespoir, pareil à une palissade en bambou, s'étendait partout autour d'elle. Yukiko donna exprès l'adresse de Tomioka au mari d'Osei. Sans aucun doute, les deux étaient ensemble en ce moment même, quelque part dans Tokyo...

Le mari revint la voir le lendemain.

– J'ai trouvé Tomioka chez lui. Il n'avait pas l'air de savoir où se trouve Osei, et il était bien étonné de ce que je lui ai dit... Je n'ai pas la moindre idée de l'endroit où elle se trouve, j'ai bien envie de prévenir la police. J'ai passé la nuit chez Tomioka, mais comme ils n'ont pas de matelas de réserve, j'ai dormi sous la couverture du *kotatsu*, et causé bien du dérangement à son épouse...

C'était apparemment la première fois que le mari d'Osei se rendait compte de la nature exacte des relations entre Tomioka et Yukiko et, du coup, il était entré dans la baraque sans s'annoncer, en s'adressant à Yukiko sur un ton de familiarité grossière.

S'était-elle fait des idées à propos des larmes d'Osei ? Peut-être après tout Tomioka avait-il réagi avec sa froideur habituelle face à ce genre de sentiments et donné une fausse adresse, à elle comme à son mari. Mais dans ce cas, si ce n'était pas pour retrouver Osei qu'il l'avait quittée, l'indifférence de Tomioka prenait un sens d'autant plus sinistre pour Yukiko. Avec sa sensibilité de femme, elle avait senti qu'Osei éprouvait une attirance inhabituelle pour Tomioka et elle était la première à comprendre les attentions de son cœur féminin – des

219

attentions telles qu'apporter un caleçon propre à un homme aux bains publics. Si Tomioka avait esquivé ses sentiments et évité de la revoir, c'est que ce n'était pour lui qu'un caprice sans lendemain, une aventure de voyage, et l'égoïste qu'il était avait très bien pu rompre froidement avec elle en quittant les lieux. Le mari d'Osei passa environ une heure avec Yukiko puis repartit, la mine abattue.

Il semblait à Yukiko qu'elle avait percé à jour les véritables intentions de Tomioka. En revanche, elle commençait même à ressentir une pointe de compassion pour la jeune Osei, qui avait fui le domicile conjugal pour un homme qui s'était joué d'elle. Ce même jour, Yukiko reçut une réponse de Kanô, qui lui disait être alité, malade, et logé dans une masure infâme mais qui l'invitait néanmoins, si elle pensait vraiment ce qu'elle écrivait dans sa carte, à lui rendre visite, à cause de la nostalgie qu'il éprouvait pour leur passé commun. Il avait ajouté un « P.-S. » rapidement griffonné en petits caractères à la fin de la lettre, lui demandant de venir avec Tomioka, car il avait envie de le revoir aussi. Yukiko était impatiente de revoir Kanô, de retrouver son caractère affectueux d'homme qui comprenait la vie, après toutes les épreuves qu'il avait connues lui aussi. Elle fut soulagée de constater que sa lettre ne portait pas trace du moindre ressentiment envers elle ni envers Tomioka.

Elle partit sans hésiter pour Yokohama rendre visite à Kanô. Après avoir soigneusement cherché le pâté de maisons où il habitait, à travers les rues défoncées et sordides où se côtoyaient des imprimeries, des usines de roulements à billes et autres, elle finit par découvrir son logement au fond d'une étroite ruelle. Il louait une chambre dans une maison d'un étage où l'on élevait des lapins angoras, un peu en retrait d'un alignement de petites baraques. Dans cette maison branlante qui ressemblait à celle d'Osei et de son mari à Ikaho, Yukiko croisa dans le couloir un gamin qui lui indiqua que Kanô dormait au premier, où elle monta aussitôt. En haut de l'escalier, elle se retrouva dans une pièce au plafond bas, passa devant un sac à charbon en paille et un réchaud portatif, parvint devant une cloison coulissante déchirée, derrière laquelle elle entendit résonner une voix haut perchée qu'elle connaissait bien :

– C'est un vrai taudis, mais entrez, je vous en prie.

Elle ouvrit la cloison et trouva Kanô allongé sous une couverture, une serviette sale nouée en bandeau autour du front. Une ampoule nue vacillait juste au-dessus de sa tête, comme une poche de glace posée sur son front. Il avait le visage bouffi et blême. Il avait changé au point que ses traits étaient méconnaissables.

– Mais que vous arrive-t-il ? Une mauvaise grippe ?

La pièce était en désordre au point qu'elle ne savait où poser les pieds. Yukiko s'approcha de Kanô, le regarda au fond des yeux. Il rougit, exhiba ses dents blanches dans un sourire plein de nostalgie.

– Bah, je suis fichu. C'est la poitrine : hier soir encore j'ai craché un peu de sang... dit-il avec indifférence, comme s'il parlait de quelqu'un d'autre.

Il lui désigna du regard un coussin déchiré dont la bourre de coton dépassait, posé contre le mur, et lui fit signe se s'y asseoir. Une lourde odeur de fioul flottait sur la pièce.

– Physiquement, je n'ai pas tenu le coup. J'ai travaillé un moment comme porteur, mais j'ai pris froid sous la pluie, et maintenant voilà quarante jours que je suis alité. Je ne suis plus qu'un cadavre ambulant... Tomioka n'est pas avec vous ?

– Non, je suis venue seule. Ça fait un moment que je ne le vois plus...

– Hmm. Et vous n'êtes toujours pas mariée ?

– Avec qui le serais-je ?

221

– Moi qui croyais que vous viviez heureuse auprès de Tomioka...

– Oh, non, je suis seule. Il vit sa vie, moi la mienne. Mais vous, qui est-ce qui s'occupe de vous, malade comme vous êtes ?

– J'ai encore ma mère et un frère cadet mais, depuis peu, mon frère a trouvé un emploi dans une imprimerie juste à côté d'ici. Pendant la guerre, il faisait partie d'une unité de pilotes kamikazes, mais maintenant il est typographe ; il vivait seul avec ma mère, tous deux attendaient mon retour. La maison a brûlé sous les bombardements, c'est pour ça qu'on vit dans un endroit pareil, mais pour nous, même ça c'est un palais doré !

Le pâle soleil de l'après-midi, formant des rais à travers les fenêtres tendues de papier, venait frapper la couverture militaire toute sale. Yukiko eut l'impression d'être témoin d'un changement de destin radical. Le visage blafard de Kanô, envahi par la barbe, était complètement émacié. Lui qui avait autrefois un visage rond d'enfant avait pris dix ans d'un coup. Dans les traits de ce malade grabataire, rien ne rappelait plus la vie d'autrefois sous les tropiques. C'était un autre homme qui était étendu maintenant sous les yeux de Yukiko. Tous deux, coupés de leur passé, étaient pareils à deux inconnus se rencontrant pour la première fois.

– Ce que vous avez changé...

– Vous devez être surprise ?

– Oui.

– Ne parlons que du bon vieux temps aujourd'hui. J'ai été très heureux de recevoir votre carte, Yukiko. J'étais tellement certain que vous ne me donneriez pas de nouvelles, ça ne vous ressemblait pas de m'écrire...

– Mais si, pourquoi ? Tomioka m'a donné votre adresse, et j'avais envie de vous voir...

– Oh oh, vous me voyez flatté.

La gêne les envahit tous les deux. Un ange passa.

35

— Ma mère est sortie pour son travail, je ne peux même pas vous offrir un thé... Enfin, ça vaut peut-être mieux, vous risqueriez d'attraper ma maladie.

Kanô, qui avait parlé d'un ton ironique, émit un rire froid.

Ces paroles transpercèrent Yukiko comme des épines, mais elle se tut, ne voulant pas contrarier le malade. De temps en temps, une violente quinte de toux secouait Kanô, et il agitait alors la tête, comme un tic.

— Vous n'avez pas besoin de vous rafraîchir pour faire baisser la fièvre ?

— Cela me fait du bien de me rafraîchir la poitrine, mais personne n'a plus la patience de le faire maintenant. J'essaie de ne pas être une gêne pour mon frère et ma mère, c'est le moins que je puisse faire par reconnaissance envers eux... Ne déranger personne, voilà tout ce que je veux. Je me sens prêt à mourir n'importe quand maintenant. Mais enfin, tant mieux si cette vie précieuse qui est le don de Dieu peut être prolongée ne serait-ce que d'une seule journée.

— Cessez de dire des choses aussi tristes. Ah, j'aimerais que votre état s'améliore rapidement...

— Ça ne s'améliorera pas, c'est certain.

— Ne parlez pas ainsi, c'est trop triste. Reprenez-vous. Je voudrais tant revoir le Kanô en bonne santé que j'ai connu.

– Ce Kanô-là est mort à la guerre. Cette guerre m'a écrasé, l'esprit comme le corps. J'ai vécu des choses terribles. Mais cela, on n'y peut rien, je m'y suis résigné. De temps en temps, je pense à l'Indochine et je me dis que ça a été la période la plus intéressante de ma vie... Et vous, après cette histoire, avez-vous souffert longtemps ? C'était le bras gauche, n'est-ce pas ?

L'ingénuité de Kanô, qui se souvenait encore de sa blessure, attendrit Yukiko.

– Vraiment, je vous dois des excuses, ajouta-t-il.

– Non, ne dites pas ça ! C'est moi plutôt qui vous en dois pour mon égoïsme d'alors. Je ne sais pas ce que j'avais en tête. Nous vivions tous dans un état de folie, à cette époque.

– Un état de folie, oui, tout à fait. Il m'a semblé que c'était vous qui vous étiez précipitée exprès sur mon sabre. C'est Tomioka que je voulais tuer et, quand je suis allé dans sa chambre, c'est vous que j'ai trouvé, cela n'a fait qu'amplifier ma rage. Quand j'y pense maintenant, je me suis conduit d'une façon vraiment stupide.

– Ne parlez plus de ça, je vous en prie...

– Pardon. C'est de vous revoir, le passé m'a paru brusquement si proche...

Oppressée par l'odeur de médicament de la pièce, Yukiko se leva pour ouvrir la fenêtre. Le vent froid qui s'engouffra dans la pièce lui parut agréable.

– Et Tomioka, il va bien ?

– Oui, je crois que oui.

– Il a eu de la chance lui, au moins. Grâce à sa faculté de prendre un air compréhensif avec ceux qui tombaient au plus bas. Il était du genre à feindre la compassion, puis l'instant d'après, aller s'asseoir sur la meilleure chaise et refuser d'en bouger. Oh, ce n'est pas pour le calomnier que je dis ça. Mais je crois que c'est ce trait de son caractère qui a été sa chance, et maintenant, je me dis que j'aurais mieux fait d'en prendre de la graine.

– Pourtant, maintenant, il n'a plus tellement l'air d'un homme chanceux, vous savez.

– Ah, vraiment?...Vous le regardez avec une certaine complaisance, non? Sa maison n'a pas brûlé, lui, du côté du travail aussi, il a trouvé de bons associés, il ne se débrouille pas si mal, à ce qu'on m'a dit.

Mais Yukiko se souvenait du but avorté de son voyage à Ikaho avec Tomioka : se suicider ensemble. Kanô ne savait rien de tout cela...

– Il a de graves ennuis, vous savez, dit-elle. Il a dû vendre sa maison, il va renvoyer sa famille dans sa province natale et rester un moment seul à Tokyo pour trouver plus facilement du travail

– Du travail... Un type comme lui ne peut pas faire le docker comme moi pour un salaire de deux cents yens par jour. Charrier des centaines de kilos sur son dos pour se retrouver dans l'état où je suis, il trouverait sans doute ça comique...

– C'est vous qui faites exprès de tout tourner en dérision. Mais quel état d'esprit vous a poussé à choisir un métier pareil?

– La nécessité de manger, tout simplement! Il n'y avait aucun poste plus chic de disponible. Je me disais que plus tôt je commencerais à travailler, mieux ce serait, et je trouvais ça préférable à devenir voleur. Ça a été très dur, pour un bureaucrate comme moi, qui n'avais jamais rien porté de plus lourd qu'un stylo...

– Oui, j'imagine...

Yukiko alla chercher un couteau et se mit à peler quelques-unes des cinq ou six pommes qu'elle avait apportées en cadeau. Tout en maniant son couteau en rond sur le fruit, elle sentit des larmes brûlantes monter à ses yeux. Elle avait envie de se montrer le plus gentille possible envers Kanô qui certainement n'en avait plus pour très longtemps à vivre. Elle coupa les quartiers de pomme en petits morceaux qu'elle mit un à un dans la bouche du malade, qui se mit à les mastiquer bruyamment.

– Il nous est arrivé bien des choses, dit-elle, mais nous avons survécu et réussi à traverser cette époque, et maintenant nous nous sommes retrouvés, n'est-ce pas ? Alors, il faut reprendre des forces et vous dépêcher de recouvrer la santé.

– Des forces... Oui, si j'avais de l'argent pour me nourrir correctement, je pourrais vivre encore deux ou trois ans.

– La vie doit être dure pour votre mère et votre frère aussi...

– Oui, les pauvres, je les plains vraiment. J'ai l'impression que ces temps-ci l'un comme l'autre en ont assez de me voir là.

– C'est la rancœur qui vous fait dire ça...

– La rancœur, vraiment...

Kanô, en fait, était persuadé que toute sa vie il n'avait jamais eu de chance, contrairement à Tomioka qui parvenait toujours à tirer son épingle du jeu. Quand il pensait à Tomioka, la colère montait naturellement en lui : cet homme-là était fuyant comme une anguille et n'était pas du genre à se mouiller pour aider un ami en difficulté. Kanô se tut, l'air maussade, plongé dans les souvenirs d'autrefois, tandis que Yukiko enveloppait les pelures des pommes dans du papier journal. Elle fut sur le point de dire quelque chose, mais s'arrêta. C'était pour Kanô une véritable énigme, de la voir afficher un calme aussi imperturbable, à cent lieues de son caractère passionné d'autrefois. L'audace de cette femme l'étonnait également. En l'écoutant lui raconter qu'elle n'était pas rentrée une seule fois dans sa province natale depuis son rapatriement et menait depuis une vie errante et solitaire, Kanô songea que les femmes étaient comme des poissons, des animaux à sang froid.

– Tomioka, avec le talent qu'il a, je suis sûr qu'il est retombé sur ses pieds à l'heure qu'il est. C'est un homme qui en a les capacités. Quand j'ai appris qu'il avait embarqué à Haiphong en mai de l'année dernière – j'ai su après ce qui s'était passé –, je me suis dit qu'il avait bien de la veine. Pensant que les types aux airs d'intello n'avaient aucune chance de rentrer, il paraît qu'il a raconté qu'il était venu en Indochine comme auxiliaire de l'armée et qu'il préparait le thé ou faisait le planton. Devant les nombreux officiers qui interrogeaient les candidats au départ, au point de contrôle sur la jetée, c'est lui qui a pris le style le plus benêt, il paraît qu'il ne jetait même pas un regard dans la direction des officiers quand ils discutaient entre eux en anglais et en français. Il paraît qu'on empêchait de partir ceux qui comprenaient les langues étrangères. Ensuite, quand on lui a montré une carte du Japon et qu'on lui a demandé où se trouvait le Shikoku, il a montré le Kyushu à la place. Il voulait se donner l'air du type qui n'a pas poussé ses études plus loin que l'école primaire. Qu'en pensez-vous ? Un habile comédien, non ? Ça lui a permis de passer haut la main la barrière du contrôle, il s'est débrouillé pour prendre le premier bateau, en utilisant le nom de quelqu'un d'autre, et il est rentré au Japon. Un véritable héros, non ?...

C'était la première fois que Yukiko avait vent de cette histoire.

Elle croyait Tomioka incapable de se conduire ainsi. En ce qui concernait Osei également, elle ne voyait que l'attirance qu'Osei avait pu éprouver vis-à-vis de Tomioka, et à laquelle ce dernier avait cédé, rien de plus. Osei, à ce moment-là, avait peut-être été une consolation pour lui...

– Je pensais que vous étiez rapidement rentrés au Japon tous les deux. Mais vous n'étiez pas sur le bateau avec lui ?

– Non, nous sommes rentrés séparément...

Le crime commis par Kanô, en pleine guerre, et qui plus est par un fonctionnaire, lui avait valu d'être traité avec une grande brutalité par la police militaire de Saigon.

Au bout d'une heure de conversation, Yukiko prit congé de Kanô et sortit, un peu oppressée. Une fois dehors, elle se sentit soulagée, comme si elle respirait à nouveau un air sain. Au fond d'elle-même, elle le trouvait pitoyable. Elle trouvait bien triste ce brusque revirement du sort, pour un homme dont elle avait toujours entendu dire qu'il était un fils de famille aisée.

Kanô, de son côté, après avoir revu Yukiko après si longtemps, et bien qu'il ne la trouvât pas changée le moins du monde physiquement, s'étonnait maintenant d'avoir pu éprouver pour elle un désir d'une violence telle qu'il était allé jusqu'à provoquer Tomioka en duel. Il avait accidentellement blessé la jeune fille au bras, ce qui avait été son unique compensation. En voyant tout à l'heure la jeune femme devant ses yeux, il s'était demandé avec étonnement ce qui avait bien pu l'attirer chez elle au point d'en arriver à de telles extrémités. Peut-être une sorte de démon s'était-il emparé à cette époque des Japonais en poste à l'étranger. Avec le recul, il lui semblait qu'ils avaient tous vécu comme enivrés par un arc-en-ciel des tropiques.

Pourtant, ce jour-là, quand Yukiko prit congé, Kanô aurait bien voulu la retenir un peu plus longtemps près de lui. Jusqu'à ce qu'il la revoie, il avait pensé à elle comme à une déesse, mais sa réapparition avait brisé son rêve. Il s'était réveillé face à la Yukiko réelle, humaine, et devant laquelle il était obligé de reconnaître sa défaite.

Yukiko regrettait, elle aussi, d'être venue le voir. Elle aurait mieux fait de s'abstenir, songeait-elle maintenant. Il eût mieux valu garder le souvenir du Kanô d'autrefois. En apprenant qu'elle allait le voir, Tomioka lui avait dit qu'elle avait une vue trop optimiste des choses, et avait des fantaisies bizarres, mais il semblait maintenant à Yukiko comprendre pourquoi Tomioka avait donné une fausse adresse à Osei. Elle trouvait enviable cette capacité qu'avaient les hommes à couper sans états d'âme des relations nouées uniquement dans l'émotion d'un moment, d'un lieu particuliers. Cette chanson qui était venue si naturellement aux lèvres de Tomioka à Ikaho, et qui vantait la sincérité de la première rencontre, si vite évanouie, n'était-ce pas exactement ce qui était en train de leur arriver à ce moment-là, à lui et Osei ?

Dans le crépuscule glacé, Yukiko descendit à la gare de Shimbashi. Un vent froid soufflait. Elle se dirigeait vers l'arrêt de bus, lorsqu'une femme vêtue d'un manteau vert voyant accourut vers elle et lui tapa sur l'épaule :

– Ça alors !

Yukiko écarquilla les yeux à son tour : c'était Haruko Shinonoi, la dactylo qui était arrivée à Saigon en même temps qu'elle.

– Comment vas-tu ? Quand es-tu rentrée au Japon ? se hâta-t-elle de demander, désireuse de savoir au plus vite comment s'était déroulé le rapatriement de Haruko.

– Quand je t'ai vue passer le guichet de sortie, je me suis dit : pas possible, c'est Yukiko ! Tu vas bien ? Moi, je suis rentrée en juin de l'an dernier. Ma famille avait été évacuée à Urawa, et leur maison n'a pas brûlé. Dès mon retour au Japon, je suis allée prendre des cours de secrétariat et j'ai trouvé un travail à Marunouchi... Et toi, qu'est-ce que tu fais ?

Haruko Shinonoi avait une tenue un peu trop voyante et jolie pour une simple dactylo.

36

« Ayant reçu un précieux corps humain,
Ne cherche pas à savoir ce que demain t'apportera.
Constatant la prospérité d'autrui, n'espère pas lui
                                            [ressembler un jour.
Tout change en ce monde éphémère,
Plus vite qu'un battement d'ailes de libellule. »

Une semaine plus tard, Yukiko reçut une lettre de
Kanô. Il la remerciait de sa visite et terminait par une
sorte de poème. La phrase où il évoquait la rapidité de
changement du monde se grava profondément dans le
cœur de Yukiko. Elle ne pouvait s'empêcher de ressentir
de la compassion envers le pauvre Kanô, à qui il ne
restait plus désormais que ces mots d'autodérision, du
fond de son désespoir de malade. Rien, cependant, ne
l'attirait plus dans l'homme qu'il était devenu. Tout ce
qui s'était passé en Indochine ne faisait donc partie que
de « ce monde éphémère où tout changeait si vite » ?
Yukiko ne répondit pas à la lettre.
Elle était sans nouvelles de Tomioka. Leur voyage à
Ikaho lui paraissait lui aussi appartenir maintenant à un
lointain passé. Certes, s'ils s'étaient suicidés ensemble
comme ils en avaient eu l'intention, elle ne serait pas là
aujourd'hui, mais le fait d'être en vie ou non ne lui
importait guère. Elle s'étonnait maintenant de la lâcheté

qui l'avait fait reculer lorsque Tomioka lui avait confié son projet de suicide.

Sa rencontre inopinée avec Haruko Shinonoi ne fut pas non plus spécialement stimulante pour elle. Elle se sentait vide, comme si elle avait épuisé toutes ses ressources intérieures, et n'avait rien envie d'entreprendre, tout en sachant qu'elle ne pouvait rester indéfiniment inactive. Le propriétaire de la baraque où elle vivait lui fit également passer un message pour lui dire qu'il lui faudrait déménager dans un avenir proche. Elle eut à nouveau le pressentiment de la mort. Elle comprit que le désir de mourir de Tomioka n'était sans doute pas feint au moment où il l'avait exprimé. Pourquoi ne s'étaient-ils pas suicidés ensemble à Ikaho?... Le dieu de la mort semblait tout proche, maintenant. Elle s'allongea, passa une fine ceinture de cuir autour de son cou pour voir, mais elle n'était pas sûre d'avoir assez de forces pour parvenir à s'étrangler elle-même. Elle serra le plus fort qu'elle put, mais fut incapable de trouver en elle la violence nécessaire pour aller plus loin. Elle ôta la ceinture de son cou, la mit autour de sa taille. Elle regrettait que Tomioka ne soit pas auprès d'elle en ce moment. Elle avait une terrible nostalgie de sa présence. Mourir, n'était-ce pas après tout simplement disparaître de ce monde? Le temps passant, plus personne ne se soucierait de son absence, et Tomioka lui-même, c'était certain, finirait par oublier qu'elle avait seulement existé. Tout ce qu'elle regrettait, c'est qu'ils aient laissé passer ce moment de mourir à Ikaho. Tout comme dans la chanson indochinoise évoquant la sincérité des amants à la première rencontre, Yukiko regrettait maintenant de n'avoir pas été capable de répondre tout de suite au désir de Tomioka à Ikaho, lorsqu'il était prostré, plongé dans ses pensées macabres. Elle aussi, cependant, avait déjà perdu confiance en ce monde, et en lui. S'ils commettaient vraiment ce suicide d'amour, s'était-elle dit alors, ils seraient certainement incapables d'affronter la mort avec courage. Il ne faisait aucun doute que tous deux avaient, chacun de leur côté, réfléchi à la mort, s'étaient approchés de l'idée jusqu'à la plus proche limite, mais sans plus. C'était bien ce qui était désagréable à Yukiko. Elle n'était pas sûre, par exemple, qu'au moment fatal, Tomioka ne se mettrait pas à gémir des mots tels que «Kuniko, pardonne-moi !», même si elle-même ne pensait à rien en particulier. On ne peut pas disposer librement de l'intérieur de l'esprit des gens. Une fois passés les moments sombres, il était inévitable que tous deux retrouvent l'espoir d'une vie plus gaie. En proie à un doute profond, Yukiko se demandait maintenant si ce n'était pas ce désespoir qui, faute de pouvoir s'exprimer, avait poussé Tomioka à se jeter dans une aventure dont l'aboutissement avait été les larmes d'Osei.

On pouvait dire que tout cela avait mis un point final à sa relation avec Tomioka. D'ailleurs, depuis leur retour d'Ikaho, il n'avait pas donné la moindre nouvelle. Il était sans doute difficile, entre personnes vivant dans le monde actuel, songeait Yukiko, de se comprendre même en se vouant un amour passionné. De délicats arcs-en-ciel apparaissaient au fond du cœur des êtres, puis s'évanouissaient, pour apparaître de nouveau et s'évanouir de nouveau, sans fin. Devant cela, on pouvait penser, pris d'impatience, que les êtres humains ne faisaient que passer sans transition du rire aux larmes. Sans doute était-ce la nature humaine. Yukiko avait envie de revoir Tomioka. Tout en comprenant parfaitement la nature de leur lien, basé sur le souvenir, elle se disait qu'après tout leur liaison en Indochine avait été un des événements majeurs de sa vie. Cette guerre, jamais Yukiko ne pourrait l'oublier. À cette époque-là, elle avait vraiment été heureuse... Pendant que les soldats se battaient et mouraient au front, Tomioka et elle avaient été possédés par un amour étrange.

Était-ce le destin qui avait voulu que Yukiko se retrouve un jour aux côtés de Tomioka dans le train direct qui menait à Saigon depuis la gare de Tourane ? Dans ce train qui faisait du quarante kilomètres à l'heure, Yukiko avait réfléchi tristement à son sort : elle était seule, coupée de tous les autres. Haruko Shinonoi chantait gaiement. Yukiko ne pouvait aucunement se douter qu'un jour, elle reprendrait ce même train, mais avec Tomioka. À quelle saison était-ce donc ? Au printemps, en été ? Dans ce pays, la saison semblait ne jamais changer, si bien que Yukiko avait peu à peu perdu le souvenir de la période où cela avait eu lieu. Dans le train, Tomioka lui avait pris discrètement la main, veillant à ce que personne ne remarque son geste, puis, légèrement penché vers la fenêtre, il lui avait désigné un à un par leur nom tous les arbres de la forêt qui défilaient derrière la vitre : ici, c'est un ven ven, là, un sao, un yau, un konrai, un banbara... Il y avait des bois clairsemés, où les arbres avaient perdu leurs feuilles, et au fond de la forêt on voyait des traces de feux allumés pour brûler les herbes. Parfois, le feu s'était propagé jusqu'aux abords de la voie ferrée, et des images de bois calcinés et de campagne lugubre venaient flotter à nouveau derrière les paupières de Yukiko. Parfois aussi, il y avait des forêts incroyablement denses, avec des graminacées qui poussaient dru sous les palmiers chanvre, et on pouvait voir tous les spécimens de jungles possibles. Tout autour de la jungle s'étendaient les énormes feuilles en forme de main d'une sorte de palmier appelé « para », qui avait fort impressionné Yukiko.

Ah, tous ces paysages, désormais engloutis dans les ténèbres du passé, tous ces événements qui ne reviendraient jamais... Tout avait sombré dans l'abîme. Pour elle, jeune Japonaise qui n'avait connu qu'une vie pauvre, la splendeur de ces paysages était vraiment fabuleuse. Elle rêvait de nouveau, avec une nostalgie qui faisait fourmiller tout son corps, au drame d'amour qu'elle avait joué avec Tomioka dans ce magnifique décor. Mais ce paysage paisible servait aussi de toile de fond à la guerre. Dans ce paysage, les Français menaient une vie nonchalante et secrète, délicate comme une dentelle et, la nuit venue, dans les rues de la ville en pente, on entendait les Vietnamiens échanger des « bonsoir » en français. Les sonorités de ce mot vibraient encore aux oreilles de Yukiko. Il était tout naturel d'avoir envie de flirter dans une atmosphère pareille. Tous les paysages de l'Indochine venaient flotter à nouveau les uns après les autres devant les yeux de Yukiko : les eaux du lac, l'église, les prunus, le bruissement des bambous, le parfum suffocant du haut plateau... Plus la nostalgie pour ce pays s'intensifiait, plus ses sanglots redoublaient de violence. Elle aurait tant voulu revoir encore une fois ces paysages. La vie de misère qu'elle menait au Japon était si pénible ! À l'idée que jamais plus elle ne retrouverait sa vie de Dalat, elle éprouvait un désir d'autant plus impérieux de sentir à nouveau le contact de la peau de Tomioka sur la sienne. Elle connaissait la beauté du luxe. Les voix et les notes de musique, les couleurs et les parfums qui filtraient des maisons des Français venaient caresser son esprit comme des effluves de parfums de prix. Ce n'était pas un environnement insignifiant comme celui des refrains à la mode, tels que *La Chanson des pommes* ou *Le Blues de la pluie*. Yukiko trouvait que seul un peuple aux racines profondes, sereinement installé dans le lent cours de l'histoire, pouvait se sentir fort. Il lui semblait qu'en revanche, personne n'aimait la guerre autant qu'un peuple pauvre, sans éducation et ignorant. Personne sans doute au Japon ne savait qu'il existait quelque part sur cette terre un paradis tel que l'Indochine... Elle se souvenait du slogan qui avait prévalu au Japon pendant toute la durée de la guerre : « L'ennemi, c'est le luxe[1] ! » Mais qui pouvait supporter d'être ennemi du luxe ? Entre mai et octobre, les Français montaient les uns après les autres vers le haut plateau de Lang Bian, pour échapper aux chaleurs et à l'humidité de la mousson dans les plaines. Sans aucun doute, ils avaient dû continuer à profiter de la vie là-bas, de façon plus belle et plus somptueuse encore depuis la fin de la guerre. Le haut plateau de Lang Bian, à deux cents kilomètres de Saigon, était magnifique comme un tableau. Même les Français qui ne pouvaient se permettre de loger dans les magnifiques hôtels ou résidences secondaires de Lang Bian affluaient par vagues successives vers les hauts plateaux de Nabe, Vinh ou Tam Dao, proches de Hanoi. Ces gens-là ne s'intéressaient pas le moins du monde à la guerre, ils ne pensaient qu'à profiter de la vie qu'ils avaient là-bas. Les montagnes sauvages de Lang Bian étaient aussi de merveilleux terrains de chasse pour les Français. Yukiko avait souvent croisé des véhicules de chasseurs, lors de ses promenades en compagnie de Tomioka.

La vie frugale des Japonais, entraînés à porter un regard hostile sur les autres nations, devait faire d'eux un peuple étrange quand ils se trouvaient dans le paradis de Lang Bian, et Yukiko, qui envisageait de s'installer définitivement là-bas, avait même pris l'habitude de considérer au fond d'elle-même ses compatriotes comme des étrangers.

---

1. Pour encourager la population à poursuivre un effort de guerre toujours plus exigeant. *(N.d.T.)*

37

L'histoire se répétait invariablement et donnait naissance à d'innombrables générations d'êtres. La politique répétait un nombre infini de fois la même chose, et les guerres aussi commençaient puis s'achevaient, selon un cycle sans fin... Dans le cadre de ce qu'il était convenu d'appeler la société, les hommes grouillaient sans jamais arriver à aucune compréhension permettant de mettre fin à ce cycle, vivaient et mouraient dans une répétition éternelle.

Plusieurs mois s'écoulèrent, et l'été arriva.

Fin février, Yukiko était rentrée à Shizuoka et avait revu sa famille, mais elle était aussitôt repartie à Tokyo. Elle avait quitté sa baraque d'Ikebukuro et loué à Takadanobaba le premier étage de la boutique d'un ferblantier que Haruko Shinonoi lui avait présenté. Elle n'avait toujours pas revu Tomioka. Elle vivait près de la gare et les trains faisaient souvent trembler le sol, mais le propriétaire ne lui avait pas demandé de caution et le loyer – seulement mille yens par mois – lui avait également plu. Elle avait donc transporté jusque-là sa malle en osier et ses matelas rapportés de Shizuoka. Pour la première fois depuis son retour, elle jouissait enfin d'un logement digne de ce nom. Le seul point noir était qu'elle n'avait toujours pas trouvé de travail et qu'elle était enceinte. Elle écrivit trois fois à Tomioka, et reçut une seule réponse: «Je viendrai te voir bientôt», écrivait-il, lui envoyant en même temps un mandat de cinq mille yens. Yukiko avait vendu à peu près tous les vêtements qu'elle avait rapportés de Shizuoka, ce qui lui permettait pour l'instant de s'en sortir, mais sa vie devenait de plus en plus difficile. Comme elle était en bonne santé, les nausées du début de sa grossesse furent assez légères, mais elle se tourmentait chaque jour, se demandant si elle devait ou non garder cet enfant. Elle avait envie de le garder. Mais en même temps, elle avait envie de l'ensevelir sur-le-champ. Elle passait ses journées enfermée dans sa chambre, ne sortant que pour aller aux bains publics ou faire des courses. Elle savait que si elle continuait ainsi, elle se retrouverait dans une impasse. Si vraiment elle ne savait plus quoi faire, elle pourrait toujours reprendre le projet d'Ikaho, mais elle n'était pas sûre de réussir à le mettre à exécution mieux que la dernière fois. Iba venait souvent la voir : il avait cessé de lui reprocher sa mauvaise conduite envers lui et arrivait vêtu comme un milord – avait-il trouvé récemment un emploi bien rémunéré ? Elle n'avait pas revu Joe depuis la fin de l'année précédente, avant le voyage à Ikaho. De tous ses cadeaux, il ne lui restait plus que le gros oreiller en souvenir. Elle avait vendu la radio pour pouvoir se payer le voyage jusqu'à Shizuoka.

Iba ne savait pas que Yukiko était enceinte. Yukiko n'avait pas encore vu de sage-femme et se serrait la taille avec une large étoffe de coton blanc pour cacher sa grossesse. Elle n'aurait jamais pensé pouvoir supporter autant de choses, dans son corps comme dans sa vie. Au fond d'elle-même, elle se disait qu'elle était capable de tout maintenant. Jamais elle n'aurait pensé avoir autant de force en elle. Il lui semblait qu'elle avait montré la même patience à l'époque où Kanô l'avait blessée au bras. Sa propre endurance donnait à penser à Yukiko qu'elle avait une nature frugale, mais elle savait bien aussi que si elle endurait patiemment tout cela, c'était parce qu'elle ne pouvait confier à personne la raison de son désarroi.

Un soir, après trois jours de pluie incessante, Yukiko reçut la visite de Haruko Shinonoi. Apparemment, celle-ci mentait en prétendant être dactylo à Marunouchi car, d'après la logeuse de Yukiko, elle travaillait en réalité dans un bar. Cela expliquait sa tenue vestimentaire bien trop belle pour un maigre salaire de dactylo, qui avait lors de leurs retrouvailles attiré le regard de Yukiko.

– Dis, cette guerre, elle a fait de femmes comme nous de véritables rebuts de la société..., dit en soupirant Haruko, à peine assise, tout en ôtant ses bas.

Ses bas devaient être son bien le plus précieux. Elle avait acheté quatre cents grammes de viande en chemin, comme cadeau pour Yukiko, annonça-t-elle en sortant de son sac un paquet emballé dans de l'écorce de bambou. Yukiko se sentait lourde mais se leva néanmoins pour mettre en route un *sukiyaki*[1]. Elle sortit sous la pluie pour aller jusqu'au marché acheter les oignons frais qui lui manquaient pour la préparation du plat. Haruko lui avait donné de l'argent pour les courses, et elle en profita pour acheter du pain et deux cents grammes de sucre. À son retour, elle trouva Iba, dont elle n'attendait pas la visite, en grande conversation avec Haruko.

Il lui parlait religion, ce qui mit Yukiko mal à l'aise, car elle n'avait encore jamais entendu ces mots dans la bouche d'Iba. N'importe quel être humain, disait-il, peut faire un faux pas. De naissance, expliquait-il, les êtres humains sont des animaux faits de sorte qu'ils regardent toujours le sol à leur pied, cela pour jauger l'ampleur des

---

1. Sorte de «fondue japonaise» où l'on fait cuire viande, légumes, etc., dans un bouillon à la sauce de soja. *(N.d.T.)*

trébuchements possibles. Ces derniers temps, Iba avait la bourse bien garnie grâce à son nouvel emploi : un poste à la comptabilité d'une nouvelle religion, la secte du Grand Soleil.

– Parce que des gens qui trébuchent, il y en a à la pelle. Quand on fait un faux pas, on regarde le ciel pour la première fois, et on se met à prier Dieu. La secte du Grand Soleil, dont je fais partie, vient seulement de démarrer, mais nous y vénérons le dieu de la lumière du soleil, qui éclaire de ses puissants rayons le sol au pied de ces êtres qui trébuchent. Et cet enseignement se répand de bouche à oreille, à tel point que je pense que le mouvement va dépasser en popularité la secte de Kannon d'Atami...

– Ah, bon ? Et les gens comme moi, qui ne font que trébucher tout le temps, qu'est-ce que vous en faites ?

– Ceux-là, Dieu les relève et les aide à marcher de nouveau. Ainsi qu'il est dit dans le vingt-troisième verset du chapitre quatorze de l'Épître aux Romains, tout ce qui ne repose pas sur la foi est un péché et, puisque même le christianisme reconnaît l'importance de ce fait, il n'y a pas de raison que l'enseignement de la secte du Grand Soleil, née dans l'empire du Soleil-Levant, ne puisse pénétrer les âmes des êtres souillés par le péché ! En ce moment même, nous sommes en train d'acheter un terrain à Denenchôfu pour y établir notre temple central...

– C'est une nouvelle religion comme la secte du Jikôson ?

– Non, c'est tout à fait différent. Nous n'avons pas besoin d'avoir recours à des notables, nous. Notre secte a l'intention de prospérer simplement grâce à des gens issus des classes ordinaires, pour qui le seul talisman sera le Dieu du Grand Soleil. Nous craignons que l'intervention de notables ne nous fasse trop remarquer et nous empêche au contraire de mener à bien notre mission. Trop de publicité peut avoir un effet contraire à celui souhaité, et se révéler un obstacle plus qu'autre chose.

– Mais Dieu existe-t-il vraiment ? Je me demande...

– Mais bien sûr, naturellement. Les êtres humains errent longtemps avant de trouver Dieu et de croire en lui. Mais, pour commencer, observe ce corps plein de mystère que tu possèdes ! La science aura beau faire tous les progrès possibles et imaginables, jamais elle n'aboutira à une création aussi merveilleuse que le corps humain. Dieu existe. C'est une certitude...

Le *sukiyaki* était prêt. Iba plongea lui aussi ses baguettes dans la marmite. Yukiko ne se sentait pas le moindre appétit. Elle mangea du blanc de poireaux, qu'elle aimait bien. Haruko sortit une flasque de whisky de son sac, en offrit à Iba. L'alcool le rendit encore plus loquace face à cet auditoire féminin et, tout en continuant à se servir largement de viande, il les invita à venir lui rendre visite un de ces jours au temple de la secte.

– Autrefois, il y avait un temple dans chaque quartier, chaque village, mais finalement, les temples bouddhistes se sont peu à peu spécialisés dans les services funèbres, leur activité a diminué de plus en plus et, de nos jours, ils passent pour des endroits lugubres que personne n'a envie de fréquenter... La religion chrétienne, en revanche, est bien plus animée, on se charge des cérémonies de mariage dans les églises. Des dizaines de couples se marient dans les grands magasins et les restaurants, on ne va pas laisser le monopole des mariages à ce genre de commerce. La secte du Grand Soleil a bien l'intention d'en avoir sa part. J'ai pas raison ? Une religion joyeuse, vivante, voilà ce qui attire les malheureux êtres qui trébuchent. Notre temple central va se mettre tout de suite aux cérémonies de mariage. Nous refuserons les enterrements. Dans un temple quelque part dans Tokyo, ils ont eu l'idée d'annoncer que si on venait prier le jour du Tigre, puisque cette année 1950 est l'année du Tigre selon le zodiaque, et si on tenait son registre de comptes avec un pinceau acheté au temple, on s'enrichissait rapidement; eh bien, croyez-moi, le nombre de leurs fidèles a rapidement augmenté! Moi, je dis que le moine qui a eu cette idée était drôlement futé. Il faut que tout soit gai, joyeux! Simplement dire aux gens que venir au temple va les aider à trouver un bon partenaire pour se marier, c'est un peu maigre, hein! Les religions où on fait la morale aux gens et où on leur dit juste qu'il faut aller faire leurs dévotions au temple, ça ne marche plus. Les religions qui vont fleurir désormais, ce sont celles qui s'intéresseront aux désirs humains, celles qui permettront de gagner de l'argent...

Il oublia ensuite Dieu pour passer aux techniques permettant d'utiliser les êtres humains et leur aspiration au divin. Chez tous les êtres, expliqua-t-il, le désespoir durait plus longtemps que les brefs moments de bonheur. Tous les humains trébuchaient, tous connaissaient les tourments du désespoir. Les brefs moments de joie de la vie correspondaient à l'une ou l'autre des extases procurées par les désirs des sens, et la tâche urgente des nouvelles religions était d'utiliser ce besoin d'extase pour séduire les fidèles. Les hommes et les femmes se servaient de leur argent dans le but de satisfaire leur concupiscence. Donc, si l'extase religieuse parvenait à entrer aussi dans ce cadre, rien ne rapporterait autant d'argent que la religion, poursuivit-il comme s'il parlait d'un commerce.

Il prit la main de Haruko dans la sienne et posa son oreille contre la paume.

– Vous avez les mains chaudes. Saviez-vous que l'oreille est l'organe le plus sensible pour mesurer la chaleur corporelle ? Pas besoin de thermomètre. Les gens qui ont le cœur froid ont des mains froides. L'éther subtil de l'âme se manifeste directement dans les mains. Des mains chaudes comme les vôtres dénotent un être authentique. Les gens qui ont les mains fraîches gardent leur chaleur à l'intérieur d'eux-mêmes, ce qui veut dire qu'une maladie couve en eux...

Iba ne lâchait plus la main de Haruko, la tripotant indéfiniment entre les siennes.

— Au fait, dit la jeune femme, j'ai un chagrin d'amour en ce moment et je suis plutôt déprimée. Vous prédisez l'avenir aussi ?

À ces mots, Iba posa à nouveau la paume de la jeune fille contre son oreille et la pressa contre sa joue d'un air concentré. Haruko retira vivement sa main avec un rire étouffé.

— Le Bouddha Amida, qui a fait vœu de sauver tous les êtres, ne fait pas de distinction entre jeunes et vieillards, bons et mauvais. La seule chose nécessaire pour être sauvé, c'est la foi. Il y a de grands criminels, des êtres pris dans les flammes de passions, mais le Bouddha a fait vœu de les sauver aussi. Seulement, sans la foi, rien n'est possible. Il ne faut pas se montrer sceptique et rire dès le départ comme vous le faites. Si vous voulez vous moquer, prenez au moins une fois pour voir la place de celui qui croit et essayez de croire à la secte du Grand Soleil. Que cela vous plaise ou non, je suis une personne de l'autre sexe, et là où votre main touche l'oreille de quelqu'un de l'autre sexe, là souffle l'Esprit-Saint, de manière subtile. Il faut croire, voilà, il faut croire...

Iba avait vidé à lui tout seul la moitié de la flasque de whisky et roulait des yeux vagues.

38

Le premier étage de la maison où vivait désormais Yukiko était composé de deux petites pièces, l'une de trois nattes, où dormaient les enfants du ferblantier, l'autre de quatre nattes et demie, la demi-natte étant en fait un profond placard dont on avait ôté les cloisons, et le mur de séparation consistait en un panneau de sciure de bois agglomérée. Sur la fenêtre en saillie étaient posés un réchaud et du charbon de bois pour l'alimenter, ce qui constituait le coin-cuisine. La fenêtre donnait sur un terrain vague, où croissaient pour le moment d'épaisses tiges de maïs. Yukiko avait de plus en plus de mal à assumer les gestes quotidiens : elle essaya par exemple de cirer ses chaussures, mais il lui devenait impossible d'accomplir des tâches exigeant d'être assise par terre. Les deux télégrammes qu'elle avait envoyés à Tomioka étaient restés sans réponse. Elle décida d'aller voir à son ancienne maison, à Gotanda, mais lorsqu'elle arriva devant, elle ne put que constater que la plaque sur la porte avait changé. L'homme qu'elle vit sortir lui expliqua avoir acheté la maison en mai et s'y être installé depuis.

– Mais M. Tomioka m'a laissé une carte avec sa nouvelle adresse, ajouta-t-il, je vais vous la donner.

La carte portait une adresse dans le quartier de Mishuku, arrondissement de Setagaya, aux bons soins de M. Takase : il devait louer une chambre chez quelqu'un.

Traînant son corps alourdi, Yukiko se rendit sans hésiter à l'adresse indiquée sur la carte. La maison avait un portail de pierre, plus imposant qu'elle n'aurait cru, avec un garage à côté – sans doute les propriétaires avaient-ils eu une voiture autrefois. Elle appuya sur la sonnette de l'entrée et, à sa grande surprise, ce fut Osei qui vint lui ouvrir la porte, en robe d'été toute simple. Yukiko en resta un instant le souffle coupé. Osei, l'air stupéfait elle aussi, s'écria en rougissant :

– Ça alors !

– Tiens, fit Yukiko, vous êtes donc à Tokyo ?

– Oui...

– Mais que faites-vous ici ?

– Cette maison appartient à une de mes connaissances.

– Tomioka est-il là ?

– Il est sorti, mais...

– Quels tas de mensonges, tout ça ! Drôle de type quand même... C'est bien curieux, tout ça. Bon, eh bien, je vais monter chez lui attendre son retour...

Osei se taisait. Yukiko tremblait de tous ses membres. Elle ne savait plus très bien ce qu'elle disait.

– Il est retourné chez sa femme, dit alors Osei. Depuis hier. Aussi je pense qu'il ne reviendra pas avant plusieurs jours... C'est que sa femme a des soucis de santé...

– Ah, vraiment ? Eh bien, c'est encore mieux. Moi aussi, j'ai des soucis de santé. Je vais me reposer tranquillement chez lui jusqu'à ce qu'il revienne.

Osei parut embarrassée. Yukiko jeta un coup d'œil sur le vestibule derrière elle. Plusieurs ménages semblaient occuper la maison : il y avait là un scooter pour enfant, une poussette. Osei, l'air têtu, ne bougeait pas de l'entrée. Mais Yukiko lui faisait face avec tout autant d'obstination.

– Je peux aussi attendre dans l'entrée. Comme ça, j'expliquerai la situation aux habitants de cette maison, ils me laisseront bien l'attendre, eux.

Osei céda d'un air las et conduisit Yukiko au premier étage. La chambre, au bout d'un vaste couloir, comptait huit nattes de jonc étalées sur un plancher. Il y avait un lit tout simple dans un coin, avec deux petits oreillers alignés côte à côte. Au mur étaient suspendus une veste en soie violette non doublée, appartenant à Osei, une combinaison, ainsi qu'un kimono de nuit appartenant à Tomioka. Sur la fenêtre vitrée à deux battants était posée une petite coiffeuse en laque rouge avec un miroir. Il y avait également une table et un buffet tout neufs. Yukiko comprit tout instantanément et sentit une colère noire monter en elle. C'était donc ça ! se disait-elle. Tomioka était effectivement absent, il n'y avait rien d'autre comme affaires d'homme dans cette pièce, hormis ses vêtements.

– Depuis quand vivez-vous ensemble ?

– Comment ça, depuis quand ? C'est chez moi ici. Tomioka est parti en province, il n'avait plus de pied-à-terre à Tokyo. Il dort ici quand il vient dans la capitale, mais moi je dors au rez-de-chaussée...

– Pied-à-terre, hein ? Pied-à-terre, dites-vous... Vous aviez un mari à Ikaho, qu'est-il devenu ?

– Nous sommes séparés...

– Ah bon. Comme c'est commode, n'est-ce pas ?

Le soir tombait déjà, on entendait les enfants jouer dans le couloir au rez-de-chaussée. Osei s'était assise sans répondre sur le lit. Yukiko, silencieuse elle aussi, s'assit au bord de la fenêtre en saillie. Soudain, Osei sortit dans le couloir comme si elle venait de se rappeler brusquement une course urgente. Yukiko jeta un regard circulaire sur la pièce. Elle n'en revenait pas et se demandait quelle occasion Osei avait pu saisir pour arriver à se mettre ainsi en ménage avec Tomioka. Les deux tasses à thé posées sur la table, le parapluie d'homme dans un coin de la pièce : petit à petit, elle remarquait différents objets appartenant à Tomioka. Osei ne revenait toujours pas. Yukiko sortit à son tour dans le couloir et interpella un des enfants d'environ sept ans qui y jouait :

– Dis, le monsieur qui habite là-haut, il travaille ?

– Hmm.

– Mais il revient le soir, non ?

– Hmm.

– Vers quelle heure il rentre, d'habitude ?

– Il va revenir bientôt...

– Tu sais où il travaille ?

– J'sais pas.

– Vous êtes nombreux à habiter ici ?

– Hmm.

La maison devait être divisée en différents appartements, conclut Yukiko. Elle retourna dans la chambre, inspecta tous les éléments un à un avec un regard froid d'huissier. Il y avait une valise et une malle en osier sous le lit. Deux serviettes pendaient dans un coin de la pièce, au bout d'un fil de fer qui descendait du plafond passé à la chaux. Derrière le lit étaient empilés une vingtaine d'ouvrages de sylviculture. Sur le dessus du tas était posée une brochure en français, traitant des zones de forêts primaires et émanant de l'Inspection générale de l'agriculture et des forêts de Lang Bian. Yukiko se souvenait avoir déjà vu ce document, rédigé par M. Daviault du bureau des Eaux et Forêts. À peine Yukiko l'eut-elle soulevé qu'une profonde nostalgie l'envahit à la vue des photos des magnifiques forêts indochinoises. Chacun de ces clichés lui rappelait un souvenir, et les larmes se mirent spontanément à rouler sur ses joues. Son regard s'attarda particulièrement sur une photo où l'on voyait les résidences secondaires du haut plateau de Lang Bian, entourées de mimosas et de bougainvillées. Ce paysage grandiose, avec le lac au premier plan, encadré par les monts Lang Bian, offrait une indicible consolation au cœur de Yukiko en cet instant. À l'époque où elle vivait là-bas, jamais elle n'aurait imaginé la situation lamentable dans laquelle elle se trouvait aujourd'hui… Les alentours devenaient sombres et Osei n'était toujours pas réapparue. Peut-être était-elle allée téléphoner à Tomioka ? Par la fenêtre ouverte, Yukiko jeta un regard vers le ciel lourd que le crépuscule teignait de rouge, puis essuya ses larmes. Elle mit la brochure de Daviault dans son sac à main, dans l'intention de l'emporter en souvenir, et sortit dans le couloir. Elle n'avait plus aucune envie de voir Tomioka ni Osei.

Sa décision était prise.

Ils auraient dû mourir ensemble à Ikaho. Cela ne servait à rien de le haïr maintenant. Elle enfila ses chaussures, sortit dans le jardin mais, devant le portail de l'entrée, elle croisa un homme qui arrivait en sens inverse.

Tomioka ! Il parut un instant déconcerté puis, en regardant Yukiko debout devant lui, silencieuse, les yeux rougis et gonflés par les larmes, il parut se résigner d'un coup à la situation et lui demanda tranquillement :

– Depuis quand es-tu là ?

– J'ai vu Osei, tu sais…

Sur ces mots, Yukiko s'écarta de Tomioka d'un air absent et franchit le portail. Tomioka fit demi-tour et la suivit.

– Hé !

Elle ne se retourna pas.

– Hé ! Il faut que je te parle !

Yukiko se moquait de tout maintenant. Cela ne l'avancerait à rien d'entendre de la bouche de Tomioka le récit de sa liaison avec Osei. Il lui semblait que ce qu'elle vivait en ce moment était la revanche de Kanô. Il avait beau être un homme, il avait dû ressentir à l'époque exactement la même chose qu'elle en ce moment. Elle l'avait laissé lui avouer sa passion pour elle et même l'embrasser en tremblant, alors même qu'elle avait des rendez-vous secrets avec Tomioka : elle comprenait maintenant toute l'étendue de sa propre rouerie. Elle comprenait maintenant que Kanô avait eu les mêmes raisons qu'elle aujourd'hui de se laisser emporter par une rage folle, jusqu'à brandir un sabre contre elle.

– Je ne t'ai pas oubliée, je pense à toi tous les jours. Je voulais faire quelque chose pour toi. Osei m'a séduit de force, je me suis laissé entraîner...

– Ne te fatigue pas, va...

– Mais si. Écoute, je me suis mal conduit. Je suis prêt à assumer ma responsabilité.

– Ah, vraiment ?...

Yukiko marchait en direction inverse de la gare de Meguro. Des nuées de petits moucherons volaient dans les herbes sombres au milieu des ruines. C'était cette heure entre chien et loup où le soir a la même lumière que l'aube. Une large route traversait les décombres, parmi lesquels commençaient à se dresser ici et là des maisons neuves.

– C'est pour octobre, c'est ça ?

– Quoi donc ?

– La naissance, voyons...

– Ah, oui, du moins si je mets ce bébé au monde. Mais j'ai l'intention d'aller dès demain voir un gynécologue pour me faire avorter.

Tomioka ne répondit rien. Yukiko comprenait que tant que l'on était vivant, on ne pouvait empêcher les passions humaines de se déchaîner. Elle en venait presque à souhaiter, même si le Dieu de la secte du Grand Soleil était utilisé pour des raisons mercantiles, s'enfermer dans un lieu de retraite comme celui-là pour prier Dieu à genoux. Tomioka ignorait ce qu'Osei avait bien pu dire à Yukiko à propos de leur relation mais, connaissant le caractère obstiné d'Osei, nul doute qu'elle avait dû lui tenir tête opiniâtrement.

– Tu dois me détester, hein ?

– Oui, répondit nettement Yukiko.

– Mets cet enfant au monde, je t'en prie. Je le prendrai avec moi dès sa naissance... J'avais l'intention de tout t'avouer à propos d'Osei.

– Elle m'a dit qu'elle avait quitté son mari.

– En fait, cette chambre, c'est chez elle. Mon séjour, qui devait être temporaire, s'est prolongé, de fil en aiguille, mais c'est une chambre qu'elle loue, elle. Je suis tombé par hasard sur elle au mois de mai à la gare de Shinjuku, elle m'a entraîné jusqu'ici et puis, naturellement, j'ai fini par m'installer. Tu m'as écrit de Shizuoka, et puis tu m'as écrit que tu étais rentrée et que tu avais trouvé un nouvel appartement, j'ai eu de tes nouvelles régulièrement mais je me disais que ça ne nous mènerait nulle part de nous revoir, c'est pour ça que je me suis contenté de t'envoyer de l'argent. Après la vente de ma maison, j'ai envoyé ma famille à la campagne, et puis j'ai dû emmener ma femme à l'hôpital, j'ai trouvé tant bien que mal un travail, je ne savais tellement plus où j'en étais, et je n'ai pas pu résister à la séduction d'Osei...

Cela ne servait à rien de se justifier de la sorte maintenant. Cette rencontre était parfaitement inutile.

Ils passaient devant un café dans une baraque en planches et Tomioka y entraîna Yukiko. Il y avait au fond de la boutique une grosse boîte de *ice-candy* peinte en bleu, devant laquelle se tenait une mère accompagnée de ses enfants, qui les regarda avec curiosité.

Yukiko, épuisée, s'assit sur une des chaises branlantes. Elle se sentait au bout du rouleau, physiquement et mentalement, et avait les jambes gourdes, comme des bâtons.

39

Tomioka sortit un paquet de cigarettes de sa poche et en alluma une, tout en regardant fixement Yukiko. Elle avait vraiment mauvaise mine. Il commanda deux sodas. Yukiko, appuyée contre le mur en planches, fermait les yeux, la tête vide de toute pensée. En revanche, les images d'un certain jour à Lang Bian, où elle était debout sur le plongeoir blanc du lac, flottaient devant ses yeux. Tomioka, torse nu, seulement vêtu d'un caleçon de bain, nageait dans les eaux jaunes ; les clameurs d'un match de rugby, provenant d'un studio du voisinage, résonnaient encore à son oreille. Quand elle restait ainsi immobile, elle éprouvait la même fatigue qu'alors, après avoir nagé.

Tomioka souffla lentement la fumée en disant :

– Écoute, je sais que tu dois te dire un tas de choses en ce moment mais j'ignore comment on en est arrivé là. Je suis prêt à réparer, de n'importe quelle manière. Je suis sûr que toi, au moins, tu peux tout comprendre.

– Alors, il s'était bien passé quelque chose entre toi et Osei à Ikaho ?

Tomioka ne répondit pas.

– C'est mal ce que tu as fait.

Tout en prononçant ces mots, Yukiko se demandait à elle-même comment qualifier sa propre conduite. Sa liaison avec Joe n'avait guère duré, mais elle avait bel et bien eu lieu. Elle ne pouvait pas spécialement reprocher sa conduite à Tomioka. Les êtres humains ne peuvent s'empêcher de tendre la main vers quelqu'un pour combler le vide insupportable de leur cœur à certains moments. Sa relation pourrie avec Iba autrefois, c'était aussi une sorte de vide intérieur qui l'avait amenée à l'entretenir.

Elle avait fait la même chose que Tomioka. Simplement, elle n'avait pas eu conscience de mal se conduire.

– Évidemment, je peux comprendre, mais j'ai été surprise... Je n'avais pas oublié que j'avais vu Osei pleurer à l'arrêt de cars d'Ikaho lors de notre départ, mais je ne voulais pas croire que tes sentiments... J'étais trop sûre de moi. Enfin, c'est comme ça, je n'y peux rien. On n'y peut rien. Ce n'est pas parce que je suis fâchée à cause de ça que je veux faire passer cet enfant. Ça fait un moment que je me dis : je vais le faire, oui, je vais le faire un de ces jours... Et aujourd'hui, je me suis vraiment décidée. Il faut que je devienne forte... Par rapport à tout ce que j'ai enduré, jour après jour, ce n'est pas grand-chose de me faire avorter. Je veux pouvoir me sentir légère à nouveau pour me remettre à travailler... Tu ne crois pas que si notre enfant à nous deux venait au monde, il ne pourrait être que malheureux ? Même si tu le prenais avec toi pour l'élever, tu ne pourrais rien faire pour lui, et moi, je suis tellement dans la gêne que je ne pourrais pas lever le petit doigt pour subvenir à ses besoins. Mon idée en venant te voir, c'était de bien discuter d'abord de tout ça avec toi, t'expliquer les raisons de ma décision, et puis ensuite le faire. Que tu sois ou non avec Osei, ça m'est bien égal... Si c'est la vie qui te convient. Elle semble t'aimer vraiment... Et ta femme, de quoi souffre-t-elle ?

– La poitrine...

– Elle va vraiment très mal ?

– Si elle pouvait se reposer suffisamment longtemps, ça aiderait sans doute...

– Tu vas vivre des moments difficiles toi aussi. Tu as trouvé du travail, il paraît ?

– Oui, dans une fabrique de savon que dirige un ami à moi, ce n'est pas très brillant, mais... Enfin, cet ami veille à ce que tout se passe bien pour moi, pour l'instant, je suis assez gâté.

Tout en aspirant goulûment le soda avec sa paille rouge, Tomioka contemplait les jolies mains de Yukiko. Elles avaient l'air toutes douces. Yukiko lui faisait de la peine, mais quand il pensait à Osei, il la trouvait elle aussi digne de pitié.

– Je n'ai encore jamais eu d'enfant, j'aimerais tant que celui-ci naisse. Avec Osei, cette situation ne durera pas longtemps, tu sais ; dès que j'aurai trouvé une maison, je déménage, et voilà. La façon dont elle a quitté son mari n'était pas jolie jolie, et cet appartement est une sorte de refuge secret pour elle. Son mari ignore pour l'instant où elle se trouve. Moi je trouve ça plutôt gênant, et les gens de cette maison aussi me considèrent d'un œil ambigu.

– Et Osei, de quoi vit-elle ?

– Elle est serveuse dans un bar à Shinjuku, mais ça fait deux ou trois jours qu'elle est en congé, à cause d'une rage de dents.

– Elle est très amoureuse de toi. Est-ce que tu ne vas pas plutôt passer le restant de tes jours avec elle ? Vous serez plus forts ensemble. Loin des yeux, loin du cœur, comme on dit... C'est comme nos souvenirs d'Indochine, ça semble un lointain passé maintenant ; j'ai tout oublié, je n'en rêve même plus, toi aussi, non ? C'est comme ça.

– Si, moi j'en rêve encore de temps en temps. Quand je pense à toi, les souvenirs de Dalat me reviennent et me rendent mélancolique à un point...

– En janvier, je suis allée rendre visite à Kanô. Tu sais, je te l'avais écrit dans une lettre...

– Ah oui, je savais. Ce pauvre Kanô, c'est dur pour lui aussi, je le plains...

– Il s'est bien assagi, mais il a beaucoup maigri, il n'était pas en bonne santé...

– Il était très patriote. Un type entier, honnête.

– Oui, ce n'était pas un roué comme nous...

Ils sortirent du café, marchèrent à nouveau au hasard des rues, mais la nuit était complètement tombée et un vent froid soufflait. Tomioka continuait à suivre Yukiko, apparemment sans intention de rentrer chez Osei.

Il enleva sa veste, la jeta sur une épaule et continua à avancer en traînant les pieds.

– Tu dois être fatigué ?

– Non, mais j'ai des ampoules qui suintent, ça me fait mal.

– Tout de même, quand on marche comme ça tous les deux, on croirait qu'on est de la même famille, non ? Au fond de toi, c'est sûrement Osei qui compte pour toi, bien plus que moi, mais je suis libre de penser à toi comme si on était parents, hein. Tu ris ?

– Il n'y a pas de quoi rire. Plutôt qu'à Osei, c'est à son mari que je pense. Je me suis mal conduit envers lui, tous les jours, je traîne mon boulet comme un criminel. Je n'avais pas de mauvaises intentions, mais je me suis laissé entraîner par Osei ; elle est forte, tu sais.

– C'est peut-être avec elle que tu vas finir par te suicider, non ? S'il arrivait quelque chose, elle serait capable d'avaler du poison, elle.

Tomioka se disait la même chose. Yukiko avait vu juste. Il savait qu'à cause d'Osei, sa vie à lui sombrait de jour en jour vers le fond.

– On se dispute tous les jours...

– Pourquoi ça ?

– Parce que je ne veux pas la suivre exactement dans ses projets. C'est une femme inculte, elle ne sait vraiment rien, mais elle est formidablement intuitive. Une fois qu'elle est persuadée de quelque chose, il est impossible de la faire revenir en arrière.

– Alors, ce soir aussi, vous allez avoir une dispute.

– Bah, cessons de parler de ça. Je viendrai te voir dimanche prochain. Attends jusque-là pour l'enfant. Ça m'a soulagé de voir que tu comprenais ce que je ressens, contre toute attente. Je me sens bien mieux maintenant. Tu dois te faire du souci à propos d'Osei, mais j'ai l'intention de mettre les choses au clair avec elle dans un proche avenir.

– Ce n'est pas la peine de te mettre à parler tout d'un coup comme un petit garçon qui regrette ses bêtises. Je laisse les choses aller leur cours. À vrai dire, moi, je suis complètement au bout du rouleau. Et je ne dis pas ça pour te menacer... Tu comprends ?

Ils marchèrent ensemble jusqu'à la passerelle du chemin de fer, restèrent debout dessus un moment, adossés à la rambarde de pierre blanche. Au-dessous, les trains passaient dans un vacarme assourdissant.

40

Dix jours passèrent.

Prenant son courage à deux mains, Yukiko se rendit chez un petit gynécologue du quartier et se fit examiner. Pour se faire avorter, il fallait disposer d'au moins cinq ou six mille yens.

Depuis sa séparation d'avec Tomioka, plus les jours passaient, plus sa colère contre lui s'intensifiait. Il voulait qu'elle mette cet enfant au monde, mais il était incapable de lui apporter l'aide dont elle aurait forcément besoin pour cela. Lors de leurs rencontres, elle refusait de voir qu'ils se mentaient mutuellement, elle ne voulait pas analyser leur relation en profondeur, ni prendre véritablement conscience des choses, mais seulement se noyer dans la douceur d'être de nouveau auprès de lui.

Elle l'avait percé à jour.

Les jours passant, sa haine contre lui se faisait de plus en plus intense. Comment pourrait-elle mettre au monde l'enfant d'un homme sans cœur à ce point ? Mue par un état d'esprit rancunier, elle décida de tout confier à Iba et de lui demander de l'aide à lui. Dès que son corps aurait retrouvé sa légèreté, elle pourrait travailler et lui rembourser l'argent qu'il lui aurait avancé. Après avoir écouté sa confession, il lui répondit que si elle était vraiment résolue à avorter, il lui donnerait l'argent nécessaire ; mais quand elle irait mieux, ne viendrait-elle pas le seconder dans le groupe religieux où il travaillait ?

Il avait besoin d'une secrétaire, dit-il, et mieux valait quelqu'un qui le comprenait plutôt qu'une totale étrangère.

Deux ou trois jours plus tard, Iba vint lui apporter dix mille yens. Yukiko était prête à travailler avec Iba dans la nouvelle secte, elle ferait n'importe quoi dès qu'elle serait rétablie. Elle voulait être débarrassée de cet enfant et oublier Tomioka en même temps, tout balayer, pour retourner à une vie qui lui ressemblerait davantage.

Yukiko séjourna une semaine à la clinique de gynécologie. Deux ou trois femmes, dépositaires du même secret qu'elle, venaient chaque jour voir le médecin. Elle partageait une petite chambre avec deux autres femmes dans le même cas. Après le curetage, Yukiko crut vivre l'enfer. Elle ne pouvait oublier la sensation d'étouffement qu'elle avait ressentie lorsque la boule de chair et de sang informe sortie d'elle avait traversé son champ de vision. Iba lui rendit visite au bout de deux jours, mais la seule question qu'il lui posa fut pour s'informer de la date à laquelle elle pourrait à nouveau se lever et venir l'aider. Elle était physiquement très affaiblie. Iba paraissait complètement embrigadé dans la secte du Grand Soleil, où il cumulait à présent les fonctions de comptable et de responsable du budget de construction. L'argent coulait à flots, affirma-t-il d'un air fanfaron.

Les femmes qui partageaient la chambre de Yukiko avaient fini par dresser l'oreille à ce qu'il racontait.

L'une, Shimo Otsu, une quadragénaire qui occupait un lit près du mur, intervint tout à coup dans la conversation :

– Ne pourrais-je pas faire partie des fidèles, moi aussi ?

Elle devait quitter la clinique le lendemain et avait confié à Yukiko avoir fait passer un enfant qu'elle avait conçu avec un vieillard marié. Elle n'avait pas dit mot de sa profession, mais d'après Mlle Makita, l'infirmière, elle était institutrice dans une école primaire du côté de Chiba.

C'était une femme carrée, au teint foncé, aux os larges, qui ne paraissait pas du genre à se faire entretenir par un homme marié.

– Votre nouvelle religion, est-ce un homme qui l'a fondée ? s'enquit-elle.

Iba répondit en souriant :

– Naturellement, c'est un homme, et un homme remarquable. Très jeune, il a pratiqué l'ascèse en Inde et a développé une vaste clairvoyance. À l'issue de nombreuses épreuves, il est parvenu jusqu'au Japon afin d'apporter enfin la lumière dans le désert. Il a longtemps fait partie de l'armée de terre et s'est forgé une grande réputation de courage en Malaisie et en Birmanie. C'est un homme qu'en d'autres temps, nous n'aurions même pas pu approcher, vous et moi. Venez donc le voir à l'occasion. Vous verrez, il effacera tous vos tourments.

– Tiens, alors ce fondateur était un militaire à l'origine ?

– Mais oui. Un militaire qui a été chassé de l'armée, c'est ça qui est intéressant, répondit Iba un ton plus bas. Les gens qui ont été dans l'armée sont habitués à rassembler tout le monde sous leurs ordres. Dans la cohue, seul compte le cri autoritaire qui ordonne !

« Je vais bientôt pouvoir m'acheter une voiture, poursuivit-il. J'ai la charge de tout, absolument tout, c'est comme si je tenais le fondateur à la gorge...

– Quel âge a-t-il ?

– Soixante et un, soixante-deux ans peut-être. C'est un homme remarquable, qui a eu des relations avec une centaine de femmes. C'est la vitalité des plantes, qui se tournent vers le soleil quel que soit le lieu où elles poussent, qui l'a incité à appeler sa religion secte du Grand Soleil. Le nombre de fidèles atteint actuellement les cent mille, et il pourrait bien augmenter à l'infini. Se faire remarquer tout en restant discret, tel est le principe de base du fondateur.

Yukiko trouvait le changement total de personnalité d'Iba vaguement inquiétant : il était comme possédé. Il paraissait se soucier comme d'une guigne de ce qui s'était passé avec Tomioka. Tout ce qu'il voulait, apparemment, c'était embaucher son ancienne maîtresse pour être sûr d'avoir une secrétaire de confiance.

Shimo Otsu, qui semblait réfléchir depuis un moment, enfila une veste par-dessus sa robe de chambre, s'assit sur le matelas et déclara à Iba :

— À vrai dire, je suis originaire de Chiba, mais j'ai de bonnes raisons de ne pas vouloir y retourner pour le moment. Supposons que je sois admise comme fidèle de votre secte et que je suive vos pratiques, combien d'argent me faudrait-il verser pour avoir l'autorisation de devenir missionnaire à mon tour ?

Iba répondit en fumant une cigarette étrangère avec force grimaces :

— Eh bien, au début on prie les fidèles de bien vouloir verser trois cents yens, mais si vous demandez un poste de missionnaire, vous êtes censée nous verser mille yens de garantie dès le départ. Au bout de six mois, vous aurez la permission de faire un travail de propagation de la foi. Pour les frais quotidiens, le règlement veut que vous nous versiez ce que vous voulez comme frais de retraite, et on en reparle au moment où vous obtenez votre permis de missionnaire.

Shimo Otsu affirma qu'elle viendrait faire une retraite à la secte du Grand Soleil et se fit noter l'adresse par Iba. Curieusement, celui-ci fit remarquer qu'il ne comptait pas faire imprimer de cartes de visite pour le moment,

après quoi il ajouta, sans paraître s'intéresser spécialement au cas de Shimo Otsu :

– Enfin, devenir missionnaire, à la différence des
fidèles ordinaires, ça représente un investissement à vie,
qui nécessite donc beaucoup d'argent.

– Ah, pour ça, j'ai quelqu'un sur qui compter. Si j'arrive
à disparaître de la circulation pendant un an tout rond,
il me versera tout l'argent que je voudrai. C'est une personne qui a une position importante, il m'a promis de
faire en sorte que je ne sois pas dans le besoin jusqu'à
ce que je sois tirée d'affaire.

– Oh, il a une position importante ? fit Iba avec une
déférence soudaine. Eh bien, si vous avez le soutien
d'une personne importante, vous êtes bienvenue dans la
secte du Grand Soleil. Il ne s'agit absolument pas d'une
de ces nouvelles religions aberrantes qu'on voit fleurir
actuellement. Nous ne cherchons pas à séduire en prétendant guérir les maladies. La science a progressé, n'est-
ce pas, qui peut prétendre de nos jours que la religion
guérit les maladies ? La secte du Grand Soleil est née du
souhait de guérir les maladies de l'esprit de l'homme. Les
médecins examinent le corps physique, mais aucun
n'examine l'esprit. En outre, cette religion, empreinte
d'un joyeux optimisme sur les temps à venir, nous
conduit vers la richesse... Si vous bénéficiez du soutien
d'une personne importante, je m'occuperai personnelle-
ment de vous et vous traiterai avec plus d'égards qu'une
fidèle ordinaire... Le fondateur n'aime guère rencontrer
les gens, il me délègue tout, vous savez...

41

Le jour où elle sortit enfin de l'hôpital, Yukiko jetait un vague coup d'œil au journal, dans la salle d'attente, au moment de régler ses frais, quand son regard tomba sur un petit article qui la frappa :

« Le 12, vers 10 h 40, au domicile des Iikura situé dans l'arrondissement de Shinagawa-Nord, Seikichi Mukai (48 ans) ancien restaurateur, s'est rendu au domicile de sa maîtresse Osei Tani (21 ans) et l'a étranglée à l'aide d'une serviette, après quoi il est allé se dénoncer au poste de police de Daiba. D'après les résultats de l'enquête du commissariat de Shinagawa, Mukai avait vécu avec la dénommée Osei à la station thermale d'Ikaho, où il était propriétaire d'un bar. Osei Tani était montée à Tokyo rejoindre son amant, un dénommé Tomioka. Mukai s'était rendu à Tokyo à son tour pour la convaincre de revenir mais, devant le refus d'Osei, il l'a menacée sur la voie publique alors qu'elle se rendait aux bains publics, puis l'a entraînée dans sa chambre et lui a demandé à nouveau de renouer avec lui. Une dispute a éclaté, il l'a étranglée avec une serviette sur un coup de tête, puis a été se dénoncer aussitôt. Sur les photos ci-contre, on peut voir l'assassin et sa victime. »

Yukiko relut l'article : aucun doute, il s'agissait bien d'Osei. On la voyait sur la photo, morte, coiffée d'un chignon à la japonaise. L'assassin baissait la tête.

Figée sur la dure chaise d'hôpital, Yukiko lut à nouveau l'article. Osei, au caractère si obstiné, avait donc fini étranglée par son mari ! Yukiko ne pouvait s'empêcher de sentir là le mystérieux effet du destin.

Cela lui parut être une bonne leçon pour Tomioka ; elle comprenait à présent pourquoi il avait l'air si mal à l'aise quand elle lui avait rendu visite à Mishuku. Que pouvait-il bien faire à présent ? Si à ce moment-là, elle avait voulu tuer Tomioka, elle aurait pu sauter avec lui d'en haut du pont de chemin de fer.

Désormais, Tomioka ne serait sans doute jamais libéré du fantôme d'Osei. Mais il n'était pas le seul à avoir été complètement détruit après son retour au Japon. Kanô, lui aussi, avait sombré dans une profonde misère.

Cette nuit-là, Yukiko dormit chez elle, pour la première fois depuis longtemps. Elle était épuisée, comme si elle rentrait d'un long voyage. Tout en écoutant le léger bruissement des feuilles de maïs et le chant des cigales sous ses fenêtres, elle pensait à la pièce où vivait Tomioka, à Mishuku. Dans un demi-sommeil, des souvenirs d'Ikaho lui traversaient l'esprit, comme des rêves éveillés ; elle avait du mal à s'endormir, elle étouffait. Et, pourtant, se délivrer de cette horrible boule de chair poisseuse était une véritable mue pour elle. À présent, elle voulait travailler et ne plus dépendre de personne, ne plus s'occuper que d'elle, sans voir qui que ce soit.

Elle n'éprouvait pas le moindre atome de compassion pour la morte : le caractère buté d'Osei, sa façon de vivre représentaient ce qu'elle détestait le plus au monde, et elle haïssait aussi Tomioka pour sa faiblesse et sa complaisance à vivre avec une telle femme. Les jours passant, elle finit par ressentir une haine féroce pour Tomioka et Osei, assassinée par son mari. Elle aurait pu leur cracher dessus de mépris.

Son état physique, cependant, ne s'améliorait guère. Iba, impatient qu'elle commence à travailler, vint la chercher au bout de quatre ou cinq jours mais, la voyant toute pâle, il n'osa pas insister pour qu'elle se mette rapidement à la tâche.

– Qu'est-ce que tu as ? Tu es sacrément affaiblie, dis donc. Secoue-toi un peu. C'est l'énergie spirituelle qui compte. Vivre ou mourir, seule l'énergie spirituelle détermine ce qui l'emporte. Décidément, tu as bien changé depuis ton retour d'Indochine. Il faut que tu te secoues : pomponne-toi un peu, sors t'amuser... À propos, ta voisine de chambre, Shimo Otsu, c'est ça ? Eh bien, elle est venue nous voir, et elle fait une retraite chez nous depuis trois jours. C'est une recrue très prometteuse : elle a du bagout, elle possède un petit magot. Elle se maquille, elle est pleine d'entrain. C'est une enseignante, issue d'une famille de marchands de miso. Quand une femme commence à prendre de l'âge, elle se met à réfléchir à son avenir, le fondateur m'a dit que j'avais fait une bonne trouvaille.

Iba portait des vêtements noirs flambant neufs et arborait un insigne représentant un tournesol, accroché sur son torse.

– Je ne peux pas le dire trop haut mais, tu sais, le commerce qui marche le mieux à notre époque, c'est la religion. La religion, c'est la seule voie de salut ! C'est presque drôle de voir le nombre de gens dans le doute qui viennent nous voir, grâce au bouche à oreille. Nous avons des magasins dans les environs du temple, et à la gare il y a un plan pour venir jusque chez nous. C'est drôle, tu verrais ! Tout le monde donne son argent de bonne grâce. Personne ne rechigne à donner de l'argent : c'est ça, la force de la religion. J'ai vendu la maison de Saginomiya et j'en ai acheté une autre, magnifique, à Ikegami ; c'est là que je vis, avec le fondateur et ma famille. Elle m'a coûté trois millions cinq cent mille yens, elle est vieille, hein, mais il y a deux cent soixante mètres carrés de surface habitable et mille six cents mètres carrés de terrain, avec un étang et des collines.

– Dieu te punira tôt ou tard.

– Dieu ? Mais Dieu n'abandonne pas ceux qui ont de la chance. Ceux qui ne savent pas attraper la chance au vol n'intéressent pas Dieu. Tu sais, je crois bien que je suis amoureux de toi, Yuki. J'achèterai une petite maison pour toi d'ici quelque temps. Après tout, je suis ton premier homme, ça ne s'oublie pas, ça.

Yukiko éprouvait une sensation désagréable.

– Arrête de parler de ça. Tu as beau essayer de me rouler dans la farine avec tes histoires, je ne me laisserai plus jamais avoir par un homme. Les femmes aussi commencent à comprendre le monde, avec l'âge. J'en ai plus qu'assez de remuer le passé. Je ne ressens absolument rien pour toi.

Iba sourit. Le visage de Yukiko, qui n'était pas maquillé, était très pâle, mais il s'en dégageait une féminité et une séduction bien différentes de son ancienne naïveté de jeune fille.

– Je ne dis pas ça pour profiter de toi. Je ne veux que ton bonheur, c'est pour ça que je te dis les choses comme ça, de façon déguisée. Il vaut mieux ne pas trop chercher l'idéal, tu sais. Tu as dû bien observer le monde, en comprendre les bonheurs et les souffrances. Tu dois savoir maintenant qu'on ne peut guère se fier à l'amour ni à l'état amoureux. C'est vrai pour les hommes comme pour les femmes. Non, le paradis et l'enfer de ce monde dépendent uniquement de la richesse, et de rien d'autre. J'ai fait du chemin, moi aussi, et j'ai bien compris toute l'importance de l'argent. J'ai rattrapé mon retard d'après la défaite, jamais je ne m'étais senti autant déprimé qu'à ce moment-là, mais l'Iba d'aujourd'hui est bien différent. J'ai senti la nécessité d'engranger autant d'argent que possible, tant que la conjoncture est favorable pour ça. Le fondateur dit la même chose.

Sur ces mots, Iba déposa une enveloppe pleine d'argent sur la table et s'en alla précipitamment. Yukiko ouvrit l'enveloppe : elle contenait dix mille yens en liasses de billets de cent yens tout neufs. En tenant ces billets encore tout craquants entre ses doigts, elle se trouva pitoyable, elle qui n'avait jamais tenu que des billets tout chiffonnés dans ses mains. Ceux-ci, tout frais sortis de la banque, lui paraissaient infiniment attrayants et elle resta rêveuse un moment, pensant à la vigueur et à l'énergie d'Iba.

L'idée de se faire offrir une petite maison par Iba, tout en continuant à voir Tomioka de temps à autre, était tentante. Mais elle ne s'y arrêta que le temps d'un moment de faiblesse, après quoi sa violente jalousie envers Tomioka reprit le dessus.

Elle n'avait envie ni de compter sur Iba, ni de faire partie des fidèles de la secte du Grand Soleil.

À quelque temps de là, elle reçut un courrier venant du domicile de Kanô. C'était un faire-part de décès, rédigé d'une écriture féminine.

« Ainsi, cela a fini par arriver », songea-t-elle, en relisant le message de la mère de Kanô. Elle annonçait que la cérémonie funèbre aurait lieu selon le culte catholique, pour respecter les dernières volontés du défunt. Yukiko trouva cela étrange qu'un homme comme Kanô, autrefois nationaliste au point de croire que le Japon ne pouvait perdre la guerre, eût à sa mort de modestes funérailles catholiques. Il lui semblait qu'en fin de compte Kanô avait été victime de cette guerre. Elle eut envie d'envoyer une gentille lettre de condoléances à sa mère, puis y renonça par paresse.

Elle n'avait aucune nouvelle de Tomioka depuis qu'elle avait appris la mort d'Osei par les journaux. Où était-il passé ? se demandait-elle, inquiète. Peut-être avait-il quitté Mishuku ?

Chaque jour, à un moment ou l'autre, elle pensait à Tomioka. Le fait que cet homme continue à occuper ainsi ses pensées, n'était-ce pas la preuve qu'elle l'aimait vraiment ? Iba lançait des affirmations gratuites telles que : « Le véritable amour n'existe pas en ce monde », mais peut-être pouvait-il dire cela parce que sa vie à lui reposait uniquement sur l'argent ? Elle, pour sa part, ne pouvait croire que Tomioka l'ait oubliée complètement à cause de cet assassinat sordide. Il disait avoir trouvé un emploi dans une fabrique de savon, mais elle aurait aimé qu'il reprenne son poste au ministère de l'Agriculture et des Forêts et qu'il trouve une place n'importe où, en montagne, dans un bureau des Eaux et Forêts. Là, rêvait-elle, ils pourraient se marier discrètement tous les deux. Elle alla chercher la brochure sur l'Indochine qu'elle avait subtilisée dans la chambre d'Osei à Mishuku et la regarda. Il était impensable, se dit-elle, que Tomioka disparaisse ainsi de sa vie comme s'il n'avait été qu'un simple passant.

Prenant son courage à deux mains, elle lui écrivit une lettre :

« J'ai appris la mort d'Osei par le journal. Je ne peux m'empêcher de penser que vous avez été tous deux le jouet d'un étrange destin. Cela a dû être dur pour toi.

« Que deviens-tu ?

« Pendant un temps, j'étais en colère contre toi et je t'ai haï, mais à présent je crois qu'à part moi aucune femme ne peut te consoler.

« Tu n'es sans doute pas au courant, mais je dois t'annoncer que Kanô est décédé le 22 de ce mois. Sa mère m'a écrit qu'il avait été enterré selon le culte catholique. Quand j'y songe, la fin de sa vie m'inspire de la compassion.

« Dix jours se sont écoulés depuis le drame. J'imagine que le premier choc est passé et que tu te sens plus calme. De mon côté, j'ai beaucoup souffert. Pourquoi ne sommes-nous pas morts à Ikaho ?... Si nous étions morts à ce moment-là, tout ça ne serait pas arrivé. Nous aurions pu abandonner le monde proprement... En fait, c'est à Dalat que nous aurions dû mourir ; si nous avions disparu là-bas, dans la montagne, tout aurait été plus beau.

« J'ai pris seule l'initiative de faire passer cet enfant. Si j'avais continué à compter sur toi et à te détester parce que tu ne faisais rien, je me serais sans doute senti acculée et, qui sait, à l'heure qu'il est, je me serais déjà suicidée. Tu es un assassin, voilà ce que tu es. Tu as fait le malheur de tout le monde autour de toi : Osei, Kanô, ta femme, moi... Je ne dis pas ça pour te blâmer, mais je le pense sincèrement. Qu'est devenu le courage que tu avais autrefois ?

« Je continue à traîner sans but. J'ai l'intention de me mettre en quête d'un vrai travail stable dès que j'irai mieux. Et toi, comment vas-tu ? Malgré tout ça, j'ai envie de te voir. L'attachement des femmes au passé, sans doute... Je n'ai jamais parlé de rupture définitive, n'est-ce pas ? Viens me rendre visite un jour, pour me parler de toi avec franchise et honnêteté. »

Cinq jours après l'envoi de cette lettre, Yukiko reçut un message de Tomioka, accompagné d'un mandat de cinq mille yens :

« Patiente encore deux semaines et je viendrai te voir. Je vis des moments douloureux, et je n'ai envie de voir personne. Ta lettre m'aura au moins consolé un peu. Je sais que cet avortement était inévitable et je me suis résigné à l'idée, en me disant que cela vient de mon incapacité. Je viendrai te voir. Tu dis qu'il n'y a pas eu de rupture définitive entre nous, si c'est là ta vérité, je m'appuierai sur elle pour revenir vers toi. »

42

Les deux semaines s'étaient écoulées mais, en dépit de sa promesse, Tomioka n'était toujours pas allé rendre visite à Yukiko.

S'il ne se sentait pas l'envie de voir cette femme, la seule avec laquelle il pouvait discuter librement, ce n'était pas par paresse mais parce qu'il était entièrement accaparé par le procès de Seikichi Mukai, et notamment par la question de l'avocat : il devait lui en trouver un. Il se sentait concerné non seulement parce que la victime du meurtre était sa maîtresse, mais aussi parce qu'il avait appris que Seikichi Mukai n'avait pas de famille pour s'occuper de lui. Tomioka agissait donc par sentiment du devoir. En allant voir Seikichi en prison, il avait été frappé par le sérieux de cet homme, auteur d'un crime passionnel, tandis que son propre tempérament fuyant lui donnait la nausée. Prendre en charge la défense du meurtrier était pour lui une façon de se racheter auprès de la morte. Il s'était accroché à cette femme comme à une planche de salut, avait voulu tester ainsi sa capacité à retrouver le goût de vivre, stimuler à nouveau son esprit amorphe. Seulement, elle vivait déjà avec un homme. Et lui, il ne s'était guère soucié de la présence de cet homme dans la vie d'Osei. Oubliées aussi les bontés que Seikichi Mukai avait eues à son égard à Ikaho. Le désir que lui et Osei éprouvaient l'un pour l'autre était-il violent à ce point, pour qu'il oublie tout de la sorte, jusqu'à ce que l'existence de Seikichi vienne se rappeler à lui, parce qu'il était devenu l'assassin d'Osei ? Maintenant, il avait l'impression de subir la terrible vengeance de Seikichi pour lui avoir volé Osei, alors que depuis son départ d'Ikaho l'existence de cet homme lui était totalement sortie de la tête.

Tomioka n'avait pas oublié le chapitre des *Possédés* où Stavroguine, faisant ses préparatifs de suicide, enduisait d'eau savonneuse la cordelette avec laquelle il allait se pendre, afin de s'éviter des souffrances inutiles.

Lui-même était parti à Ikaho avec Yukiko dans l'intention de commettre un double suicide, mais au moment de mettre son projet à exécution, il avait senti toute l'ampleur de son attachement au monde et avait cherché sa renaissance auprès d'une rencontre de hasard. Il s'était conduit de façon lamentable. À cause de lui, l'innocente Osei était morte et son concubin en prison. L'ampleur de sa propre ruse donnait froid dans le dos à Tomioka. La lettre où Yukiko affirmait qu'elle voulait le revoir l'avait à peine troublé, et il était resté indifférent au fait qu'elle ait dû avorter. Il ne pouvait en conclure qu'une chose : il n'avait plus de cœur depuis qu'il était rentré au Japon.

Lorsqu'il alla voir Seikichi au commissariat de Shinagawa, celui-ci lui déclara : « Finalement, où que l'on vive, c'est la même chose. Si je dois être condamné à mort, ou à perpétuité, je préférerais que ça se décide vite. J'ai l'intention d'expier mon crime et de consoler l'âme d'Osei pendant mon séjour en prison. » Il ajouta qu'il ne voulait pas d'avocat, ce n'était pas nécessaire.

Ces paroles firent réfléchir Tomioka. « En effet, se dit-il, où qu'on aille, c'est la même chose. » Il aurait beau rêver de s'installer à nouveau à l'étranger, il ne pouvait pas pour autant prétendre à retrouver la vie d'autrefois.

Avec la tournure qu'avait pris le monde désormais, il valait mieux renoncer rapidement aux rêves et aux mirages d'autrefois.

Ainsi, Kanô était mort, d'une maladie de poitrine apparemment. Tous les humains sont irrésistiblement poussés vers leur finalité ultime...

Mais Tomioka, lui, voulait tout sauf se précipiter vers une fin malheureuse. Il n'avait plus de cœur, soit, mais il voulait traverser le monde le plus tranquillement possible.

Il n'avait aucune envie de revoir Yukiko.

Il s'était arrangé pour lui envoyer la somme de cinq mille yens, mais c'était uniquement un modeste cadeau d'adieu, un geste pour la remercier d'avoir effacé cet enfant de la surface de la terre ; il n'avait jamais vraiment désiré sa venue au monde.

Depuis le matin, il pleuvait et ventait violemment. Tomioka s'allongea sur le lit, où la place d'Osei restait vide, et écouta distraitement la pluie tomber. Une buée blanche recouvrait la fenêtre, de grosses gouttes d'eau lavaient les vitres sales. Comme le moindre geste lui était pénible, Tomioka restait immobile, les mains croisées sur la poitrine, les yeux grands ouverts.

Jusqu'à tout récemment encore, le grand corps d'Osei était allongé près de lui. Au réveil, elle avait l'habitude de poser ses jambes sur les siennes et de se mettre à chanter. Tomioka l'écoutait, les yeux fermés, avec l'impression que c'était l'unique moment où ils étaient vraiment proches l'un de l'autre. Cette Osei n'existait plus nulle part à présent. Pourtant, la morte ne lui manquait pas, ne lui inspirait aucune nostalgie. Il se sentait au contraire soulagé d'un poids. Il en avait assez des femmes. Il se rendait compte pour la première fois à quel point être allongé seul sur un lit pouvait être agréable et bon pour la santé. Aujourd'hui, une véritable occasion de changer de vie lui était enfin offerte. La politique, la morale de la société, il avait envie d'écrabouiller toutes ces choses-là, de les réduire en miettes comme avec une moulinette, pour revenir à l'homme libre et exubérant qu'il était au fond. Comme c'était rafraîchissant d'être seul, se dit-il en tournant un regard fasciné vers les branches au-dehors qui tremblaient violemment sous la pluie.

Seule la tension que procure une vie solitaire pouvait être son salut désormais.

Avant tout, quitter cette chambre. Quitter également sa femme et ses parents. Il aurait même voulu changer de nom si c'était possible. Il fallait qu'il quitte son travail actuel et en trouve un autre. Et surtout, il refusait de penser que s'il se trouvait dans un tel état d'esprit, c'était à cause de la mort d'Osei.

Seulement, il n'était pas agréable de se dire qu'un homme avec qui il avait des liens croupissait en prison. La vision du bout de cellule où Seikichi Mukai était assis, l'air abattu, traversa fugitivement son esprit. Cette pensée-là aussi était dérangeante. Bah, une fois le verdict tombé, lui aussi, Tomioka, retrouverait son calme.

En regardant la pluie tomber derrière la fenêtre, il lui sembla que du brouillard fumait autour de la verdure mouillée au-dehors. Une sorte de lumière verte mystérieuse pénétrait jusque dans la chambre. Il crut sentir la mort elle-même le toucher de ses doigts, puis il se dit que les êtres humains ne mouraient pas si facilement. Il n'était pas retourné travailler depuis l'affaire. Ces derniers temps, il s'était mis à écrire, par bribes, des souvenirs de son travail en Indochine, pour une revue agricole que publiait une maison de presse. Il s'agissait seulement d'une centaine de pages, mais quand l'écriture en serait achevée, il avait l'intention de l'envoyer à la maison de presse, pour que ce manuscrit lui rapporte un peu d'argent.

Avant de se mettre à rédiger ses souvenirs de sylviculture, il avait envoyé à cette même revue, sur une impulsion, un texte d'une trentaine de pages à propos des fruits tropicaux. C'était juste au moment de l'assassinat d'Osei. La revue avait publié son article et lui avait versé dix mille yens. Comme il ne s'y attendait pas, cela l'encouragea à continuer à creuser ce talent.

Son texte rapportait ceci :

« Ancien fonctionnaire du ministère de l'Agriculture et des Forêts, j'ai vécu quatre ans sous les tropiques en tant qu'auxliaire de l'armée. C'est là-bas que se sont forgés les souvenirs sur les fruits présentés ici.

« Dans les pays tropicaux poussent en abondance des fruits dont les goûts diversifiés représentent un attrait irrésistible pour tous ceux qui vivent dans ces régions du monde. Parmi les fruits qui m'ont le plus marqué, je dois citer en premier lieu la banane, reine des fruits tropicaux. Celles que l'on trouve au Japon sont maintenant importées de Taïwan, mais peu de gens, sans doute, savent qu'il en existe des centaines de sortes : des fines, des grosses, des anguleuses, à la peau marron, rouges, à l'odeur forte... Les formes et les couleurs sont extrêmement variées.

« J'aimais surtout choisir des *"king banana"* et des bananes de presque un mètre de long. On m'a proposé parfois des bananes-plantain, destinées à la cuisson, mais je ne peux pas dire que je trouve ça très bon. Pour la culture, on utilise des rejets ; environ quinze mois après la plantation, la hauteur atteint déjà de trois à six mètres, et un bourgeon énorme fixé au bout de la tige se couvre de fleurs. Elles se transforment en fruits, les branches à fleurs penchent naturellement vers le bas, le tronc meurt, mais de la racine de la plante morte naît le rejet qui la remplace et qui au bout d'un an portera de nouveau des fruits. Les terres chaudes et humides conviennent parfaitement à ces bananiers, n'importe quel endroit est bon du moment que le terrain est argileux et bien drainé. Les terrains cailloouteux, calcaires ou sableux, en revanche, ne conviennent pas. La banane est un véritable cadeau du ciel, c'est un plaisir accessible aux plus pauvres, qui peuvent en faire un repas. Si la banane est la reine des fruits, le roi en est sans doute le mangoustan. Il vient d'un arbre fruitier, le mangoustinier, dont le nom savant est *Garcinia mangostana.* La première fois que j'ai vu des mangoustans, c'était chez un marchand de fruits de Hanoi. Ce fruit a la taille d'un petit kaki, rond et plat au-dessus ; sa peau rouge foncé tirant sur le violet est lisse et dure. Quand on coupe ce fruit, on trouve dedans des quartiers, dont chacun est constitué d'un gros noyau entouré d'une chair blanche crémeuse. La peau contient du tanin et des pigments et, lorsqu'on la frotte sur un morceau de tissu, la tache part difficilement. La saison des mangoustans va de mai à juillet, paraît-il, mais c'est en février que j'en ai acheté et mangé à Hanoi. Lorsque j'ai séjourné à l'hôtel Morand à Huê, il y avait des mangoustans tous les jours à table, cela avait un goût proche de la mandarine. Les arbres, originaires de Malaisie, sont petits, à écorce dure, en forme de cône, avec de grandes feuilles longues et ovales, réunies deux par deux face à face. Le mangoustinier pousse très lentement et ne donne des fruits qu'au bout de neuf à dix ans, en milieu chaud et humide, dans une terre lourde et bien drainée. Si on peut louer la distinction raffinée du mangoustan, il faut aussi parler d'un fruit qui est son opposé : le durian, gros fruit à l'odeur fétide et tenace. »

Tomioka continuait ensuite en évoquant également la cardamome, la sapotille, le jacquier, la papaye, etc. Il avait ajouté à la description de ces fruits des souvenirs des moments où il les avait dégustés, ou des récits de ses voyages dans les régions tropicales.

Il tendit la main sous le lit, y prit la revue agricole, la feuilleta, contempla les pages sur lesquelles son manuscrit s'était mué en lettres imprimées. Les paysages de Dalat lui venaient tout naturellement à l'esprit. Lorsqu'il repensait à cette époque, il restait stupéfait par le changement radical qu'avait connu sa vie.

Il avait consacré la moitié de sa pige de dix mille yens à se débarrasser de l'enfant de Yukiko, ce qui lui parut ironique. Il pensa soudain avec nostalgie à l'enfant que Nyu avait eu de lui et qu'il ne connaîtrait jamais. Cette pensée éveilla de la nostalgie dans son esprit dévasté.

Au moment où il jetait la revue par terre et se levait du lit, quelqu'un frappa à la porte. Saisi d'un frisson soudain, il demanda :

– Qui est-ce ?

– C'est moi, Yukiko..., répondit une voix de l'autre côté de la porte.

Il alla ouvrir et se trouva face à une Yukiko amaigrie, au visage émacié, debout dans le couloir, un parapluie dégoulinant à la main.

Cela pouvait passer pour un manque de cœur de sa part, mais il se sentit surtout extrêmement dérangé par sa visite.

43

Au bout de trois semaines, Tomioka ne venant toujours pas, Yukiko, à bout de patience, s'était décidée à se déplacer elle-même malgré la pluie. À la vue de son expression au moment où il lui avait ouvert la porte, elle comprit qu'en dépit de tous les efforts qu'elle pourrait faire, leur amour était définitivement mort. Elle ne portait ni imperméable, ni bottes, et était seulement vêtue d'un chemisier bleu et d'une jupe bleu marine. Ses jambes nues n'étaient même pas épilées.

– Je ne te dérange pas ? fit-elle dès son entrée dans la pièce.

Tomioka ajusta le devant de son vieux kimono d'intérieur et s'assit près de la fenêtre, tentant de faire contre mauvaise fortune bon cœur.

– Ça a dû être dur..., dit Yukiko.

– C'est pour toi surtout que ça a dû être dur. Tu peux te lever maintenant ?

– Oui, je ne pouvais pas rester indéfiniment à l'hôpital... Je vais mieux.

« En Indochine, nous nous serrions l'un contre l'autre et nous tenions par la main, au moindre moment d'intimité à l'abri des regards », songeait Yukiko avec regret, face à l'affligeante réalité.

– J'ai appris ce qui s'était passé en lisant le journal. Tu sais, je n'en pouvais plus d'attendre. Rappelle-toi ce que tu m'as écrit : «Je viendrai te voir. Tu dis qu'il n'y a pas eu de rupture définitive entre nous, si c'est là ta vérité, je m'appuierai sur elle pour revenir vers toi.» Moi, je me suis accrochée à cette lettre pour survivre…, lui dit-elle en s'effondrant sur place plutôt qu'elle ne s'assit.

Tomioka répondit sans changer d'expression, l'air désabusé :

– Oui, tout ça est de ma faute. À aucun moment je ne t'ai oubliée, mais le problème du mari d'Osei m'a beaucoup occupé et je n'ai pas pu venir…

– Alors, même si j'avais été à l'agonie à l'hôpital, tu ne serais pas venu…

– Non, c'est différent. J'étais rassuré sur ton sort, je croyais que tu allais bien…

– Tu mens ! Tout ça n'est qu'un tissu de mensonges ! La vérité, c'est que tu n'éprouves plus rien pour moi et que tu me racontes des histoires pour me faire plaisir, par lâcheté, mais ça ne marche pas ! Osei te manque donc à ce point ? Mais qu'est-ce que tu lui trouvais donc, à cette femme ?

Yukiko tremblait de jalousie. Elle sentait peser sur elle toute l'inertie de cet homme, qui l'écrasait comme une pierre. Elle avait beau savoir que vider son sac n'aurait d'autre résultat que de mettre un terme à leur liaison, elle ne put s'empêcher de lui lancer ces mots au visage :

– Tu n'as pas eu la moindre pensée pour cet enfant, que tu voulais soi-disant que je garde… Tu n'es pas venu me voir une seule fois, pas même à l'hôpital. Ah, quand tu es loin de moi, tu te gardes bien de revenir… Mais quand tu te retrouves face à moi, alors là, tu es beau parleur ! Tu dis des choses que tu ne penses même pas, c'est sûrement comme ça que tu as entraîné Osei dans cette histoire. Tu es du genre à t'enfuir après avoir regardé tranquillement mourir sous tes yeux la femme avec laquelle tu devais te suicider par amour. Tu sacrifies

275

tout le monde à ton bien-être, et ensuite tu feins l'ignorance... Je hais Osei. Je hais son mari aussi. Quand j'y pense, je me demande bien pourquoi nous sommes allés à Ikaho ! Je me sens mortifiée à ne savoir que faire, à cause de toi, toi !... Je me dis que je veux en finir avec cette histoire, et puis quelque chose me pousse quand même à te rendre visite. J'en ai moi-même assez d'être comme ça. Rien ne bouge, je reste fixée sur mes idées, je suis incapable de sortir de cette situation... Je ne sais pas comment dire, je me sens très en colère contre toi, et en même temps, triste de t'aimer encore malgré tout...

Elle se mit à pleurer, assise par terre, adossée au lit qui se mit à grincer. Tomioka regardait fixement la pluie derrière la vitre et écoutait le bruit du vent qui soufflait au-dehors, mêlé aux sanglots de Yukiko. « Que veut-elle donc que je fasse ? Jusqu'à quand cette femme continuera-t-elle à me harceler avec ses souvenirs ?... Sous prétexte que nous avons des souvenirs communs, elle continue à essayer de retrouver le passé qu'il y a derrière, comme une usurière voulant à tout prix récupérer son argent... »

Les pleurs de Yukiko l'exaspérèrent soudain.

– S'il te plaît, laisse-moi seul. Il n'y a rien à faire, je ne suis plus qu'une coquille vide, tu auras beau insister, ça ne servira à rien. Je n'y peux rien. À Ikaho, on avait bien décidé de se débarrasser l'un de l'autre, non ?

– Ne dis pas ça !... C'est comme si Osei l'avait emporté sur moi. Redeviens gentil comme avant, s'il te plaît. Je ne veux pas qu'on se quitte !

– Tu te détruirais en restant avec moi. Nous aurions dû suivre chacun notre chemin dès notre retour au Japon. Le monde est en train de changer, ce n'est plus comme avant. Il est temps que tu te décides à vivre ta vie...

– Tu dis des choses horribles ! C'est comme si tu me disais de mourir là, devant toi. Si je suis mon propre chemin, je ne te verrai plus... Mais c'est ce que tu veux, hein ? Tu peux bien me dire la vérité, tu t'es lassé de moi, c'est ça ? Quoi que tu me dises, je ne m'en étonnerai pas. Ou alors... oui, c'est ça, c'est l'air de cette chambre où tu as vécu avec Osei qui fait obstacle... Si le fantôme d'Osei apparaissait maintenant, je lui dirais, moi : de ma vie, jamais je ne quitterai Tomioka, jamais !

– Hé, pas si fort ! Il y a plusieurs appartements dans cette maison, un peu de discrétion, s'il te plaît. Et puis, Osei, ça m'est bien égal maintenant ; au contraire, je me sens délivré depuis sa mort. C'est Mukai qui me fait de la peine. Moi, je suis libre de diriger mes pas vers la direction qui me plaît, mais lui, en ce moment, il est assis dans une cellule, privé de sa liberté de mouvement. Tu ne peux pas te mettre un peu à ma place et voir dans quel état de nervosité je suis ?

– Dis donc, ce serait bizarre que je sois obligée de penser au mari d'Osei, non ? Je n'en ai aucune envie. Qu'est-ce que ces gens-là ont à voir dans notre histoire ? C'est toi qui as provoqué tout ça, de ton propre chef, moi, je ne me sens pas concernée. Qu'est-ce que tu racontes ?

Yukiko rageait contre l'impudence de Tomioka. Ainsi, il aimait encore Osei, il ne parvenait pas à l'oublier. De rage et de dépit, elle sentit son cœur s'emballer, et le regard soudain devenu fixe, elle s'allongea, prise d'un vertige. Elle avait une douleur sourde au bas-ventre et sentait toutes ses forces l'abandonner.

Tomioka la secoua précipitamment par les épaules.

– Hé, qu'est-ce qui t'arrive ? Tu te sens mal ?

La pluie avait encore augmenté de violence, le vent soufflait de plus en plus fort. Tomioka prit Yukiko dans ses bras et l'allongea sur le lit. Des veines pâles gonflaient sur son front, ses lèvres étaient blêmes, ses mâchoires crispées. Il comprit qu'il lui avait parlé trop durement. Le corps entier de Yukiko semblait pris de convulsions. Ses deux mains battaient l'air comme pour attraper quelque chose, ses dix doigts s'agitaient comme des cigales. Le dessous de ses ongles était incrusté de crasse noire.

Tomioka alla remplir une cuvette métallique d'eau et rafraîchit le front de la malade avec une serviette. Décidément, il se dégoûtait lui-même. Il lui fallait de l'argent, décida-t-il soudain. Constatant que Yukiko avait sombré dans un profond sommeil, il s'installa à son bureau, face à son manuscrit sur la sylviculture et les plantes d'Indochine.

« Il existe au Vietnam une belle légende à propos de ban-ran et du bétel.

« L'histoire se déroule à l'époque du roi annamite Hum Won IV. Chez son vassal Kao vivaient deux frères, Tan et Kan. Ayant perdu leur père tout petits, Tan et Kan étaient particulièrement proches. Ils furent placés par hasard dans une famille du nom de Loo, où se trouvait une jeune fille, dont Tan, l'aîné, tomba amoureux. Ils se marièrent... »

Au moment où il écrivait ces mots, le paysage du haut plateau de Dalat lui traversa à nouveau l'esprit. La vision de Yukiko, dans sa jupe de coton rayé rouge, lors de leur visite de la plantation de thé d'Ontoré, vint voltiger sous ses yeux, comme si c'était hier. Il ne pouvait croire que cette même Yukiko, alors jeune et jolie comme une fraîche adolescente, était à présent déchue, allongée sur son lit, dans sa chambre, en si piteux état... Au bout d'un moment, son esprit retrouva son calme, sa plume se remit à courir sur le papier plus rapidement que prévu. Il commençait à avoir faim. Il sortit du pain du buffet et fit chauffer du café sur le réchaud électrique.

Il regarda le réveil sur le buffet : il était bientôt 1 heure. La bouche pleine de pain, il se retourna soudain vers le lit : Yukiko y était toujours étendue, les yeux ouverts, une serviette sur son front.

– Si tu mangeais aussi ?

Il lui versa du café dans une tasse. Elle regardait le plafond sans ciller.

– Tu ne veux pas te lever et venir boire ton café ?

Elle se leva docilement et prit la tasse de café.

44

Au crépuscule, la pluie redoubla de violence. La plume de Tomioka courait toujours rapidement sur le papier.

«... Le district qui dépendait du bureau des Eaux et Forêts à Dalat, où j'étais en poste, fournissait quinze mille sept cents mètres cubes de bois, issus de pins de Khasia, mais les fonctionnaires de l'administration des forêts que nous étions ont dû développer rapidement la production sur ordre de l'armée, et nous avons déboisé la région de façon anarchique.»

Les visages des officiers de l'armée de cette époque commençaient à s'estomper de sa mémoire.

– Après Dalat, c'était Duran, et ensuite, comment s'appelait le terminus déjà ? demanda-t-il soudain à Yukiko.

Ainsi, c'était sur l'Indochine qu'il écrivait ! Yukiko sauta aussitôt à bas du lit, l'air animé.

– Tsulcham, dit-elle, ça s'appelait Tsulcham.

– Oui, c'est ça.

Yukiko contempla un moment le dos de Tomioka, penché sur son bureau.

– Dis, tu te rappelles ce hameau qui s'appelait Mankin ?

– Mankin ?

– Tu as déjà oublié ?

– Ah, là où se trouvait les tombeaux des rois d'Annam ?

– Oui, c'était à quatre kilomètres de Dalat, il y avait un poste du bureau national des Eaux et Forêts, c'est là que nous avons marché ensemble dans la jungle pour la première fois.

Elle s'approcha et jeta un coup d'œil sur son manuscrit.

– Ça te sert à quoi d'écrire ça ?

– À gagner de l'argent...

– Ça rapporte de l'argent ?

Tomioka alla prendre la revue agricole près du lit et la lui tendit.

– Lis donc ça pour voir...

En regardant la table des matières, le regard de Yukiko s'arrêta sur le nom Kengo Tomioka. Elle feuilleta aussitôt la revue et se mit à lire.

– On m'a payé pour cet article, je me suis senti valorisé. L'argent que je t'ai envoyé, ça venait de là.

– Eh bien dis donc, c'est toi qui as écrit tout ça ?

Dans un style décontracté, le texte mêlait les souvenirs de Tomioka à ses descriptions des bananes, des mangoustans, durians et autres fruits tropicaux.

Le vent et la pluie firent rage jusqu'au soir ; au-dehors, le vacarme des éléments dans les arbres faisait penser à un raz-de-marée. Yukiko commença à dire qu'elle passerait bien la nuit là, mais cela ne faisait plus ni chaud ni froid à Tomioka. Au moment où ils mangeaient ce qui restait du pain en buvant du café, l'électricité fut brusquement coupée.

Ils posèrent une bougie sur la table et se mirent à évoquer leurs souvenirs de l'Indochine, comme de vieux amis. Parfois, sur certains détails, leurs souvenirs différaient. À travers ces histoires qu'ils se racontaient, ils s'efforçaient de ramener une fois de plus à la vie leur passion d'alors. La lumière ne se ralluma pas avant longtemps. La bougie se consuma jusqu'au bout. Faute de mieux, ils grimpèrent à tâtons sur le lit et s'allongèrent. De temps à autre, un éclair venait éclairer la chambre à travers la fenêtre sans rideaux et la pluie qui soufflait sur les carreaux et les planches de la porte faisait un bruit de vagues.

Tomioka se disait qu'ils ne faisaient que ressasser toujours les mêmes choses, mais restait cependant obstinément allongé auprès de Yukiko. Elle lui reparla plusieurs fois d'un ton impatient de la forêt de Mankin, comme si elle attendait une réaction de sa part. Le goût de leurs baisers passionnés lui revenait en mémoire, comme un chaud souvenir qui fourmillait encore au fond de sa poitrine. Mais Tomioka, lui, ne restait pas à piétiner sur place dans ces paysages du passé. Yukiko avait beau murmurer « Mankin, Mankin » à son oreille comme une litanie, seul le souvenir d'Osei et de son corps imposant étendu à côté du sien venait à l'esprit de Tomioka.

Sa dernière vision d'Osei, en train de chantonner, les jambes en travers des siennes, lui revenait avec vivacité.

Le propriétaire, qui avait découvert le corps, lui avait dit qu'elle avait les yeux à demi ouverts et la langue hors de la bouche mais, le cadavre ayant été aussitôt envoyé à l'autopsie, Tomioka ne l'avait pas vu. Son corps grand et ferme lui manqua soudain. Cette fille est morte, elle n'est plus de ce monde... Tout en se livrant à ces pensées dans les ténèbres, il sentit quelque chose de chaud lui monter à la gorge.

– Dis, tu te rappelles la résidence secondaire des Chinois, en bas du court de tennis ?

– Hm.

Il se moquait pas mal en ce moment de Dalat et de la maison de campagne des Chinois, et trouvait parfaitement déplaisante la naïveté de Yukiko qui semblait vouloir dire : « Qu'attends-tu ? Si tu t'en souviens, parles-en à ton tour. »

Rêver à ce passé révolu ne l'intéressait pas. Comment pourrais-je m'accrocher à ces rêves-là ?... Il poussa un soupir, tout à ses regrets de n'avoir plus à ses côtés le grand corps robuste d'Osei.

Avec Osei, lui semblait-il, il avait connu une vraie femme pour la première fois de sa vie, et à cette pensée il sentit les larmes perler au coin de ses yeux.

La main de Yukiko s'était mise à ramper discrètement sur sa poitrine. Il s'en empara, la remit à sa place.

– Ah, qu'est-ce qu'il y a ? Il ne faut pas ?

– Je suis fatigué ce soir, j'ai envie de dormir.

Yukiko resta silencieuse un moment, retenant son souffle. Elle devinait le changement d'attitude de Tomioka à son égard, mais était bien loin d'imaginer qu'il était absorbé par des pensées nostalgiques envers Osei.

– Dis, parlons de l'Indochine alors... Une nuit comme celle-ci, je ne sais pas pourquoi, je suis incapable de m'endormir tout de suite.

– Moi j'ai sommeil.

– Ça fait si longtemps qu'on ne s'était pas vus, je me demande pourquoi tu te montres si froid avec moi... Tu étais plus tendre autrefois...

Elle s'accrocha à la poitrine de Tomioka, essayant à nouveau de le séduire. Il repensa à une phrase d'Oscar Wilde qu'il avait lue quelque part, disant que pour connaître le degré de fermentation et la qualité d'un vin, il n'était nul besoin d'en vider un tonneau entier. Il en avait assez de revenir sur le passé. Et pour le moment, il ne désirait aucun autre corps que celui d'Osei. Il n'éprouvait pas la moindre soif... Il finit par s'endormir, sans même s'en apercevoir.

Il fit un rêve sinistre. Il fendait des eaux noires, au fond desquelles il retrouvait Osei. Les yeux mi-clos, la langue pendante, elle avait un visage inquiétant, qui le troubla néanmoins. Il la prit dans ses bras sous l'eau et elle enroula aussitôt ses longues jambes autour de sa taille, encerclant son cou de ses bras. Au moment où la langue glacée d'Osei touchait sa joue, un hurlement échappa à Tomioka. Son propre cri le réveilla.

Le corps de Yukiko écrasait lourdement le sien, sa joue humide était collée contre la sienne.

45

Le lendemain matin, quand Tomioka se réveilla, Yukiko était déjà en train de se maquiller, installée devant la petite coiffeuse d'Osei. La pluie avait complètement cessé, le ciel avait ce bleu pur qu'on lui voit souvent en automne.

Tomioka, toujours allongé, regarda Yukiko se maquiller. Quelque chose qui ressemblait à des regrets pesait lourdement sur lui ; il avait l'impression d'avoir été traîné au fond d'un bourbier.

Yukiko utilisait la poudre et la houppette d'Osei sans aucune gêne. La femme est un animal d'une indélicatesse absolue, éhontée, se dit Tomioka, écœuré. Ce sans-gêne qui poussait Yukiko à se servir ainsi, sans y réfléchir à deux fois, des produits de beauté d'une morte, était sans doute typique des femmes. Mais le plus indélicat au fond, c'est moi-même, songea Tomioka, regrettant son propre manque de moralité, pour avoir passé la nuit dans le lit d'Osei avec une autre. C'était lui qui se comportait d'horrible façon, se dit-il, poursuivant sa remise en cause. Yukiko, assise devant le miroir, était terriblement amaigrie. Même les rondeurs de ses genoux avaient fondu, elle avait vieilli à un point étrange. Sa poitrine s'était creusée. Elle avait les cheveux secs, roussis. Son front paraissait démesurément élargi et elle avait le bord des yeux enflammé.

Tomioka se leva d'un bond, puis se dirigea vers le rez-de-chaussée pour se laver la figure, à pas prudents, comme s'il éprouvait une gêne vis-à-vis des autres habitants de la maison. Yukiko, qui continuait à se maquiller, sentit soudain les larmes lui monter aux yeux. Elle eut l'impression qu'elle avait compris depuis la veille que c'était sans espoir. Elle ne pouvait plus faire face à cet homme qui appelait Osei jusque dans son sommeil. Elle avait compris qu'il ne gardait plus aucun souvenir de leur vie en Indochine.

Yukiko s'en alla vers 10 heures, avec un arrière-goût de défaite. Tomioka, prétextant la fatigue, ne la raccompagna pas. Elle était fatiguée, elle aussi. Elle traîna inconsciemment jusqu'à la gare son corps à bout de forces, comme privé de souffle. Elle pensait à la façon dont elle devait vivre désormais, goûtait l'abîme de solitude qui s'ouvrait sous ses pieds. Si elle n'arrivait pas à s'en sortir, elle irait sans hésiter voir Iba et travaillerait un moment au bureau de la secte, comme il le lui avait proposé, se dit-elle.

Cinq jours passèrent, dans l'oisiveté.

Elle reçut une lettre pressante d'Iba. Il la priait de venir le plus tôt possible. Yukiko décida d'aller voir à quoi ressemblait la secte du Grand Soleil. Elle était sans nouvelles de Tomioka. S'il lui restait ne serait-ce qu'un peu d'amour, il tiendrait sa promesse de venir la voir. Peu à peu, elle commençait à avoir envie de se fier aux prédictions de la secte du Grand Soleil, pour savoir s'il y avait ou non un lien prédestiné entre elle et Tomioka.

Le soleil était brûlant ce jour-là.

Yukiko se mit en quête de l'adresse de la secte, à Ikegami Kamichô. La secte avait en effet racheté la demeure d'un banquier, protégée par des piliers de granit pourvus d'une porte grillagée en fer, derrière laquelle s'étendait une allée de gravier menant jusqu'à l'entrée. Les arbres du jardin étaient bien entretenus, il y avait même un garage au toit de zinc tout neuf pour les voitures. Yukiko pénétra dans la propriété par la petite porte et aperçut dans le jardin une femme maigre, entre deux âges, un grand chapeau de paille sur la tête, qui arrachait les mauvaises herbes. Une fidèle de la secte sans doute. Sous l'auvent du bâtiment était accrochée une planche en cyprès du Japon, portant gravés en vert les caractères signifiant « accomplissement ». Une porte grillagée, donnant sur le vestibule, était ouverte, de nombreuses socques de bois alignées sur le sol carrelé.

Devant l'entrée était disposé un grand paravent neuf, sur lequel était peint un dragon. Assise à un bureau, dans l'ombre du paravent, Yukiko reconnut Shimo Otsu, sa compagne de chambre à la clinique. Copieusement poudrée, Shimo Otsu, vêtue d'une veste bleue marine et d'un large pantalon traditionnel de la même couleur, était occupée à écrire. Un vent frais soufflait dans la vaste entrée. Au fond de la maison, des prières avaient dû commencer, car Yukiko entendait résonner des chœurs qui la mirent mal à l'aise.

46

Sans ces prières, qui faisaient penser à des cris d'animaux au fond des montagnes, on aurait pu se croire dans le bureau d'accueil d'un hôpital de campagne. Remarquant la présence de Yukiko, Shimo Otsu se leva et s'approcha.

– Vous êtes la bienvenue. Le Maître vous attendait avec impatience.

Tout en parlant, elle sortit des chaussons neufs de la boîte à chaussures et les posa côte à côte aux pieds de la visiteuse.

Shimo Otsu affichait un calme olympien et une expression rigide, comme si elle était assise depuis toujours derrière ce bureau.

– Comment vas-tu ? Tu t'es bien habituée au lieu ? demanda Yukiko en enfilant les chaussons.

Shimo ne répondit pas, faisant montre d'une étrange fierté, comme une épouse qui a apporté une dot dans la famille.

– C'est par ici, fit-elle, guidant Yukiko vers le fond du corridor.

Au bout d'un couloir étroit d'à peine un mètre de large, elles s'arrêtèrent devant la chambre du coin.

– Maître, mademoiselle Yukiko est là.

Yukiko trouva cela ridicule.

– Oui ! cria Iba de l'intérieur de la pièce.

Shimo ouvrit la porte : un homme d'une soixantaine d'années était allongé sur une couverture militaire et Iba étendait ses deux mains au-dessus de lui. Shimo se dirigea vers un des coins de la chambre, prit un coussin marron assez plat, sans motifs, le posa près de l'entrée, fit signe à Yukiko de s'installer là, puis sortit en refermant calmement la porte de bois. Yukiko trouva cet univers bien mystérieux. Le vieillard, les yeux fermés, remuait les lèvres. Il était blafard, ses cheveux s'étalaient en désordre sur son crâne comme de l'herbe fanée et il avait un énorme grain de beauté au front. Il était pieds nus, vêtu d'une chemise blanche et d'un pantalon gris.

Iba portait une large veste noire, identique à celle de Shimo Otsu, et fermait lui aussi les yeux.

– Écoutez-moi bien... Le dessein du fondateur de la secte du Grand Soleil n'est pas d'établir une sélection en fonction de l'âge, de la bonté ou de la méchanceté de chacun, mais simplement de chérir tous ceux qu'anime une foi fervente. Il est là pour sauver les êtres en proie aux tourments des désirs de ce monde. Si vous vous consacrez uniquement à la récitation des prières de la secte du Grand Soleil, sans attacher la moindre importance au bien et au mal de ce monde, alors tous les bienfaits des Dieux et des Bouddhas vous échoiront. Ne craignez pas le mal. De tous les maux, la maladie est le plus léger. Le mal de la maladie est perceptible au regard, c'est comme si l'on voyait son propre chemin indiqué sur son corps. Mais le mal de l'esprit ne peut se discerner à l'œil nu. Quant au mal impalpable, c'est le mal de l'enfer. Tout cela résulte du karma. Le mal de la maladie est léger : si vous priez nuit et jour le Grand Soleil, toute la puissance du ciel et de la terre rejaillira sur vous, vous en retirerez plus de bénéfice que des exercices ascétiques les plus ardus. Voilà ce qu'est véritablement le dessein du Grand Soleil. Le Grand Soleil vous tend une main secourable, et vous dit que le mal de la maladie est léger...

Les phrases coulaient les unes après les autres, sans la moindre hésitation. Iba posa ses deux mains, agitées de tremblements, sur les épaules du vieillard et les secoua violemment. Le vieillard inspira profondément par la bouche.

– Inspirez plus profondément encore l'éther subtil en suspension dans l'air qui nous entoure. Maintenant, l'éther du Grand Soleil émane en grande quantité de mes mains...

Yukiko, qui observait Iba, se demanda s'il n'était pas devenu fou. De temps à autre, il ouvrait les yeux et se penchait sur les paupières du vieillard.

– Les êtres pris dans les tourments du désir ne peuvent quitter le cycle sans fin de la vie et de la mort, quoi qu'il advienne. Ayez pitié de nous, ayez pitié de nous ! Ôtez de nos esprits la véritable cause de la maladie ! Répandez sur nous la compassion du Grand Soleil !

Après avoir répété ce genre de phrases un moment, Iba posa longuement ses mains tremblantes sur la tête du vieillard, en implorant : « Je vous en prie, purifiez cet être ! », puis il tapa légèrement sur l'épaule du vieillard pour le faire lever. Le vieillard se dressa aussitôt sur sa couverture, l'air rasséréné. Iba s'essuya les mains avec le tissu blanc qui recouvrait la petite table à offrandes, dans le renfoncement d'honneur de la pièce.

Le vieillard ajusta ses vêtements, s'assit bien droit, puis s'inclina en direction d'Iba.

– Comment vous sentez-vous ? Un peu plus léger ?

– Oui. Je me sens bien. Frais et dispos.

– Au bout de quatre ou cinq fois, vous vous sentirez vraiment mieux. Vous avez une maladie assez grave, elle ne peut disparaître du jour au lendemain. Le Maître du Grand Soleil ne délivre pas d'enseignements promettant une guérison immédiate, contrairement aux escrocs de ce monde, mais il observe la persévérance dans les prières et enlève progressivement le mal.

– Oui, je viendrai prier autant de fois qu'il faudra.

– C'est très bien...

– Une offrande de quel montant dois-je faire pour la consultation d'aujourd'hui ?

– Non, ce n'est pas un hôpital ici. Nous devons agir gratuitement, car la compassion est le fondement de la religion du Grand Soleil... Nous n'acceptons pas un sou de ceux qui n'ont pas d'argent, mais nous recevons autant que nous pouvons des riches et prions pour eux tous afin de faire disparaître tous les maux qui sont en eux.

Sur ces mots, Iba retourna tranquillement à son bureau. Le vieillard avait l'air ennuyé. Iba ouvrit un grand livre devant lui :

– Ici sont notées les sommes que nous avons reçues comme frais de consultation. Jetez-y un coup d'œil à titre de référence.

Le vieillard prit respectueusement le livre et l'ouvrit sur ses genoux. Une jeune fille à l'air maladif, en large pantalon noir, apporta du thé.

Sur la première page, figurait le nom d'un ancien ministre ayant fait une donation de cinquante mille yens en échange d'une consultation. Quant à savoir si l'écriture était bien celle de ce ministre, exécuté comme criminel de guerre, le doute subsistait. Le vieillard regarda un moment le registre, puis le posa sur la couverture et s'empara du pinceau rangé dans l'écritoire et nota « cinq cents yens » à côté de son nom.

Après s'être acquitté de la somme en question, il s'enquit poliment auprès d'Iba du jour et de l'heure de la deuxième consultation, puis sortit.

Soulagée de le voir partir, Yukiko écouta les pas du vieillard s'éloigner le long du couloir.

– C'est un commerce plutôt juteux, on dirait ? fit-elle en riant.

Effectivement, on pouvait se demander par quel caprice du destin ce paresseux, incapable il y a peu de temps encore de se trouver un emploi, avait pu gagner cinq cents yens en faisant simplement trembloter un peu ses mains et en récitant quelques formules louches.

Autrefois, devant pareil spectacle, Yukiko se serait levée et aurait quitté la pièce. Iba prit un paquet de cigarettes de marque étrangère sur son bureau, en alluma une et s'assit en tailleur, d'une façon parfaitement vulgaire et théâtrale.

– Qu'est-ce que tu en penses ? On vit une époque intéressante, non ? Ce n'est pas difficile. Les gens, il suffit de les mettre en confiance, et ça marche. Un vrai tour de magie ! Dès qu'on leur envoie une giclée d'éther du Grand Soleil, les malades se sentent revivre. Impossible de retourner à ma vie de salarié ordinaire d'autrefois après ça, non ? La populace n'a ni Dieu, ni Bouddha auprès d'elle. Du coup, elle met un peu d'argent de côté pour s'acheter ce qu'elle n'a pas : la miséricorde de Dieu et du Bouddha. Nous, sachant ça, on a fabriqué à leur intention la religion du Grand Soleil, et on la leur vend. Ils sont tous trop heureux de l'acheter...

Yukiko était sidérée. Elle commençait à comprendre le changement de mentalité d'Iba avec l'après-guerre, et même à le partager.

Elle lui demanda une cigarette, l'alluma. Dans le large renfoncement destiné à recevoir les décorations de la pièce était accroché un parchemin portant une calligraphie, d'une authenticité suspecte elle aussi. Un pin rouge trônait dans un pot en émail. Au milieu de la vaste pièce de dix tatamis était étalée une couverture militaire. Le bureau d'Iba, avec une chaise chinoise devant, était installé à côté d'une cloison coulissante donnant sur la véranda. La pièce avait quelque chose d'apaisant, peut-être à cause du plafond, très haut. L'air y circulait bien, et il devait y avoir un petit jardin intérieur, car on voyait du linge sécher derrière la véranda.

– Et si les journaux venaient fourrer leur nez chez toi, en suspectant quelque chose de louche, que ferais-tu ?

– Oh, ça, on s'en rendrait compte tout de suite. On a pour principe de ne pas accepter un sou des clients suspects.

– Vous avez l'œil exercé à ce point ?

– Quand on travaille dans ce genre de commerce, on apprend à savoir tout de suite à qui on a affaire.

Yukiko trouva ce mode de fonctionnement similaire à celui des bars et des commerces de nuit. Cela ne pourra pas durer longtemps, se dit-elle. Mais sans doute la prolifération de ce genre de mentalité dévoyée était-elle normale dans le contexte de l'après-guerre, où nombre de gens étaient livrés à eux-mêmes, sans travail et sans but dans la vie.

– Et ta santé, comment ça va ? s'enquit Iba.

– Je devrais te payer une consultation et me faire examiner moi aussi ! dit-elle en riant, tout en continuant à fumer sa cigarette.

Dans son esprit, la question de sa liaison avec Tomioka n'était pas encore résolue, mais elle trouvait qu'aider momentanément Iba dans cette secte était un expédient assez commode. Elle n'avait plus assez confiance en elle pour espérer trouver un travail honnête.

Peu importait ce qu'il y avait exactement derrière la secte du Grand Soleil. Il lui serait certainement plus facile de dépendre de ce travail stupide pour gagner sa vie que de devenir serveuse dans un bar ou un café.

Yukiko, qui éprouvait maintenant de l'aversion pour le monde entier, commençait à avoir envie de rester ici pour lancer des malédictions sur Tomioka. La victoire de sa rivale, Osei, la faisait enrager, d'autant plus qu'elle-même avait survécu. Si elle était morte, ce serait elle que Tomioka aurait trouvée chère à son cœur.

– Tu as sacrément maigri...

– Oui, si je pouvais manger des bonnes choses et me reposer un peu, je commencerais à engraisser, comme toi... Pour devenir belle, une femme a besoin que quelqu'un investisse de l'argent sur elle.

Iba se cura l'oreille en souriant d'un air complaisant. Les prières semblaient terminées, le son d'un gros tambour les remplaça. Shimo Otsu vint aussitôt chercher Iba.

Yukiko les suivit jusqu'à un grand salon où une trentaine de fidèles, hommes et femmes, debout en cercle, attendait le fondateur et le maître. Cette partie semblait la seule à avoir été rajoutée au bâtiment : la vaste pièce couverte d'un plancher sentait le bois neuf. Devant l'autel à trois volets pendait un rideau violet, derrière lequel on voyait briller un miroir en forme de croissant de lune.

Senzô Narimune, le fondateur, vêtu d'une chasuble noire pareille à celle des moines bouddhistes, prit place devant l'autel sur une haute chaise chinoise. Il arborait sur la poitrine un insigne représentant un tournesol entremêlé à un croissant de lune.

Iba, debout près du fondateur, s'inclina vers l'assemblée des fidèles.

– Prenez vos aises..., dit-il, les invitant à s'asseoir sur le plancher.

Yukiko s'assit elle aussi au fond de la pièce. Iba prit place sur un fauteuil de rotin. On aurait dit un cours de bonnes manières dans une école primaire d'autrefois. Le fondateur fit retentir la cloche sur son bureau, marmonna une sorte de prière indistincte, puis déplia une feuille posée sur la table.

– Aujourd'hui je vais vous transmettre le troisième chapitre de la Volonté divine. Les fidèles sont priés de mettre leurs costumes sacrés.

Les fidèles déployèrent les pans du tissu violet posé sur leurs genoux, et s'en couvrirent les épaules. C'étaient des sortes de grands châles à col croisé, sur lesquels étaient teints les idéogrammes signifiant « Secte du Grand Soleil ».

– La parole divine du troisième chapitre dit : Abolissons les frontières du monde afin que les êtres humains communiquent par le cœur. N'ayant pas accumulé suffisamment d'actes vertueux, les êtres qui peuplent ce monde errent dans les ténèbres. Le Grand Soleil, dans sa volonté de sauver tous ces êtres de l'Enfer, offre aux humains le karma bénéfique du monde ici-bas. Cependant, ceux qui n'atteindront pas l'esprit de vérité du Bouddha accompli, en s'appuyant sur la force de la prière, ceux-là renaîtront en Enfer...

Par la fenêtre ouverte pénétrait un vent frais. Le bruit des ciseaux du jardinier au-dehors donnait une impression de calme et de sérénité.

– Si Dieu a accordé cinquante années de vie à chacun d'entre nous, c'est pour nous permettre de pratiquer les austérités dans un esprit de sacrifice.

Yukiko, dont les jambes commençaient à s'engourdir à force d'être assise par terre sur les genoux, changea discrètement de posture.

47

Tomioka avait trouvé un avocat pour Seikichi. Se dévouer de la sorte pour le meurtrier était l'unique service funèbre qu'il pût offrir pour le repos de l'âme d'Osei. Yukiko lui avait longuement expliqué une fois de plus son désir de recommencer à zéro avec lui, mais pour sa part, il n'éprouvait envers elle qu'une indifférence pire que s'ils avaient été totalement étrangers l'un à l'autre. Apparemment, elle s'était depuis peu laissé embrigader dans une secte, mais Tomioka se disait que c'était peut-être aussi bien ainsi. Lui-même, se refusant à quitter la chambre où flottait encore le souvenir de sa vie avec Osei, passait ses journées allongé sur le lit, à rédiger des manuscrits destinés à la revue d'agriculture. Chaque fois qu'il envoyait un texte, il recevait une rémunération en échange. Pour le moment, ce travail pour lequel il n'avait besoin de voir personne le satisfaisait parfaitement. L'idée même d'un emploi stable le contraignant à un nombre d'heures régulier lui semblait étouffante. Il avait quitté sans prévenir son ancien travail dans l'entreprise de savon d'un de ses amis et sombrait dans une sorte de clochardisation. Il ne se rendait jamais à Urawa, où résidaient ses parents et sa femme, laissait traîner les lettres de Kuniko sur le buffet sans même les ouvrir. Il n'éprouvait plus le moindre sentiment pour son épouse, alitée depuis longtemps déjà. Il savait que ses vieux parents, ne pouvant plus travailler, subsistaient tant bien que mal avec le peu qu'ils avaient, mais il ne savait que faire pour eux, et n'avait d'ailleurs plus le courage d'entreprendre quoi que ce soit : il avait perdu en grande partie l'argent de la vente de la maison dans l'affaire du commerce de bois qui n'avait pas marché et avait confié le peu qui restait à sa famille. Avec cette somme, ils pouvaient encore se débrouiller six mois ou un an, en vivant modestement.

Allongé sur le lit, le papier bon marché dont il se servait pour écrire ses manuscrits étalé devant lui, il se mit à rédiger un essai sur la laque. Pour retrouver l'Indochine, il lui suffisait de naviguer sur l'océan de ses souvenirs.

« La production de la laque est limitée au Japon, à la Chine, à l'Indochine, à la Birmanie et à la Thaïlande. »

Il avait à peine écrit cette phrase qu'il ressentit d'étranges fourmillements à la tête. Des vertiges le prenaient par moments. Il sentait son corps s'affaiblir de plus en plus, peut-être parce qu'il ne se nourrissait pas à des heures régulières. L'énervement le gagna : il fallait qu'il parvienne à gagner au moins dix mille yens avec ce texte... Mais son cerveau refusait de suivre. Bah, après tout, qui se souciait des territoires producteurs de laque ?

Il changea de style pour voir, et commença par le récit d'un souvenir :

« Pendant la guerre, à l'époque où j'étais en poste à Hanoi, capitale du Tonkin, il m'est arrivé de me rendre pour mon travail dans une petite ville du nom de Phu Tho...

« Cette bourgade, située à cent trente kilomètres au nord-ouest de Hanoi, est un centre de culture du sumac qui jouit d'une réputation mondiale.

« Le sumac, ou arbre à laque, de son nom savant *Rhus saccidana*, est appelé *"haze"* au Japon, et au

Tonkin *"kai-son"*. À Phu Tho, les paysans cultivent le sumac parallèlement à d'autres activités, comme cela se passe au Japon pour l'élevage des vers à soie. Autrefois, chez nous, la laque vietnamienne, bon marché et de qualité médiocre, était considérée avec mépris dans les magasins anciens spécialisés dans les objets de laque, et on avait tendance à éviter d'acheter des produits vietnamiens. Pendant la guerre, cependant, le Japon manquant de produits en laque, on s'est battu pour importer de la laque vietnamienne. Je n'ai passé que quelques jours à Phu Tho, pour une simple visite d'observation, mais je me demande aujourd'hui si les agriculteurs japonais ne devraient pas accorder autant d'attention à la culture du sumac qu'à celle du mûrier pour le ver à soie, en tant qu'activité secondaire. On pourrait alors exporter en occident une laque japonaise de haute qualité. La laque vietnamienne est imparfaitement séchée et, si la technique ne progresse pas, la première ville productrice de laque au monde finira par perdre sa réputation. Pour ce qui est du prix, en revanche, la laque japonaise ne peut rivaliser avec celle du Vietnam. Les paysans de la région de Phu Tho apportent au marché de la ville la laque récoltée en grattant l'écorce du sumac et la vendent à des intermédiaires. Tous les objets quotidiens imaginables sont présents sur le marché de la laque à Phu Tho et, quand les paysannes endimanchées et leurs enfants se rendent à la ville les jours où il a lieu, il y règne une ambiance rustique et animée qui fait penser à une boîte à jouets renversée avec tous ses trésors. »

Le crayon de Tomioka resta un instant en suspens. Sa vie au Japon lui parut soudain insipide, comme s'il avait été ramené un siècle en arrière. Son rêve de quitter les îles japonaises s'était réalisé un instant en imagination mais, dans le contexte actuel, il ne pouvait espérer pouvoir s'échapper réellement du pays. Il était en train d'aiguiser son crayon avec un couteau, tout en se disant qu'ici était sa véritable place, quand son regard s'arrêta soudain sur la lame étincelante. Il n'avait plus le courage d'écrire cet article. L'exportation de la laque japonaise n'apporterait rien au pays et, quant à sa production, la quantité était négligeable en comparaison du Vietnam et de la Chine. Tomioka s'allongea, les yeux fixés sur la pointe du couteau. Il était toujours sous le choc de la mort d'Osei. De son vivant, leur quotidien n'était qu'une suite de disputes, mais un chien de chasse du nom de Seikichi avait bondi sur le joli lièvre qui s'ébattait dans les champs, l'avait saisi dans ses crocs et l'avait tué. « Moi, j'étais le chasseur, caché dans la montagne, qui visait le lièvre, juste pour s'amuser... » De quelle rouerie n'avait-il pas fait preuve ! C'était lui-même qui avait incité Seikichi à commettre ce meurtre. Il posa la lame sur la veine d'un de ses poignets, mais n'eut pas le courage de l'enfoncer.

Il n'avait rien mangé depuis le matin et se sentait nauséeux. L'écriture n'avançait pas. Il se redressa d'un bond, enfila une chemise sale, un pantalon de serge noire, descendit au rez-de-chaussée, sortit de la boîte à chaussures les socques de bois d'Osei et les enfila. Le crépuscule n'allait pas tarder, mais dans les rues il faisait encore clair comme en plein jour. Tomioka flâna jusqu'aux abords de la gare, passa sous le rideau d'entrée d'un petit bar. Il avait envie de noyer son spleen dans l'alcool. Il commanda un verre d'alcool de patates, le vida d'un trait, en commanda un second. Dans le bar désert régnait une âcre odeur de poisson ou de champignons séchés en train de griller, provenant de la cuisine à l'arrière. Derrière le comptoir, un homme entre deux âges, le patron apparemment, réprimandait une jeune fille de quinze ou seize ans. Celle-ci, tout en lissant de temps en temps sur ses oreilles ses cheveux coupés au carré, fixait le mur d'un air buté.

– Cesse donc de faire cette tête ! Tu n'as aucune expérience de la vie, et tu ne penses déjà qu'à t'amuser avec des hommes !... Où as-tu dormi hier soir, hein ?

Tout en vidant son verre, Tomioka écoutait ces reproches d'un père à sa fille.

– Où as-tu dormi ? Vas-tu le dire à la fin ?

La fille se taisait, les yeux baissés. Tomioka commanda son troisième verre. L'ivresse s'empara de lui, il commençait à se sentir plus gai. Il avait envie de se changer les idées, en allant au cinéma tout seul, par exemple, ce qui ne lui était pas arrivé depuis longtemps. Ce fut la fille qui lui apporta le troisième verre d'alcool. Elle n'était pas maquillée et avait le teint foncé, mais elle avait de grands yeux et un visage plutôt joli. Ses longs sourcils noirs, qu'elle ne rasait pas, formaient un trait épais au-dessus de ses yeux. Elle posa le verre sur le comptoir, jeta un coup d'œil à Tomioka et lui sourit. Elle avait un regard rafraîchissant.

Tomioka ressortit du bistro complètement soûl, comme si ces trois verres d'alcool avaient changé sa vision de la vie. L'ivresse lui faisait tout oublier. Il partit sans but dans les rues de la ville, en trébuchant. Le soir même, en rentrant, se disait-il, il terminerait d'une traite son article sur la laque et irait le porter aux bureaux de la revue agricole.

Il marcha jusqu'à Sangenjaya, entra dans un cinéma, où l'on passait un film intitulé *Sanshirô de Ginza*. Le héros, un médecin qui n'arrivait pas à oublier son ancienne maîtresse, buvait beaucoup. « C'est presque un yakuza, ce toubib ! » se disait vaguement Tomioka, somnolant à moitié dans un coin de la salle. Le médecin jetait à la rivière plusieurs yakuzas qui collaient aux basques de son ancienne amie. Une fille qui travaillait dans un restaurant semblait amoureuse de ce médecin voyou, mais lui faisait des scènes à chacune de leurs rencontres. Tomioka trouvait qu'elle ressemblait à Osei. Physiquement, elles n'avaient rien de commun, mais c'était le même tempérament. Il n'arrivait pas à suivre le film, peut-être à cause de l'ivresse. Il finit par s'ennuyer et sortit avant la fin. Dehors, il faisait encore un peu clair.

Quelle heure pouvait-il être ? Il n'avait plus de montre depuis un moment, et n'avait aucune notion du temps. Il regarda l'horloge d'un magasin : presque 20 heures. « Ah, déjà ! » se dit-il, tout en continuant à flâner sans but. Il avait envie de plonger plus profond encore dans l'ivresse, de s'y embourber complètement. Il repartit vers le cinéma et entra dans un débit de boissons, installé dans une baraque du marché couvert, près de la gare.

Il trébucha sur le seuil de l'établissement exigu, pareil à une boîte. La femme entre deux âges, outrageusement maquillée, qui trônait au comptoir, posa aimablement le coussin de sa propre chaise sur celle de Tomioka.

– Patronne, un alcool de patates !

– Vous êtes bien gai, dites ! Vous avez déjà bu ailleurs avant de venir ici ?

Il se fit servir un verre à ras bord, y trempa lentement les lèvres. Sur la lanterne de papier qui se balançait sous l'auvent, des caractères chinois indiquaient : *Jamus, marchand de saké.*

– Vous êtes rapatriée de Mandchourie ?

– Comment le savez-vous ?

– À cause du nom sur la lanterne, Jamus.

La patronne avait des cernes sous les yeux, le front dégarni, de petits yeux et un petit nez. Sa nuque était abondamment poudrée et elle portait un simple kimono d'intérieur, recouvert d'un tablier orné d'un jabot de dentelle. Sur le comptoir devant elle s'alignaient des plats contenant du poisson en ragoût, des tranches de jambon et des œufs durs. Tomioka se servit avec les doigts dans la grande assiette de jambon et en fourra une tranche dans sa bouche.

– Eh oui, je suis une rapatriée. Je suis revenue sans rien, complètement ruinée. Telle que vous me voyez, hein, j'ai été enseignante à Jamus pendant dix ans. Dans la vie, on ne sait jamais ce qui vous attend, pas vrai ? Je ne suis pas très familière du travail que je fais maintenant, tout le monde me dit que je ne sais pas y faire, mais c'est dur de se reconvertir.

– Quel âge avez-vous ?

– Quel âge me donnez-vous ? Je suis encore jeune, mine de rien. J'en ai tellement vu de toutes les couleurs que ça m'a fait vieillir avant l'âge mais...

– C'est difficile à dire. La quarantaine, non ?

– Oh, vous me faites de la peine ! J'ai l'air si vieille que ça ? Telle que vous me voyez, j'ai à peine trente-cinq ans. J'ai encore l'intention de vivre des histoires d'amour, vous savez...

Tomioka fut sidéré par l'aplomb avec lequel cette femme mentait. Il avait dit « la quarantaine », mais au fond de lui, avait d'abord pensé « cinquantaine ». Il l'avait rajeunie de dix ans pour lui faire plaisir.

– Ah, ça alors ! Toutes mes excuses. Trente-cinq ans... Pas de doute, c'est jeune. Vous avez l'avenir devant vous. Mais vous n'êtes pas veuve, tout de même ? Vous, si belle, si fraîche...

Elle se mit à rire et posa deux tranches de jambon sur une petite assiette qu'elle poussa vers lui.

– Eh si, c'est la mort qui nous a séparés. On s'est quittés à Jamus, il est parti travailler pour un organisme médical, la Kyôwakai, dans une ville du nom de Baoqing, et voilà. Mari et femme ont suivi chacun leur route. Moi, je ne pense même plus à lui.

Elle posa un deuxième verre plein à côté du premier.

Une ivresse bourbeuse enveloppait Tomioka. Il savait bien qu'on vivait désormais dans un décor de théâtre tournant, où tout changeait rapidement. Pourtant, ce monde où l'on pouvait rencontrer ainsi une ancienne enseignante de Mandchourie devenue patronne de bar lui paraissait pitoyable.

– Eh, patronne, serrons-nous la main..., répétait-il de temps à autre en lui tendant la main. Dites, vous êtes sûr qu'il est mort votre mari ?

– Absolument sûre. En Corée, je me suis retrouvée avec des gens qui travaillaient dans la même organisation que lui, la Kyôwakai, je me suis renseignée... J'ai appris qu'il s'était suicidé avec un fusil de chasse.

– Ah...

Plus les histoires sont compliquées, plus elles sont intéressantes... Les jambes complètement coupées par son troisième verre d'alcool de patates, Tomioka posa la tête sur le comptoir.

48

Yukiko travailla jusqu'à l'automne à la comptabilité de la secte du Grand Soleil. Il régnait un désordre indescriptible dans les coulisses de la secte. Senzô, le fondateur, était un véritable Harpagon et, dès qu'il était question d'argent, se disputait violemment avec Iba. Yukiko avait vite compris comment fonctionnaient les deux personnages et n'oubliait pas de se servir elle aussi au passage, dans des limites raisonnables.

Senzô et Iba répétaient constamment que, dans la vie, tout dépendait de l'argent.

– Ce n'est pas la religion du Grand Soleil que vous pratiquez, mais la religion du Grand Argent, disait-elle de temps en temps avec ironie.

Elle était maintenant complètement rétablie. Elle avait une peau éclatante, et était presque méconnaissable tant elle avait rajeuni. Shimo Otsu était la maîtresse cachée de Senzô et, Yukiko, de la même manière, avait renoué les liens d'autrefois avec Iba, sans trop savoir elle-même quand ni comment. Iba avait expédié femme et enfants à Shizuoka, dans sa province d'origine, et avait acheté une petite maison pour Yukiko, près du temple de la secte. Elle n'éprouvait pas d'amour pour Iba. Au contraire, même, elle le détestait. Elle vivait dans cette petite maison de trois pièces, avec une fidèle d'âge mûr qu'elle avait installée là comme gouvernante, et se rendait régulièrement au temple. Elle avait cent mille yens d'économie. Depuis son arrivée, on lui avait rabâché que, dans la vie, on ne pouvait compter sur rien si ce n'est sur l'argent, et elle avait peu à peu fait des progrès dans le domaine de la gestion financière. Le nombre de fidèles ne cessait d'augmenter et la secte, qui avait désormais une certaine influence, était devenue une célébrité du quartier.

Non que Yukiko ne pensât pas de temps en temps à Tomioka, mais elle lui avait écrit plusieurs fois et il n'avait jamais répondu. «Quels que soient mes efforts, se disait-elle, je ne retrouverai pas l'amour que j'ai connu avec lui.» Elle comprenait que sa vie actuelle ne lui offrait aucune voie de salut. Alors même qu'elle ne manquait de rien, elle se sentait affamée en permanence.

Un soir de pluie, au retour du temple, elle troqua son vêtement noir de cérémonie pour un kimono doublé et dîna comme d'habitude avec la gouvernante. Son regard tomba par hasard sur le journal du soir posé près du brasero, où figurait une publicité pour une revue d'agriculture. Le titre d'un article, «Histoires de laque», et le nom de l'auteur, Kengo Tomioka, lui sautèrent aux yeux. Elle se souvint de la revue que Tomioka lui avait montrée un jour dans la chambre d'Osei. Elle pria aussitôt la dame à son service d'aller lui acheter ce numéro dans une librairie du quartier.

Le style de Tomioka fleurait l'amateurisme mais il était clair et facile à comprendre. Des souvenirs d'Indochine qu'elle et lui étaient seuls à connaître firent à nouveau flamber le cœur de Yukiko de passion. Elle lut avidement l'article, se sentant prête à se précipiter chez Tomioka mais, en même temps, elle qui s'obstinait à tenir tête au fantôme d'Osei n'avait pas le courage de lui rendre visite à une heure si tardive dans l'appartement de la défunte. Pourtant, il faudrait bien qu'elle aille le voir, si elle voulait que son esprit soit enfin sauvé de la faim qui le torturait chaque jour. « Je l'ai attaqué trop durement, à un moment où il sombrait dans la déchéance, songeait-elle. Osei a été précieuse pour lui, soit, mais je ne la laisserai pas pour autant avoir le dessus. Pourquoi la vie de Tomioka et la mienne sont-elles en train de s'effriter de la sorte ?... Peut-être avons-nous trop rêvé d'un passé impossible à retrouver ? Rêvé au point de nous dégoûter l'un de l'autre. » Le véritable cœur du problème n'était pas Osei, sinon pourquoi auraient-ils pris la décision de mourir ensemble tous les deux, avant même qu'il rencontre cette femme ? Deux mois s'étaient écoulés depuis le meurtre. Peut-être commençait-il enfin à être libéré du fantôme d'Osei ?

– Regarde, Oshige... L'auteur de cet article, c'est mon ancien amoureux.

La gouvernante, qui était en train de débarrasser la table, prit la revue et regarda la table des matières que Yukiko lui montrait du doigt. Cette femme, dont les deux fils étaient morts à la guerre, vivait en faisant du porte-à-porte pour vendre du poisson. Puis son mari était mort à son tour au printemps et, face à cette succession de malheurs, elle s'était réfugiée dans les croyances de la secte du Grand Soleil. Iba appréciait-il sa discrétion ? Toujours est-il qu'il l'avait proposée comme domestique à Yukiko.

– Comment lit-on ce caractère ? « Histoires de... » ?

– « Laque. » Ça se lit laque. Comme ce plateau et ce bol laqués, tu vois.

– Votre ancien compagnon était dans le commerce de la laque ?

– Pas du tout, voyons. C'était un fonctionnaire du ministère de l'Agriculture et des Forêts. Quelqu'un de très important... Pendant la guerre, tu sais, j'étais dactylo au ministère, et moi aussi je suis allée en Indochine comme attachée militaire, c'est là qu'on s'est rencontrés et qu'on s'est aimés.

Au fur et à mesure qu'elle racontait, elle se sentait devenir sentimentale et les larmes lui montaient aux yeux.

– À la défaite, ça a été dur, on est rentrés au Japon chacun de notre côté, mais je ne sais pas pourquoi, nous qui nous étions aimés passionnément sous les tropiques, dès que nous avons retrouvé le climat du Japon, nous avons pris de la distance l'un vis-à-vis de l'autre. Pourtant, une fois, on est allés à Ikaho dans l'intention de trouver un endroit pour mourir ensemble...

Oshige écoutait le récit de Yukiko, tout en essuyant la table basse avec un torchon.

– À Ikaho, on a eu des problèmes d'argent. Le patron d'un bar lui a acheté sa montre. Et là, je ne sais quel démon s'est emparé de lui. Il s'est passé des choses louches avec la femme du tenancier du bar. Les hommes auraient-ils toujours le cœur qui balance, même quand ils partent se suicider avec une femme ?... En tout cas, toute la confiance que j'avais en lui s'est effondrée. Après ça, tu sais, je me suis sentie vraiment désespérée, je n'arrivais plus à respirer. Je n'aime pas Iba, tu vois. N'importe qui devient désespéré quand il est affamé. La faim nous rend pareil à des loups. Même quand on s'aime, je me demande si on ne finit pas par se détester réciproquement, à force d'avoir faim l'un de l'autre. Quand on navigue sur une mer calme, on n'a pas la nausée, mais si on prend le bateau un jour de tempête, on se met à vomir, même si on a très envie de s'amuser... C'est comme ça. Je suis revenue auprès d'Iba mais maintenant, je n'ai plus rien dans le ventre, je ne peux même plus vomir... Iba, je le déteste. Il est pire que moi. Moi-même, je ne vaux plus grand-chose, mais lui, il est pire que moi. Le fondateur non plus, ce n'est pas un homme honnête. Tu te fais avoir, Oshige...

– Oui, je le sais bien. Mais je suis incapable de continuer à vivre, sans ma foi dans le Grand Soleil. Je ne crois ni à M. le Fondateur, ni à M. Iba ; ces messieurs ne valent pas tripette...

Yukiko fut frappée par les paroles d'Oshige : elle avait foi dans le Grand Soleil, mais pas en Narimune ni Iba. Elle eut l'impression qu'Oshige l'avait ramenée à sa vraie dimension, elle qui parlait en se donnant tant d'importance...

– Je crois seulement au Grand Soleil invisible, c'est tout.

– Mais ce Dieu du Grand Soleil, il n'existe nulle part, pourtant ?

– Oh, que si. Un jour, je regardais mes ongles, je me suis dit : on a beau créer des objets magnifiques et de plus en plus pratiques, eh bien, un seul de mes ongles représente la perfection. Oui, un ongle humain, c'est plus effrayant que la bombe atomique, vous savez. Je l'ai profondément ressenti. Et je me suis dit, ça veut dire que Dieu existe dans l'homme. Quoi qu'ils fassent, les savants sont incapables d'inventer un ongle humain. Eh non, ils ne peuvent pas... Bien sûr, ces ongles, je les tiens de mes parents. Mais s'il n'y avait pas de dieu, l'être humain ne pourrait pas naître, n'est-ce pas ? L'être humain, qui porte en lui tous les tourments liés aux désirs des sens, ne peut vivre sans croire à quelque chose. Dites, mademoiselle Yukiko, si vous alliez voir directement cette personne que vous aimez et lui expliquiez ce qu'il en est, qu'en dites-vous ?... Les hommes ne sont pas superstitieux, ce qui fait d'eux des créatures difficiles à manier. Mais si une femme leur parle patiemment, ils comprennent les choses, non ? Par parler, je ne veux pas dire bavarder à tort et à travers. Vous savez, il suffit de s'asseoir doucement auprès de l'homme pour le protéger...

Yukiko se mit à pouffer de rire. C'était la première fois qu'elle riait d'aussi bon cœur depuis longtemps.

49

«Histoires de laque» rapporta à Tomioka une somme qui le tira enfin d'affaire. Il put payer ses loyers en retard et vivre deux mois sans avoir à travailler.

Il avait pris goût à la solitude et se lança dans la rédaction de ses souvenirs d'ingénieur au ministère de l'Agriculture et des Forêts qu'il avait depuis longtemps l'intention d'écrire. Il avait principalement à cœur de transmettre sa nostalgie des forêts tropicales. En Indochine, il avait pris des tas de notes sur ses recherches, mais n'avait pu ramener aucun de ses cahiers. Il lui fallait donc remonter le fil de ses souvenirs de l'époque pour écrire ce texte. Il avait l'intention, s'il réussissait dans son projet et que la revue accepte de le publier, de dédier le recueil à la mémoire de Kanô. Il avait aussi le secret désir de le dédier à tous ceux qui avaient disparu en terre indochinoise.

«Les Vietnamiens, quel que soit leur milieu social, ont tous foi en la nature, et ont tendance à attribuer tous les phénomènes, naturels aussi bien que sociaux, à l'action d'esprits invisibles. La vie terrestre dans son ensemble est contrôlée par les esprits, aussi bien malheurs que bonheurs, tout est décidé et annoncé par les esprits, voilà ce que croient les Vietnamiens.»

Tomioka se rappela que le jour de son arrivée à Dalat, lorsque le directeur des Eaux et Forêts l'avait présenté à

Kanô, ce dernier avait posé un petit morceau de bois sur le bureau.

– Monsieur Tomioka, avez-vous déjà vu du véritable bois d'aloès ? avait demandé Kanô en soulevant le bout de bois vers le nez de Tomioka, avant de poursuivre en riant : Puisque nous sommes au front, et que je ne peux plus goûter la peau des femmes, j'ai entamé des recherches sur les arbres parfumés. Plutôt élégant comme démarche, non ?...

Tomioka avait envie de commencer le récit de ses souvenirs par cette anecdote. Kanô lui avait appris que le bois d'aloé, que l'on appelle «*kyara*» au Japon, se nommait «*jinkoh*» en Chine. Lors de son passage au centre de recherches forestières de Saigon, il avait vu chez le directeur, avenue Rousseau, près du jardin botanique, un magnifique spécimen de bois d'aloé, de la taille d'une bonite séchée. Le directeur, M. Morand, lui avait expliqué qu'en français on appelait aussi cette plante fossile «*bois d'Aigle*». En Chine, on en faisait usage depuis l'époque de l'empereur Wu, de la dynastie des Han, et en Inde, en Égypte, en Arabie, on s'en servait également depuis des temps reculés. En Indochine, on trouvait partout des petites chapelles devant lesquelles on brûlait du bois d'aloé, ce qui illustrait bien la croyance aux esprits des indigènes. Tomioka avait entendu dire que ce bois se vendait au poids, au même prix que l'or, et que celui qui poussait dans le sud du Vietnam était la qualité la plus appréciée. Il se rappelait avoir mis un morceau de bois d'aloé de la taille d'un petit doigt sous l'oreiller de Yukiko, à l'époque où il l'avait connue. Et lors d'une visite dans un temple vietnamien où il avait glissé une aumône à un moine, celui-ci lui avait donné en échange un petit morceau de bois d'aloé. Il avait l'impression qu'il existait une connexion mystérieuse entre la religion des Vietnamiens et les parfums.

Son manuscrit avait déjà avancé de deux cents pages. Au fur et à mesure qu'il écrivait, il prenait conscience que son histoire avec Yukiko n'avait pas le moindre lien avec la terre indochinoise. C'était plutôt des souvenirs de la servante Nyu, ou d'enfants qu'il avait croisés, qui revenaient lui frôler le cœur avec nostalgie. Il se demandait finalement si ce n'était pas la nostalgie de leur parfum qui rendait les paysages d'Indochine si inoubliables.

Ces derniers temps, ses visites à Seikichi en prison s'étaient faites moins fréquentes et, le mois précédent, il n'était pas allé le voir une seule fois. Tomioka avait l'impression de n'être plus qu'une pâle étincelle qui s'éteignait en dehors des énormes roues dentées de la société, sans se consumer à aucun des foyers que leur rotation allumait les uns après les autres. Il n'y avait aucune différence entre Seikichi, qui était incarcéré, et lui-même, qui ne l'était pas. Les prisonniers n'étaient-ils pas au contraire les seuls hommes vertueux qui restaient, alors que les êtres exclus de la société comme lui étaient ceux qui méritaient vraiment la prison ? Il commençait à douter en secret de l'honnêteté de la justice. Le véritable meurtrier d'Osei, le chasseur, c'était lui-même, pourtant c'était Seikichi, le chien de chasse, qui avait été arrêté. Cet homme avait suivi une voie bien stupide, en choisissant une action qui l'exposait à la sanction suprême. Tomioka se sentait parfois agacé de ne pouvoir garder sa bonne conscience face à Seikichi. Seikichi avait commis un acte criminel, mais lui, il avait tué tout aussi sûrement, sans agir directement.

Seikichi était toujours d'une étonnante sérénité quand il lui rendait visite. Tomioka avait du mal à croire à ce que disait l'avocat, selon qui Seikichi était d'un tempérament mélancolique et solitaire... Il avait beau essayer de ne pas y penser, pendant qu'il travaillait, le visage souriant de Seikichi lui venait sans cesse à l'esprit. Le chien de chasse est en prison. Quand le chasseur lui rend visite, il reste impassible... C'est ainsi que Tomioka interprétait le comportement de Seikichi. Il lui trouvait néanmoins quelque chose de sinistre. C'était pour une raison du même ordre que Kanô s'était autrefois fait arrêter par la police militaire de Saigon. Là encore, il s'agissait du chasseur et de son chien. Kanô était désormais dans l'autre monde, mais Tomioka n'était même pas allé le voir une seule fois de son vivant, sur son lit d'agonie. Il était mort dans la solitude, sans qu'ils se soient réconciliés. Seule Yukiko était allée le voir à Yokohama. Tomioka savait que Kanô s'était excusé de l'avoir blessée autrefois, mais quand il repensait à tout cela, il se disait qu'une sorte de croûte s'était formée sur sa lâcheté à lui, comme sur une vieille blessure.

Quand le soir tombait, l'envie le prenait de boire de l'alcool fort. À la vitesse de cinq ou six pages par jour, se disait-il, son passé d'ingénieur agronome dans les colonies n'était pas près de se transformer en espèces sonnantes et trébuchantes. Il vendit les meubles et les effets d'Osei les uns après les autres pour boire. Il vendit le buffet, la valise et les vêtements jusqu'au dernier. Il était retourné sept ou huit fois dans ce bar où travaillait la fille du patron, toute jeune, aux jolis yeux, et avait engagé la conversation avec elle.

Par deux fois déjà, la petite était venue chez lui réclamer l'argent qu'il devait au bar... Ce soir-là, Tomioka, las de travailler, avait décidé d'aller aux bains, ce qui ne lui était pas arrivé depuis un moment. Il décrochait la serviette suspendue au fil de fer quand il crut entendre le rire étouffé d'une femme provenant de l'intérieur du mur. Instantanément, il pensa à Osei. C'était ce rire plein qu'elle avait eu le soir où ils avaient descendu ensemble cet escalier étroit, à Ikaho. Il tendait l'oreille vers ce rire étouffé de l'autre côté du mur, quand une voix à la porte appela :

– Monsieur !

Tomioka se retourna : la fille du bar, deux ou trois magazines sous le bras, risqua un coup d'œil dans sa chambre.

– Ah, c'est toi.

– Vous êtes seul ?

– Oui, je suis seul. Qu'y a-t-il ? Tu viens en créancière ?

– Non, je suis juste passée vous voir comme ça.

– Tiens ?...

« Voilà une petite fille audacieuse », se dit-il. Elle se précipita aussitôt dans sa chambre et rangea sous le lit ses *geta* sales qu'elle tenait dans la main. Elle s'assit au bord du lit, riant à gorge déployée sans avoir l'air effarouchée le moins du monde. Ah, ce rire, c'était donc elle, se dit Tomioka en s'asseyant sur le lit à côté d'elle. Quand il posa la main sur son épaule et la serra dans ses bras, elle ouvrit les lèvres d'un air enfantin et le regarda d'en bas avec de grands yeux. Quand on l'observait bien, ses traits rappelaient ceux des filles du Sud. En Indochine, il avait vu beaucoup de visages de ce type, songeait Tomioka en contemplant avec émotion le teint foncé de la fille.

– Mon père n'arrête pas de me gronder, alors j'ai fait une fugue, juste pour lui faire peur...

– Tu dois faire des bêtises, et ton père te gronde parce qu'il s'inquiète pour toi.

– Mais non, c'est parce qu'il est neurasthénique. Maman parle tous les jours de le quitter, et il vit sur les nerfs. J'ai dormi au poste l'autre jour. Mais un poste de police, la nuit, c'est drôle...

– À quel endroit était-ce ?

– Oh, loin. Les policiers ont été très gentils avec moi.

Tomioka ne comprenait vraiment pas ce que ce genre de fille pouvait avoir dans la tête.

50

L'hiver arriva.

Tomioka, tout en vivant dans un extrême dénuement, parvint au bout de presque cinq cents pages de souvenirs de sa vie de fonctionnaire en Indochine, mais sa tentative se solda par un échec. La revue lui répondit qu'elle ne pouvait le publier immédiatement à cause de la crise économique qui frappait les milieux de l'édition. Sa déception fut grande. Il avait l'impression d'être debout sur une pente, sur le point de tomber, et qu'il n'était plus capable de maintenir l'équilibre instable de sa vie. Il alla à tout hasard faire un tour à l'office de placement, rendit également visite à ses amis de l'époque du ministère de l'Agriculture et des Forêts.

Rien ne se présenta. Étendu sur son lit dans cette pièce glacée, sans chauffage, il ne pouvait s'empêcher de penser de temps à autre à Yukiko, mais il ne s'en sentait que plus bas. Comme il n'avait pas pu payer son loyer depuis l'été, le propriétaire menaçait de le chasser, et sa vieille mère s'était déplacée plusieurs fois depuis Urawa pour se plaindre : Kuniko était au plus mal, et ils vivaient dans l'indigence.

Un matin de neige, début janvier, il reçut un télégramme lui annonçant la mort de Kuniko. Il vendit son lit à un brocanteur et prit le train pour Urawa.

À force de vivre dans la misère, sa santé s'était délabrée au point de la rendre méconnaissable et elle avait fini par se laisser mourir ; on pouvait presque qualifier sa mort de suicide.

Très affaiblie depuis longtemps, elle souffrait d'une inflammation des glandes lymphatiques et d'écrouelles qui auraient nécessité une opération, pourtant le médecin, craignant sans doute d'opérer cette femme pauvre, amaigrie et affaiblie, avait diagnostiqué une maladie bénigne et lui avait simplement recommandé de prendre l'air et de faire une cure d'huile de foie de morue ; une tumeur s'était formée dans la région de l'aine, il fallait absolument opérer, insérer un drain de caoutchouc pour évacuer le pus. Malgré son état critique, Kuniko avait continué à endurer la maladie en silence, sans se faire opérer, et avait fini par rendre le dernier soupir, dans un état pitoyable.

L'argent manquait tellement dans la maison qu'ils n'avaient même pas de quoi acheter un cercueil. Tomioka n'éprouvait pas les mêmes regrets que lors de la mort d'Osei, mais il se sentait coupable de ne pas s'être occupé convenablement de son épouse depuis la fin de la guerre et était écœuré de voir sa famille tombée dans une déchéance telle qu'elle ne pouvait même pas se permettre l'achat d'un cercueil.

Il neigeait sans arrêt depuis le matin.

Tomioka n'avait naturellement pas les moyens de faire venir un bonze pour lire des soûtras au chevet de la morte et n'avait même pas d'argent pour la faire transporter jusqu'au crématorium. Il résolut d'aller rendre visite à Yukiko pour lui emprunter de l'argent. Enfilant le vieux manteau de son père, il partit tôt le matin pour Tokyo et se rendit à l'adresse indiquée sur la lettre de Yukiko. C'était une petite maison d'un étage qui portait une plaque au nom d'Iba. Derrière le portail peint, on pouvait voir des buissons d'aucubas, couverts de neige, qui portaient des baies rouges. Dès que Tomioka posa la main sur la porte grillagée, un chien se mit à aboyer bruyamment à l'intérieur de la maison. Prenant son courage à deux mains, il ouvrit la porte d'entrée au carreau de verre opaque.

Contre toute attente, ce fut Yukiko en personne qui descendit du premier étage, un chien blanc dans les bras, vêtue d'une veste jaune et d'un pantalon noir. Éberluée à la vue de Tomioka dans ses vêtements misérables, elle resta plantée dans l'entrée, incapable de prononcer un mot.

Elle avait complètement changé depuis l'été et avait même retrouvé son aspect de l'époque de l'Indochine : elle avait pris des rondeurs, son corps rajeuni avait des courbes pleines. Le chien à poils longs, tout blanc, tirait une langue rouge et japait nerveusement. Yukiko lui donna une tape sévère sur le museau.

– Ça alors ! Je me demandais qui c'était...

Tomioka aussi était stupéfait par la totale métamorphose de Yukiko. Il l'entendit faire coulisser des cloisons avec violence, tandis qu'elle remontait enfermer le chien au premier étage, après quoi elle redescendit et conduisit Tomioka au séjour. Tout en le guidant, elle se retourna soudain vers lui pour lui tirer la langue. La joie lui enflait la poitrine à en avoir mal, à l'idée que Tomioka, réduit à la dernière extrémité, était finalement revenu vers elle.

Elle avait compris tout de suite qu'il était venu lui emprunter de l'argent. Elle souleva la couverture moelleuse du *kotatsu*, appuya sur le bouton électrique pour le mettre en marche, puis dit sans le regarder :

– Installe-toi donc dans le *kotatsu*, il fait froid.

– Tu as complètement changé, dit Tomioka qui la dévisageait tout en s'installant docilement sous la chaufferette sans enlever son manteau.

– Changé comment ?

– Tu as rajeuni.

– Ah ? Pourtant je ne mène pas une vie nonchalante...

Elle s'installa en face de lui. Elle avait les mains un peu rouges, comme si elle venait de sortir du bain. Sur un grand brasero de porcelaine, une bouilloire de fonte crachait de la vapeur. À côté de la cloison coulissante était posé un miroir à trois pans et, sur une petite étagère, on pouvait voir, rangée dans une boîte, une poupée représentant une paludière.

– Tu comprends pourquoi je suis venu, non ?

Il avait eu l'intention de lui emprunter de l'argent sans détour dès l'entrée de la maison, mais une fois au chaud dans le *kotatsu*, sans bien savoir pourquoi, il éprouvait davantage de difficulté à parler. Il observait avec des yeux ronds le nouveau cadre de vie de Yukiko. Au premier étage, le chien aboyait furieusement.

– Où est Iba ?

– Au temple de la secte.

– Tu es seule ?

– Oui, il y a une dame qui m'aide, mais elle est sortie faire les courses.

– Tu en as de la chance.

– Ah oui, tu crois ?

Bien qu'elle n'en laissât rien paraître sur son visage, elle se demandait au fond si c'était vraiment une chance de vivre ainsi. Elle se mit à rire.

– Depuis la fin de la guerre, les hommes ne valent rien, les femmes sont devenues plus fortes, dit-il.

– Crois-tu ? dit Yukiko d'un ton affecté, tout en servant le thé.

Cet homme devant elle était-il vraiment le Tomioka dont elle avait été si éperdument amoureuse ? Il a pris au moins deux ou trois ans, se dit-elle en observant ses changements du coin de l'œil, étonnée par sa propre dureté.

– Kuniko est morte hier.

– Oh, ta femme est morte ?

Elle écarquilla les yeux. Elle revoyait le visage de cette femme qu'elle avait rencontrée deux fois. Elle n'avait pas oublié l'impression ressentie le jour où elle l'avait croisée, près de leur maison de Gotanda, à l'époque où elle poursuivait Tomioka de ses assiduités. Subitement, les larmes se mirent à jaillir de ses yeux. Tomioka était venu emprunter de l'argent à son ancienne maîtresse comme font les voyous, mais à la vue de ces larmes, il parut surpris. Le souvenir des épreuves qu'il avait traversées avec cette femme vinrent soudain secouer son cœur desséché. Incapable de dire un mot, il la regardait sangloter.

En réalité, elle ne pleurait pas par apitoiement pour Tomioka, mais au souvenir de son propre état misérable d'alors, quand elle se sentait pareille à un chien abandonné. Lorsqu'elle se rendit compte de l'effet inattendu que produisaient ces larmes sur Tomioka, elle se mit à sangloter de plus belle comme si elle ne se contrôlait plus et, prenant une serviette sur la coiffeuse, elle la pressa sur son visage.

Tomioka la regardait pleurer, stupéfait, puis les battements de son cœur s'affolèrent, le parfum qui imprégnait la serviette le troubla. Il se rapprocha de Yukiko qui pleurait toujours violemment, la prit par les épaules, lui arracha la serviette. Tout heureux de constater à quel point elle l'aimait, il prit son cou souple entre ses mains et l'embrassa passionnément. Elle dégageait un frais parfum qu'il ne connaissait pas, c'était comme s'il avait une nouvelle femme dans les bras, et il la saisit impatiemment par les hanches. Yukiko se laissait faire, comme une patiente examinée par le médecin. Bientôt, les souvenirs secrets qu'ils avaient en commun se rejoignirent par des chemins inattendus et leurs cœurs, qui partageaient les mêmes souffrances, s'élevèrent à l'unisson vers les plus hauts sommets.

51

Midi sonna. Tomioka prit un bain matinal. Il se sentait soulagé, délivré de la misère, lui qui n'avait pas pris de bain depuis cinq ou six jours. Tandis qu'il se lavait avec un savon blanc de marque étrangère, devant la petite baignoire en carrelage bleu cobalt débordant d'eau bien chaude, il ressentit aussi de la pitié pour sa femme morte dans l'indigence. La neige qui tombait dru derrière la petite fenêtre lui parut représenter l'aspect dur et menaçant de la société humaine. Son cœur n'était plus nulle part. Il se sentait poursuivi par cette impression d'errer sans but dans une immense plaine, enneigée à l'infini. La flamme du chauffe-eau à gaz de la salle de bains brûlait en chuintant.

Le visage caressé par une douce vapeur, Tomioka se regarda dans la glace puis entreprit de se raser. Le rasoir à lames jetables était sans doute celui d'Iba, mais après tout, se dit-il, «tant qu'à manger le poison, autant lécher l'assiette». Le grincement de la lame contre sa joue le fit frissonner. L'amertume ne le quittait pas, à l'idée de l'insaisissable obscénité des mondes qu'il avait dû traverser. L'être humain n'était pas une créature compliquée. Un petit détail suffisait à transformer sa réalité. Il résistait bien aux blessures. Il se relevait tout de suite en souriant...

Yukiko leva les yeux vers l'horloge, soulagée de voir que la domestique tardait à revenir. Elle était toujours longue à faire les courses, et aujourd'hui particulièrement, semblait-il.

À 13 heures, Yukiko devait se rendre au temple et prendre le relais de Shimo Otsu au bureau. Elle avait pris sa décision : elle allait rafler tout l'argent du coffre, c'était le moment ou jamais.

Dans la chambre à coucher du fondateur se trouvait un grand coffre-fort où était caché tout l'argent de la secte, mais le petit coffre de la réception contenait toujours de deux à trois cent mille yens. La secte du Grand Soleil était de plus en plus prospère, les donations s'accumulaient et les frais de consultation augmentaient.

Au moment où Yukiko finissait de préparer le déjeuner et déposait sur la table une bouteille de whisky Suntory, boisson favorite d'Iba, Tomioka sortit de la salle de bains, le teint frais. Il observa avec étonnement Yukiko s'activer, la regarda organiser discrètement un moment d'intimité rien que pour eux deux, avec le sentiment d'être un voleur. Au premier, le chien aboyait bruyamment. Une fois installé dans le *kotatsu*, Tomioka fut saisi d'un léger vertige. Il vida deux ou trois verres de whisky d'un trait. L'alcool stimula son corps, et ramena un peu de gaieté dans son esprit déprimé.

La domestique revint enfin. Elle resta perplexe à la vue de cet invité inconnu, mais conclut, à la façon dont Yukiko le traitait, qu'il devait s'agir de l'auteur des « Histoires de laque ». Yukiko sortit vingt mille yens du buffet. Non sans un léger regret, elle enveloppa l'argent dans du papier journal et le glissa sous le coussin de Tomioka. Il la remercia du regard.

Ils quittèrent la maison ensemble à 13 heures. Yukiko lui demanda, en marchant à pas lents à côté de lui :

– Qu'as-tu l'intention de faire désormais ?

– Ce que je vais faire... Comme tu le vois, rien de spécial... Je ne pourrai pas te rembourser cet argent tout de suite, ça ne fait rien ?

– Ça n'a aucune importance. Je me moque pas mal de tout ça. Tu vis toujours dans cette chambre de Meguro ?

– Oui.

– Dis, j'aimerais bien de te voir encore une fois...

Elle avait du mal à le quitter. Maintenant que Kuniko était morte, il devenait possible de vivre avec lui au grand jour... Mais pour le moment, il fallait se garder de parler de vie commune à un homme qui partait acheter un cercueil. Tomioka, de son côté, comprenait bien ce qu'elle ressentait, mais cela l'ennuyait d'évoquer cela maintenant. De plus, il n'avait aucun moyen de subsistance, il était difficile dans ces conditions d'exiger quoi que ce soit de Yukiko.

Ils se quittèrent à la gare de Denenchôfu, l'esprit plein d'arrière-pensées.

Chaussée des bottes d'Iba, Yukiko se rendit au temple par des chemins enneigés pour remplacer Shimo Otsu, qui devait aller ce jour-là à la station thermale d'Atami avec le fondateur. Installée sur un coussin chauffé électriquement, elle contempla quelque temps le jardin sous la neige. Il avait cessé de neiger et un bleu pétrole glacé pointait à travers le ciel couleur de plomb. La pauvreté de Tomioka faisait pitié à Yukiko, cependant il commençait à perdre de son charme à ses yeux, à force de se montrer incapable de gagner sa vie. Un moment plus tôt, elle était prête à voler tout l'argent du coffre et à s'enfuir avec lui, mais à présent elle se sentait étrangement calme. Elle avait deux ou trois heures pour réfléchir, se dit-elle. Il y avait de la lumière à la réception. Iba devait être en train de boire avec quelques fidèles intimes dans sa chambre. Une vingtaine de dévots enfermés dans la salle de prière récitaient des litanies, assis sur le plancher glacial.

321

Yukiko sentit son bassin commencer à se réchauffer sous l'effet du coussin électrique et se rappela avec un sourire l'empressement brutal de Tomioka un moment plus tôt.

Quand elle repensait à ces instants, qui avaient laissé dans sa chair une impression si vive que le souvenir en resterait certainement inaltérable, il lui était impossible de réfléchir avec sang-froid. Son amour pour cet homme qui l'attirait irrésistiblement n'était-il pas une façon de sentir son corps de femme pleinement vivant ? Elle avait l'impression que Tomioka était le seul auprès de qui elle pouvait rechercher ces sensations avec sérénité. Les ondes de son esprit surexcité se dirigèrent à nouveau vers le coffre-fort derrière elle. Elle tendait ses mains, comme des serres. L'argent coulait à flots dans ce coffre, mais pour elle ce n'était qu'une vie banale, pleine d'ennui. Elle avait envie de laisser derrière elle cette étrange existence, qui n'était pas parvenue à la guérir de ses tourments. Elle était trop triste, trop seule, pour continuer à faire des efforts dans ce coin perdu.

Comme si de rien n'était, elle regarda le registre des donations à la page du jour et apprit ainsi qu'il venait d'y en avoir une particulièrement importante. Elle ouvrit le coffre : il contenait des liasses et des liasses de billets, près de six cent mille yens en tout.

Il était fréquent qu'une pareille somme s'accumule dans le coffre en quatre ou cinq jours, mais la vue de tout cet argent, fruit d'une seule journée, fit de l'effet à Yukiko. Comme Shimo Otsu tenait bien les comptes et prévenait le fondateur et Iba à la moindre rentrée, il était difficile de toucher à cet argent, cependant Yukiko n'avait aucune envie de le porter dans la chambre de Narimune à la tombée du jour comme il se devait.

On ne pouvait ouvrir tous les soirs le gros coffre-fort caché dans la chambre du fondateur, on l'ouvrait donc seulement le dimanche soir. Or, on était justement dimanche. Ce jour-là, Narimune et Iba se réunissaient discrètement pour calculer les bénéfices de la semaine mais, le fondateur étant absent ce soir-là, peut-être le grand coffre s'ouvrirait-il seulement le lundi ? Dans ce cas, Yukiko avait une journée devant elle.

Elle imagina divers subterfuges. Si elle prenait la fuite, Oshige avertirait certainement Iba de la mystérieuse visite qu'elle avait reçue le matin. Fatiguée de réfléchir, elle se rendit à la salle de prière. Des bougies électriques brillaient de tout leur éclat sur l'autel, tandis que les fidèles priaient à haute voix.

– Abolissons les frontières du monde afin que les êtres humains communiquent par le cœur. N'ayant pas accumulé suffisamment d'actes vertueux, les êtres qui peuplent ce monde errent dans les ténèbres... Le Grand Soleil, dans sa volonté de sauver tous ces êtres de l'Enfer, offre aux humains le karma bénéfique du monde ici-bas. Cependant, ceux qui n'atteindront pas l'esprit de Vérité en s'appuyant sur autrui, ceux-là renaîtront en Enfer... Ô, Vénérable Dieu du Grand Soleil, là où Tu fais connaître Ton Nom, les ténèbres disparaissent, un Soleil immaculé illumine le monde, empêchant les êtres d'errer dans les ténèbres...

Yukiko s'assit sur le plancher et écouta le chœur des fidèles. Elle joignit les mains et ferma les yeux, immobile, mais des pensées pleines d'impatience s'embrouillaient comme des fils dans son esprit, l'empêchant de trouver le calme. Des liasses de billets papillonnaient sous ses yeux. Aucun dieu n'apparut, ni au-dessus de sa tête ni devant elle. Elle n'arrivait même pas à prier cet éther subtil dont parlait Iba. Elle trouvait seulement sinistre le spectacle de ces gens rassemblés sur un plancher de bois tels les occupants de l'arche de Noé. Iba fit son entrée dans la salle, le teint rubicond ; il avait ces temps-ci de bonnes couleurs et un physique imposant. Il jeta un coup d'œil circulaire sur les fidèles en prière, ouvrit la porte vitrée coulissante donnant sur la véranda, cracha dans le jardin et referma violemment la porte. La vue de Yukiko assise près de l'entrée lui arracha un sourire satisfait et ses pas ébranlèrent le plancher tandis qu'il se retirait vers le fond de la salle. Il tourna le dos et disparut, avec l'air sûr de lui d'un père qui vient de constater que ses enfants en bas âge sont bien calmes. Yukiko regarda l'autel sur lequel scintillaient les bougies électriques. Un miroir brillait derrière le rideau violet, et elle se demanda si par hasard Dieu n'allait pas apparaître à cet endroit. Elle eut beau regarder fixement, elle ne vit même pas la moindre ombre suspecte. La neige fondit dans le jardin, qui ressemblait à une somptueuse peinture dans le style d'Ogata Kôrin. Le vent avait dû se lever, car les vitres tremblaient.

Yukiko pensait à Tomioka, le cœur serré de nostalgie au souvenir du plaisir éprouvé le matin.

52

Tomioka passa encore cinq jours à Urawa après les funérailles de Kuniko. Lorsque les obsèques s'achevèrent, il se sentit soulagé comme s'il avait déposé un fardeau à terre. Il se débarrassa du souvenir de la défunte en vendant sa literie et ses affaires personnelles. Kuniko était devenue depuis longtemps une étrangère à ses yeux. Si le souvenir d'Osei l'étouffait sous son poids, il n'éprouvait plus pour Kuniko que du détachement et, à peine enterrée, elle disparut rapidement de son esprit. Kuniko avait eu une bien triste vie en tant qu'épouse. Depuis le retour de Tomioka de l'Indochine française, sa femme n'avait plus compté pour lui. Ils n'avaient connu qu'un bonheur éphémère pendant une brève période, juste après qu'il l'avait enlevée à un de ses amis dont elle était la femme. Moins de deux ans plus tard, il partait pour l'Indochine en tant qu'auxiliaire de l'armée. Sans la guerre, Tomioka et Kuniko se seraient installés dans une vie banale de fonctionnaires. Entre Tomioka qui avait quitté le territoire japonais et son épouse Kuniko, une distance infranchissable s'était établie. La guerre avait lourdement pesé sur elle, autant que sur lui. Sans doute manquaient-ils de la passion nécessaire pour se rapprocher et faire fleurir à nouveau le désert qu'était devenue leur vie de couple. Lorsque la crémation s'acheva enfin, Tomioka se sentit encore plus léger.

Ses vieux parents ayant exprimé le désir de finir leur vie à Matsuida, leur ville d'origine, dans la préfecture de Gunma, où ils aideraient aux travaux agricoles, il vendit la maison d'Urawa, qui n'était guère plus qu'une baraque, à un cheminot, pour la somme nette de cent quarante mille yens, et décida de donner cet argent à ses parents pour leur permettre de rentrer au pays. Le frère de son père était fermier à Matsuida. Il y avait chez lui une grange qu'il avait déjà prêtée à des réfugiés pendant la guerre, le vieux couple s'y installerait.

Il faisait beau le jour où Tomioka revint à Tokyo. Lorsqu'il entra dans sa chambre, il y trouva la jeune effrontée du bar près de la gare, enveloppée dans ses couvertures, lisant une revue sur son lit.

Allongée là comme chez elle, elle sourit à l'entrée de Tomioka. Depuis sa visite à la fin de l'année, elle n'avait plus donné signe de vie mais, entre-temps, elle s'était fait faire une permanente et, visiblement, avait appris à se maquiller. Il l'avait embrassée un soir d'ivresse, et avait un peu flirté avec elle, sans doute était-ce à cause de cela qu'elle était revenue.

– Tout à l'heure, il y a une jolie dame qui est venue. Mais je l'ai chassée !...

Tomioka ne devina pas tout de suite qui était la jolie dame en question, puis le jour se fit dans son esprit : ah, Yukiko est venue !

– Comment elle était, cette dame ?

– Super chic. Elle avait un manteau à rayures et des bas Nylon. Et un sac à main noir brillant. Elle a fumé une cigarette ici.

– De quoi avez-vous parlé ?

– Elle m'a demandé comment je vous connaissais, alors je lui ai dit qu'on était intimes. Là, elle a ri en fronçant le nez. Ça m'a énervée, alors j'ai préparé le lit en vitesse et je me suis couchée.

– Elle a laissé un message ?

– Elle a juste dit qu'elle allait revenir. Elle m'a demandé avec insistance si j'étais installée ici définitivement, alors j'ai dit oui. Elle faisait une drôle de tête. Je ne l'aime pas. Elle a l'air d'être quelqu'un de très froid. Elle a regardé partout. Peut-être qu'elle ne viendra plus. J'ai mal fait ?

– Tu es vraiment incorrigible...

– Vous êtes amoureux d'elle ?

– C'est ma femme.

– Oh, menteur. J'ai entendu dire que votre femme était morte assassinée. Je sais tout, moi !

Elle sourit méchamment et se leva.

Elle portait une veste mais avait enlevé sa jupe ; ses genoux épais dépassaient de sa combinaison. Tomioka détourna les yeux, alluma le réchaud électrique. Comme il n'y avait plus de lit dans la pièce, cela donnait une impression de froideur, il n'y avait aucun endroit pour s'installer tranquillement. Tomioka s'assit devant le bureau. La fille y avait posé son poudrier et il y avait de la poudre éparpillée, ainsi qu'un rouge à lèvres bon marché durci et un peigne auquel des dents manquaient. « En voyant ça, Yukiko a dû se dire que j'étais toujours aussi volage... » Il sourit amèrement à cette pensée.

– Allez, je dois travailler maintenant, file !

– Oh, mais je n'ai pas d'endroit où rentrer pour le moment. J'étais au Yôseien à Saginomiya jusqu'à hier, mais je me suis enfuie. Ce n'était pas drôle. On passait notre temps à coller des enveloppes de courriers internationaux, et j'y ai attrapé des engelures, regardez ! J'ai pensé à vous et j'ai fugué. Si je rentre chez moi, mon père me chassera de nouveau. Je n'ai aucun endroit où aller à part ici.

– Qu'est-ce que c'est, ce Yôseien ?

– C'est un endroit où on envoie les délinquantes comme moi. On colle des enveloppes à bords rayés rouge et bleu. Au début, ça m'amusait parce que c'était joli, mais je me suis lassée. Après on voit tout trouble, des bâtons rouge et bleu vous tournent tout le temps devant les yeux, on avait toutes peur de devenir daltoniennes.

Tomioka se sentait fatigué. Il était fatigué de tout, en fait. Il regrettait sa vie tranquille de fonctionnaire. Cette existence qu'il sous-estimait et considérait comme banale, il trouvait à présent qu'elle avait été la plus belle période de sa vie. Même alors, il avait des tas de préoccupations, mais ses tourments de l'époque n'étaient pas malsains comme ceux d'aujourd'hui. Il souffrait parfois si atrocement qu'il lui arrivait de hurler... Depuis, une dizaine d'années s'étaient écoulées. Mais à présent, il était épuisé intérieurement au point de ne même plus pouvoir crier. Sa vie était devenue grise, ennuyeuse, comme de la moisissure, et il se contentait d'observer avec le regard froid d'un étranger cette façon qu'avaient les êtres humains de s'accrocher à la moisissure pour vivre. En regardant cette petite fille au visage encore envahi d'un duvet où la poudre ne s'accrochait pas, insolemment allongée sur son matelas, il eut l'impression de voir le symbole même de la société de l'après-guerre. Cette fille était fatiguée, elle aussi...

Mais pour l'instant, elle était surtout encombrante.

– Allez, je vais te raccompagner. Tu rentres chez toi, d'accord ?

– Non. Je veux rester ici.

– Pourquoi ne veux-tu pas partir ?

– Ne me traitez pas comme si j'étais une gêne. Il fait très froid dehors aujourd'hui. Je dormirai mieux ici qu'à la gare. Je ne vais rien faire de mal, je peux bien rester, non ?

– Non. Tu ferais mieux de rentrer pour aujourd'hui. Je te raccompagne, dit Tomioka sans ménagement.

La fille resta silencieuse un moment, toujours allongée, puis elle se leva d'un bond, remit en silence la jupe qu'elle avait jetée à côté de l'oreiller, saisit son petit balluchon et sortit. Tomioka se retourna au bruit de la porte qui claquait. La fille avait laissé une atmosphère sinistre derrière elle. Après son départ, Tomioka resta planté là quelque temps, déprimé. Même sa jeunesse ne servait à rien à cette fille. Qu'avait-elle derrière la tête en errant ainsi dans la ville, solitaire, ignorante, hystérique? C'était une espèce de diablotin, un être totalement incompréhensible pour lui. Tôt ou tard, elle finirait en prison ou se suiciderait. Il sentit monter en lui une sorte de nausée et donna un coup de pied dans le matelas étalé par terre.

Il revit soudain le cadavre de Kuniko, plat comme un biscuit de riz tout sec, au moment où on l'avait mise dans son cercueil. Il continua à donner des coups de pied au matelas, ressentant une douleur sourde au fond des yeux à cause du souvenir de Kuniko. Elle aussi, elle était morte. Elle n'avait pas eu le moindre bonheur dans la vie, et elle était morte, réduite à l'état d'une loque. Le moment de la séparation finale, quand on avait cloué son cercueil, éveillait en lui une profonde émotion rétrospective.

53

Yukiko prit uniquement ses affaires personnelles et quitta la maison sans rien dire à Oshige. Elle n'avait pas l'intention de revenir. Elle monta dans un taxi, avec un sentiment d'arrachement, et se rendit chez Tomioka, mais la rencontre de cette drôle de fille qui avait l'air d'une folle la fit changer d'avis. Elle remonta dans le taxi qu'elle avait fait attendre, se rendit à la gare de Shina-gawa et monta dans un train à destination de Shizuoka.

Ne sachant pas trop où aller, elle avait pris un billet pour Shizuoka.

L'esprit distrait comme si elle voyageait par caprice, elle regardait par la vitre du train, dans le froid du crépuscule. Elle envisagea d'aller dans sa famille à Shi-zuoka, mais cela l'ennuyait. L'idée de rencontrer des gens qu'elle connaissait la fatiguait.

Elle arriva à Mishima aux environs de 8 heures du soir. Elle eut envie de changer de train et d'aller à la station thermale de Shuzenji. À chaque arrêt, elle lisait le nom des auberges sur les panneaux publicitaires. L'envie la prit de s'arrêter dans un endroit du nom de Nagaoka. Elle récupéra ses bagages dans le filet, au-dessus de sa tête, et descendit du train. Était-ce parce qu'il était tard ? La ville lui parut aussi banale que la banlieue de Tokyo. Un vieux rabatteur la guida vers une petite auberge du nom de Yamabuki-sô. C'était une construction de bois médiocre, assez neuve, mais l'endroit importait peu à Yukiko. Avant même d'enlever son manteau, elle rédigea un télégramme à l'intention de Tomioka et le fit envoyer.

Apparemment, c'était une auberge calme, qui ne comptait pas beaucoup de clients. Yukiko rangea sa valise fermée à clé sur l'étagère la plus haute du placard, se changea, enfila le kimono d'intérieur de l'auberge, prit un bain, mais cela ne la calma pas pour autant. Elle regrettait presque de s'être enfuie avec ces six cent mille yens. Elle n'avait peur ni d'Iba, ni de Narimune, mais se disait que même à supposer qu'on pût acheter le bonheur pour six cent mille yens, il était trop tard pour elle : même avec tout cet argent, elle ne pourrait l'acheter.

Elle sortit du bain, s'installa devant le dîner qu'on venait de lui porter, mais rien ne pouvait calmer la faim de son cœur. Elle sortit dans la ville, marcha dans le vent glacé. Elle avait beau avancer, la route restait sombre, et elle finit par acheter des mandarines chez un marchand de fruits et rentrer à l'auberge. Elle n'avait qu'une idée en tête : que Tomioka vienne la rejoindre. Elle écrivit encore un télégramme, demanda à la servante d'aller le poster. Elle fit exprès de préciser à la servante, sur le ton de la plaisanterie, qu'elle avait un amoureux, afin de ne pas susciter de soupçons à l'auberge. Elle avait cru avoir entre les mains une fortune qui lui permettrait de recommencer une nouvelle vie heureuse avec Tomioka, mais à présent, même cette chance d'avoir enfin de l'argent la mettait face à une douloureuse solitude.

Elle ne parvint pas à dormir, jusque tard dans la nuit. Allongée entre les draps qui empestaient l'amidon, elle écoutait la bise hurler au-dehors, torturée par son désir pour Tomioka.

Elle se leva deux ou trois fois, vérifia que sa petite valise était toujours là.

Jusqu'à l'aube, elle dormit à peine, par saccades.

Tomioka arriva au Yamabuki-sô au bout du quatrième télégramme. Yukiko était en train de dîner.

– Vous avez une visite, vint annoncer un commis.

Au même moment, Tomioka entra, sans chapeau, vêtu d'un manteau miteux. Il avait l'air en colère.

À peine assis, il lui lança :

– Tu as perdu tout bon sens, pour m'envoyer un télégramme disant « si tu ne viens pas, je meurs » ?

Yukiko était ravie qu'il soit venu malgré tout. Elle avait envie de lui faire partager les angoisses qu'elle vivait depuis deux jours. Elle commanda tout de suite du saké. D'une gaieté folle à l'idée de tout cet argent en sa possession, elle ne tenait plus en place, à attendre que Tomioka sorte du bain. La servante la taquina sur l'arrivée de l'amoureux tant attendu et Yukiko rit aux éclats, alors qu'elle ne trouvait rien de drôle à ces remarques.

Tomioka sortit enfin du bain et se mit à table.

– Depuis quand es-tu ici ? demanda-t-il

– Hier soir. Mes télégrammes ont dû te surprendre ?

– Oui, c'est la voisine qui me les a portés qui était surprise.

– J'avais tellement envie que tu viennes. J'ai un tas de choses à te raconter. Je suis partie de chez Iba, tu sais.

Il n'avait pas l'air particulièrement étonné.

– Que vas-tu faire maintenant ?

– Maintenant ? Mais je suis partie parce que ma vie était insupportable. J'ai fait quelque chose de mal avant...

Avec l'innocence d'une enfant qui avoue une bêtise, elle lui raconta le vol des six cent mille yens dans le coffre-fort du temple.

– Iba a dû prévenir la police à l'heure qu'il est ?

– Il ne le fera pas. Ils font tous des choses pas nettes. C'est une religion qui rapporte gros. Si on me traînait au commissariat, pas mal de choses pourraient se voir révélées au grand jour. Ils ne tiennent sûrement pas à réveiller le chat qui dort. Pour eux, la modique somme de six cent mille yens, c'est comme si une de leurs voitures était tombée en panne, rien de plus. C'est de l'argent sale, ils l'ont gagné sans rien investir.

– C'est le ciel qui te punira, alors.

– Pas de danger : le dieu de la secte du Grand Soleil n'existe pas. Quand je pense qu'Iba m'a acheté cette maison, six cent mille yens, qu'est-ce que c'est pour lui ? Une broutille...

– Ceux qui en ont en gagnent toujours plus ! La religion, quand ça marche, c'est juteux.

Après quelques coupes de saké, Tomioka commença à se détendre. Yukiko avait envie de dire du mal de Narimune et Iba afin de minimiser son acte. Tomioka se disait que cette liaison avec Yukiko qui durait depuis si longtemps était une fatalité du destin. Osei et Kuniko étaient mortes. Seule Yukiko avait survécu. Et elle avait la force de lutter pour vivre, elle. Il lui sembla que, cette fois-ci, c'était lui qui allait devoir suivre cette femme.

Yukiko se rappela de la prière de la secte : « N'ayant pas accumulé suffisamment d'actes vertueux, les êtres qui peuplent ce monde errent dans les ténèbres... » Elle n'avait plus rien à perdre : même si demain Iba la rattrapait, elle préférait mille fois vivre les errements d'aujourd'hui. Au moins, elle se serait amusée. Après le repas, la servante vint chercher les plateaux et ils lui commandèrent quelques flacons de saké supplémentaires.

– Quand j'y pense, on aura vécu longtemps tous les deux après Ikaho, où on était censés mourir ensemble...

– Une vie absurde, inutile...

– Tu trouves ? Pourtant, pour toi ça a dû être une vie agréable et variée, non ? Avec l'apparition d'un personnage nommé Osei par exemple...

Tomioka ne répondit même pas.

— Je crois que j'aurais été plus heureuse si Osei n'était pas morte de cette façon. Quand je te regarde, j'ai l'impression que son fantôme te possède, ça me fait enrager. Je ne dis pas ça parce que je suis soûle, mais on n'a jamais eu l'occasion depuis cette affaire de se dire les choses en face comme ça, non ? Je la hais, cette Osei. Même maintenant, je l'abomine. C'était une fille tout ce qu'il y a de plus désagréable.

— Tu m'as fait venir ici pour me parler d'Osei ?

— Non, non. Je ne pensais même pas à elle... Mais dès que je t'ai vu avec ton air sombre, je me suis dit que le fantôme de cette fille hantait toujours ton corps. Dis, pourquoi est-ce qu'on n'a pas pu mourir à Ikaho, tous les deux ?

— Et maintenant, tu pourrais mourir ?

— Oui, et toi ?

— Non, je ne peux pas...

— Ah... Bah, moi aussi je commence à avoir l'impression de ne pas pouvoir mourir.

— Nous n'avons plus besoin de mourir. Le temps a tout arrangé.

— Ah, et qu'est-ce que ça veut dire ?

— Rien de spécial.

— Ça veut dire qu'on peut vivre ensemble maintenant, toi et moi ?

— Nous, ensemble ? Ah... Peut-être que c'est devenu impossible. Je suis venu te voir ici, mais je dois rentrer demain à Tokyo.

Était-ce parce qu'elle était ivre ? Le champ de vision de Yukiko était devenu trouble, elle sentit des larmes rouler sur sa poitrine. Pourquoi était-il impossible qu'ils recommencent à zéro tous les deux ? demanda-t-elle en sanglotant, les lèvres déformées par le chagrin.

— Finalement, je n'ai jamais fait que te causer des ennuis. Si tu me demandes pourquoi on ne peut pas vivre ensemble, je ne peux pas te donner de raison précise. Le monde est fait comme ça, c'est tout. Je sais que tu as volé l'argent de la secte pour nous, tu m'en vois désolé pour toi, mais pour le moment, je ne veux plus ni épouse, ni maîtresse. J'ai envie de me consacrer un peu sérieusement à mon travail. Et puis je me suis habitué à vivre à la dure, et je dois quitter mon appartement dans les jours à venir, alors pourquoi ne pas nous quitter bons amis maintenant ?

Yukiko ressentit une soudaine douleur à la poitrine, comme si toutes les liasses de yens lui tombaient soudain sur la tête d'en haut de l'armoire, comme une ancre sombrant au fond de l'eau.

54

« Pourquoi ne pas nous quitter bons amis maintenant ? »

À ces mots, Yukiko se mit à regarder Tomioka fixement. Quel que soit le fond de sa pensée, ce n'était pas
des paroles à prononcer devant elle. « Je ne veux plus ni
épouse, ni maîtresse »... « Quel sans cœur ! » songea-t-elle
en silence.

Tomioka s'enivrait d'une drôle de façon, qui ne lui
était pas habituelle.

Un coude sur la table, il portait la coupe jusqu'à ses
lèvres, en fixant sur Yukiko un regard vide. Elle se
demanda si ce regard froid qu'elle ne lui connaissait pas
n'était pas sa véritable expression. Il avait les joues creuses, le visage émacié. Les cheveux lui tombaient sur le
front et il les ramenait chaque fois en arrière d'un geste
brusque, comme s'il les arrachait. Il avait des poches sous
les yeux, son kimono d'intérieur était ouvert sur sa poitrine à la peau rougeâtre, qu'il grattait férocement.
Tandis qu'elle le regardait comme si elle le voyait pour
la première fois, Yukiko sentit son odeur d'homme
suffocante monter vers elle. C'était peut-être cette odeur
qui séduisait les femmes... Elle lui versa un verre. Elle
commençait à être soûle elle aussi.

Elle avait envie de boire jusqu'à rouler sous la table.
Puisque Tomioka ne comprenait pas la passion qui l'avait

poussée à voler l'argent et à s'enfuir, devait-elle en conclure que son idée de ce matin était irréfléchie ? De toute façon, même si elle vivait avec lui, ça ne marcherait sans doute pas, mais elle n'avait pas envie de renoncer à lui pour autant.

Plus l'ivresse montait, plus elle sentait sa peau devenir insensible, comme si elle s'était empoisonnée en mangeant du poisson-globe. Elle avait envie d'agonir d'injures cet homme assis en face d'elle.

Chaque fois qu'elle reprenait un peu pied au milieu de son ivresse, elle se mettait à évoquer ses souvenirs d'Indochine.

– Je ne suis pas aussi désespérée que toi, moi. Je vais vivre, tu peux me croire ! Fais-en donc à ta tête, prends des maîtresses. Dans le camp à Hanoi, j'ai lu un roman qui s'appelait *Bel Ami.* Tu es comme le héros : un insouciant qui n'a pas de domicile fixe et qui se sert des femmes comme d'échelle sociale, sauf que toi tu te sers des femmes comme échelle pour rien...

Tomioka n'avait pas lu ce roman, mais la dernière phrase de Yukiko l'exaspéra. Il l'attrapa par le bras, l'attira vers lui.

– C'est pour me dire ça que tu m'as fait venir ? Tu aurais pu apporter des dizaines de millions de yens, je ne suis pas homme à en tenir compte. Tu as volé l'argent de ta secte et tu as l'air de t'imaginer que c'est un grand exploit... Si je te manquais tellement, pourquoi es-tu partie chez Iba ?

– Quoi ? Mais qu'est-ce que tu racontes ? C'est toi qui n'en faisais qu'à ta tête...

Il lâcha la main qu'il avait saisie.

– Tu n'as qu'à te servir des hommes comme échelle, toi aussi.

Il s'allongea et ferma les yeux. Par on ne sait quelle association d'idées, il repensa au jour de son arrivée à

Huê, quand il avait couché au Grand Hôtel près du pont Clemenceau. Il était venu quelques jours, pour rendre visite à M. Malcone, du bureau des Eaux et Forêts. Il voulait lui demander de lui céder des graines, pour le bois de construction ; lui qui se pavanait autrefois dans ce luxueux hôtel, voilà à quoi il en était réduit à présent : compter en secret sur de l'argent volé par une femme. Tomioka se mit à rire de lui-même intérieurement. Yukiko disait qu'il se servait des femmes, elle était peut-être dans le vrai.

Un ami de l'époque où il travaillait au ministère de l'Agriculture et des Forêts lui avait proposé récemment un poste sur l'île de Yakushima, à l'extrême sud du Kyushu. Il n'était pas très enthousiaste à l'idée de retourner à la vie de fonctionnaire, mais s'il ne trouvait rien d'autre, il pourrait toujours revenir à son ancienne niche.

On lui avait aussi proposé un emploi d'ingénieur dans le village de Takaike, préfecture de Wakayama, dans un centre expérimental de sylviculture.

Il préférait travailler à Yakushima dans le sud, plutôt que dans ce centre expérimental.

« Si tu n'as pas envie d'aller à Takaike, il y a encore un autre poste au bureau des Eaux et Forêts du mont Kôya, dans la ville de Kudoyama, toujours dans la préfecture de Wakayama. Tu pourrais aussi y tenter ta chance, lui avait conseillé son ami du ministère.

– Si je n'arrive pas à m'en sortir autrement, je reviendrai te demander ton aide, lui avait dit Tomioka avant de le quitter. »

L'idée avait fait son chemin, et il se dit que ce serait peut-être mieux de partir pour un poste en montagne que de rester à Tokyo à ne rien faire. C'était bien beau, cependant, de vouloir partir pour l'extrême sud du Japon, mais cela supposait une certaine organisation : il devrait abandonner sa femme malade et ses vieux parents. À présent que Kuniko était morte et ses parents retirés à Matsuida, plus rien ne s'opposait à son départ. Son ami pourrait sans aucun doute lui proposer une affectation dès le lendemain, s'il voulait, pour Yakushima.

Il n'avait aucune idée du genre d'endroit dont il s'agissait. Il savait uniquement que c'était une zone de forêt primaire productrice d'un espèce de cyprès appelés cyprès de Yaku.

Il imaginait Yakushima comme une île déserte.

« C'est une île qui ne vit que grâce au bureau des Eaux et Forêts, où les gens sont simples, et où il pleut un mois d'affilée. Est-ce que tu supporteras ? » avait demandé son ami en riant

Quitte à retourner à la vie de fonctionnaire, Tomioka préférait aller à Yakushima plutôt qu'au mont Kôya à Wakayama. Il avait regardé sur une carte : Yakushima était une île de forme ronde non loin de Tanegashima, au sud du Kyushu.

Il ferma les yeux et réfléchit quelques instants à ce départ. Yukiko s'était approchée de lui en rampant sur un flanc et marmonnait quelque chose, mais il somnolait. Elle s'approcha encore, colla son visage contre sa poitrine et dit :

– Pourquoi t'es-tu éloigné de moi à ce point ? Pourquoi une telle froideur ? Tu es fâché contre moi parce que je suis partie chez Iba ?

– Non, la question n'est pas là. Tout le monde est devenu comme ça après la défaite, c'est tout... On a perdu la force de décider par nous-mêmes. Ce n'est plus nous qui nous créons nos propres buts, mais la société qui les crée pour nous... C'est la nation qui nous indique nos buts maintenant. Courir après le rêve d'autrefois et vivre quelque temps une existence facile avec tout cet argent, à quoi ça nous mènerait ? À rien...

– On n'a qu'à mourir ensemble, alors. À Ikaho, on devait mourir, mais on n'a pas pu. On n'aura qu'à mourir une fois qu'on aura épuisé l'argent. Tu m'avais bien demandé de me suicider avec toi, non ?

– C'est douloureux de mourir.

Il se souvint soudain de la méthode de suicide décrite dans *Les Possédés*. Si une énorme pierre de la taille d'une maison vous tombait sur la tête, est-ce que ça faisait mal ? Mais si on imaginait qu'on se mettait sciemment sous une pierre de plusieurs tonnes, on avait peur d'avoir mal. La pierre en elle-même ne fait pas mal, c'est la peur qui engendre la douleur. Devant la perspective de mourir, quelle qu'en soit la manière, Tomioka était pris de terreur, comme face à cette pierre.

– C'est très douloureux de mourir, tu sais, dit-il.

– Mais une fois mort, on n'a plus mal ?

– Si on trouve la bonne méthode pour mourir tout de suite, oui, mais sinon, ça fait très mal...

– Je peux supporter la douleur. Ce que je ne supporte pas, c'est que tu me détestes.

Elle saisit Tomioka par le col de son kimono d'intérieur et le secoua de toutes ses forces.

– Mais je ne te déteste pas. C'est parce que je t'aime que je te dis qu'on devrait changer de façon de vivre, toi et moi... Tu peux retourner chez Iba, ou bien avec cet argent tu peux aussi te lancer dans un travail à toi. Le monde a changé, Yuki. Notre histoire s'est achevée avec la fin de la guerre. Tu ferais mieux d'arrêter de rêver comme une petite fille, à ton âge. Moi aussi, quand je suis loin de toi, il m'arrive de rêver à toi et de ressentir une sorte d'extase. L'être humain est fait comme ça... Allons, regarde-moi. Cette nuit on va discuter tranquillement, toi et moi. Je ne veux pas qu'on se sépare fâchés, tous les deux. Je ne te quitte pas parce que je te déteste. Si je te détestais, je ne serais pas venu jusqu'ici.

Il se redressa soudain et versa du saké refroidi dans sa coupe.

La servante entra sans prévenir pour préparer les lits.

Tomioka commanda du saké chaud. Pendant que la fille étalait les couvertures, Yukiko et Tomioka attendirent sur des chaises dans la véranda. Il faisait froid dans le couloir.

Ils restèrent silencieux, face à face. Une fois la literie installée, il ne restait plus de place dans la chambre. Le brasero et la table basse, un flacon de saké posé dessus, avaient été poussés vers le renfoncement de la pièce. La servante avait rajouté du charbon dans le brasero, d'où s'élevait une flamme bleue.

Yukiko et Tomioka s'installèrent face à face près du brasero.

– Raconte-moi tout ce que tu voudras, dit-elle.

– Tu auras beau me presser, je n'ai pas grand-chose à te raconter... Mais finissons-en tous les deux avec ces histoires de vivre et de mourir.

– Quel égoïste !

– Pourquoi ?

– Je suis partie armée du même courage que si j'allais mourir.

– Le courage de mourir, voilà ce qui ne va pas. Je déteste ça... Dans l'évangile selon Matthieu, je crois, il est dit de passer par la porte étroite, parce que la porte qui mène vers la perdition est large, et nombreux sont ceux qui peuvent passer par ce chemin. Mais la porte qui mène vers la vie est étroite, le chemin aussi, et peu nombreux sont ceux qui le trouvent... Autrement dit, tous les deux nous sommes passés par la porte qui mène vers la perdition. Je te l'ai dit tout à l'heure, la peur de la pierre, très peu pour moi !

– Alors, je mourrai seule.

– Fais ce que tu veux, répondit Tomioka à voix basse, avec un sourire froid.

55

Le lendemain, il était près de midi quand ils se réveil-lèrent. Tomioka se mit à lire le journal, allongé sur le matelas. La grève des chemins de fer nationaux attendue en février faisait les gros titres. Il jeta le journal par terre avec un grand bâillement. Yukiko regardait fixement les taches sur le rideau blanc.

Tomioka pouvait retourner chez lui, mais elle, elle n'avait plus nulle part où retourner. À cette idée, une angoisse la saisit, elle sortit ses mains de sous les couver-tures et les regarda, dans la lumière jaune du matin.

Tomioka se retourna à plat ventre, l'oreiller serré dans les bras, puis il attrapa une cigarette et se mit à fumer.

– Vers quelle heure tu pars ?

– Disons un train vers deux heures, ce serait bien.

– Tu veux absolument partir ?

– Et toi ?

– Moi, où veux-tu que j'aille ? Je n'ai pas d'endroit où aller.

Tomioka fumait en regardant le bout de sa cigarette. Yukiko n'avait pas envie de retourner chez Iba. Si elle était partie de chez lui avec l'idée d'y retourner quand elle voudrait, elle n'aurait pas eu besoin de s'accrocher ainsi à Tomioka. Elle se serait contentée d'une aventure passagère avec lui et serait retournée chez Iba. Elle n'avait pas l'intention de mourir, mais ne voulait surtout pas retourner chez Iba. Elle n'avait plus envie de parler de quoi que ce soit. Elle aurait voulu rester ici avec Tomioka au moins une journée, mais au fond d'elle-même, elle avait déjà renoncé à lui. À l'idée que lorsqu'ils se quitteraient ce jour-là, ce serait pour toujours, des larmes lui montèrent aux yeux.

Tomioka savait qu'elle pleurait mais fit semblant de ne rien voir. L'état d'esprit de Yukiko commençait à déteindre sur lui. Il écrasa sa cigarette dans le cendrier et, allant vers elle, la serra fort dans ses bras.

La veille, ils étaient fort ivres et s'étaient endormis, en se marmonnant des confidences réciproques, mais il était impossible de consommer une véritable rupture d'une façon aussi propre.

– Nous sommes dans les bras l'un de l'autre maintenant, mais dans deux ou trois heures nous allons nous quitter en nous disant au revoir plus maladroitement que des étrangers, dit Yukiko d'un ton triste, la tête enfouie dans la poitrine de Tomioka.

Ils avaient le mal de mer à force de chagrin.

– Allez, il faut que tu sois forte, toi aussi.

– Oui.

– Je ne voulais pas te le dire, mais je vais me remettre à travailler, tu sais.

– Ça alors !

– Et donc, d'ici une semaine, je dois partir pour ma nouvelle affectation.

– Ta nouvelle affectation ? Mais où ça ?

– J'irai en bateau depuis Kagoshima. C'est une île à l'extrême sud du Japon, qui s'appelle Yakushima.

– Yakushima ? Je n'ai jamais entendu parler de cet endroit.

– Il y a un poste au bureau des Eaux et Forêts. Je vais vivre là-bas, dans la montagne, cinq ou six ans, toute la vie peut-être...

Yukiko s'agrippa en pleurant aux épaules de Tomioka.

– Non, je ne veux pas ! Si tu pars si loin, emmène-moi avec toi !

– C'est impossible. C'est une île complètement isolée. Tu n'es pas du genre à pouvoir vivre cinq ans dans un endroit pareil. Je pourrai sans doute revenir à Tokyo au moins une fois par an, on pourra se voir à ce moment-là. Je ne sais pas si je serai capable de vivre dans la montagne, mais en tout cas, je vais essayer, pour un certain temps.

Yukiko avait l'air distraite. Elle s'imaginait déjà suivre Tomioka dans cette île lointaine.

– Dis, tu ne vas pas te remettre avec cette fille qui était chez toi ? demanda-t-elle soudain.

– Quelle fille ?

– Cette fille toute mignonne que j'ai trouvée dans ton lit.

– Ah, elle, c'est la fille d'un patron de bar du quartier. Une délinquante.

– Et tu t'es occupé d'elle ? Comme d'Osei ?

– Idiote !

– Je ne crois pas que ce soit ton style d'aller dans un endroit aussi loin tout seul.

– J'y vais seul, je te dis.

– Seul, hein... Eh bien, c'est parfait. Les hommes trouvent des lieux où s'installer, mais les femmes n'ont nulle part où aller dans tout l'univers.

– Tu vas retourner chez Iba, non ?

– Tu crois que c'est le mieux pour moi ?

– Je ne vois pas d'autre moyen.

– Jamais je ne retournerai chez lui ! Si c'était le cas, ça voudrait dire que tu n'as été qu'un jeu pour moi. Ne te moque pas de moi... Je me suis enfuie parce que je savais que tu étais seul et je me disais que cette fois je pourrais enfin t'épouser, je me sentais acculée à faire ça. Depuis notre retour au Japon, on s'est pas mal fourvoyés, toi et moi. Nous étions désespérés, nous avons fait des erreurs, mais nous sommes quittes. Puisque nous sommes passés par la porte large, toi et moi, maintenant il faut chercher la porte étroite, sans nous quitter, il faut faire des efforts tous les deux. Tu dis qu'il ne faut pas avoir la nostalgie des rêves du passé, mais c'est toi qui rêves de moi quand tu me quittes, non ? Tu es un romantique, tu n'es pas le genre à oublier le passé... Pourquoi veux-tu me quitter maintenant que tu es libre ? Si tu me détestes, tu n'as qu'à le dire clairement. Peut-être que je retournerai chez Iba, comme tu dis, ou peut-être que je n'y retournerai pas... Je ne comprends pas qu'on ne puisse pas se marier toi et moi.

Tomioka se taisait. Il ne pouvait dire clairement que le problème d'Osei n'était pas encore réglé dans son esprit. S'il allait à Yakushima, il pourrait consacrer une partie de son salaire à payer les honoraires de l'avocat de son mari. À la réflexion, Osei avait été victime des problèmes entre Yukiko et lui. Yukiko se fâcherait sûrement s'il disait cela ouvertement. Il ne pouvait que rester vague et laisser libre cours à ses propres sentiments.

Ensuite, ils prirent un bain, puis se mirent à table pour un déjeuner tardif. Un an tout juste s'était écoulé depuis leur voyage à Ikaho. Tomioka, accroupi devant la coiffeuse, était en train de se peigner, quand ses yeux croisèrent le regard dur de Yukiko dans le miroir.

– Tu as l'air heureux.

– Tu trouves ?

– Tu dois te sentir soulagé d'avoir rompu avec moi ?

– Oui.

– Tu n'as jamais eu de cœur...

– Moi ?

– Oui, toi. Maintenant je regrette, pour Kanô, mais c'est trop tard.

– Il doit te manquer ?

– Oui, il me manque. Pourquoi est-il mort ? Les morts sont toujours les perdants.

– C'est pour ça qu'il vaut mieux rester en vie, même en se forçant.

– C'est trop tard pour chercher la porte étroite.

– Mais non, ce n'est pas trop tard.

– Dis, si tu prenais cent mille yens avec toi ?

– Tu me donnes cent mille yens ?

– Ce n'est pas assez ?

– Si, si, c'est pas mal.

– Je peux te donner deux cent mille si tu veux.

– C'est facile quand c'est l'argent d'un autre...

– C'était de l'argent facile dès le début. Marchand de religion, c'est un métier rentable.

– Sans doute parce que c'est le prix de l'entrée par la petite porte...

– Oui...

Elle allait tirer sa valise d'en haut du placard, quand Tomioka dit en reposant le peigne sur la coiffeuse :

– Je ne veux rien. Je vais avoir un travail, je n'ai pas besoin de ton argent. C'est pour toi que c'est important.

– Pourquoi ? Moi, l'argent, je m'en moque.

– Tu as tort. L'argent est le meilleur allié des humains.

– Je comprends que tu veuilles aller seul à Yakushima, tu sais. Je ne sais pas si ça marchera ou pas. Mais je sais que c'est parce que tu penses encore à Osei, non ? Ou à ta femme, peut-être.

Tomioka s'assit à la place d'honneur et envoya la servante, qui leur apportait justement du thé chaud, chercher l'horaire des trains.

56

Yukiko n'avait aucune envie de traîner à l'auberge si Tomioka partait. Ils quittèrent donc les lieux ensemble, montèrent dans le même wagon, changèrent à Mishima pour prendre le train de Tokyo.

Tomioka ne pouvait abandonner ainsi à son sort Yukiko, qui n'avait nulle part où aller. La seule solution lui parut de la ramener chez lui. Ils descendirent donc ensemble à l'arrêt de Shinagawa.

Debout sur le quai de la ligne de Yamanote, ils se regardèrent et éclatèrent de rire, puis Yukiko suivit Tomioka jusque chez lui.

À la différence d'Izu, il faisait à Tokyo un froid perçant.

À nouveau exposés à l'ouragan glacé de l'existence, ils se sentirent sombrer dans le désespoir.

Une carte de la revue d'agriculture attendait Tomioka chez lui. La rédaction lui annonçait son intention de publier en plusieurs fois le manuscrit de ses souvenirs d'ingénieur agronome. Tomioka se sentit aussitôt ragaillardi.

Comme ils ne pouvaient plus utiliser le réchaud électrique, Yukiko posa ses bagages et sortit aussitôt acheter du charbon de bois de bonne qualité dans un point de vente du voisinage.

Tomioka était en train de feuilleter son manuscrit quand la voisine vint lui dire qu'un dénommé Iba était passé le voir et avait laissé sa carte.

Tomioka mit la carte dans sa poche. Il n'avait pas l'intention de la montrer à Yukiko. Celle-ci ne tarda pas à revenir, avec le charbon et d'autres achats, le visage rougi par le froid. Elle avait une grande bouteille de saké à la main. Tomioka eut pitié d'elle.

Il était impressionné malgré lui par ce cœur de femme qui continuait à entretenir des illusions puériles. Ils n'aboutissaient qu'à toutes sortes de contradictions. Tomioka avait trahi les femmes qui avaient traversé sa vie de façon si naturelle qu'il ne comprenait plus lui-même son propre cheminement. Le comportement des femmes lui faisait peur. Il se dit, avec ce sentiment de culpabilité que seuls ressentent les criminels, que cette peur était sans doute aussi une peur de lui-même tapie au fond de lui.

« Les femmes, quoi qu'il arrive, ne regardent jamais en arrière, songeait-il. Simplement, elles séduisent les hommes avec une ingénuité enfantine. »

Si Iba était venu ici, cela signifiait qu'ils n'étaient plus en sécurité dans cette maison. Il fallait accélérer ses préparatifs de départ pour Yakushima. Tout le problème était pour lui de savoir quelle conduite adopter par rapport à Yukiko.

– Tu n'aurais pas envie de reprendre ton poste d'autrefois ? suggéra-t-il. Je pourrais demander au ministère si tu le veux. Ça ne te dirait pas de louer une chambre et de vivre tranquillement de ton côté ? Tu pourrais étudier, et peut-être même trouver quelqu'un pour te marier...

Yukiko le foudroya du regard, avec une expression qui signifiait : « Ne me reparle plus jamais de ça. »

Elle n'avait pas besoin de ses conseils. Seul l'instant présent comptait, et les six cent mille yens en sa possession la rendaient audacieuse. Cette somme devrait à peu près lui suffire pour s'en sortir. Elle avait l'intention de le suivre à Yakushima, quitte à devoir y aller seule.

Prisonnière de l'odeur que dégageait le corps de cet homme, elle ne pouvait plus s'éloigner de lui.

Elle avait envie de se cramponner comme une folle à ce corps au parfum viril, un parfum que ni Iba, ni Kanô n'avaient jamais dégagé. Si elle devait le quitter ici, maintenant, elle aurait dû retourner tout de suite chez Iba, depuis la gare de Shinagawa. Maintenant, il était trop tard.

Elle prépara le repas avec une familiarité de femme installée depuis longtemps dans les lieux. Tomioka ne put finalement s'empêcher de sortir de sa poche la carte de visite d'Iba, et de la lui tendre.

– Ça alors, Iba est venu ici ? Mais quand ? Comment connaît-il cette adresse ? s'étonna-t-elle. C'est étrange...

– Tu sais bien que c'est un dieu, il a dû deviner...

– Blague à part, je me demande vraiment comment il a su. Je n'ai donné ton adresse à personne.

– Il l'aura peut-être appris quand même, avec tout le raffut qu'a fait l'affaire d'Osei.

– Mais non, il n'y a aucune raison. Il a entendu parler de l'affaire, bien sûr, mais il ne peut pas connaître cette adresse.

Yukiko trouvait vraiment étrange qu'Iba soit venu jusque-là. Tomioka commençait à se sentir oppressé.

– Dis, moi je pourrais vivre n'importe où, tu sais. Tu ne voudrais pas m'emmener à Yakushima ? Quand j'en aurai assez, je reviendrai ici toute seule. Emmène-moi, même pour un mois ou deux seulement. De cette manière, je crois que moi aussi je finirai par me faire une raison.

Tomioka n'avait aucune envie d'emmener Yukiko avec lui dans l'extrême sud du Japon, mais l'irruption d'Iba sur la scène le détermina à se lancer malgré tout dans cette aventure.

Tôt le lendemain matin, il rendit visite à son ami et lui demanda de s'occuper rapidement des formalités nécessaires à son départ pour Yakushima. Au retour, il s'arrêta à Marunouchi, au bureau de la rédaction de la revue d'agriculture pour y déposer son manuscrit.

Il avait attendu environ une heure quand il vit arriver un journaliste qu'il connaissait de vue, qui lui dit une chose étrange :

– À propos, hier matin, quelqu'un est venu demander l'adresse de l'auteur de l'article sur la laque, c'est-à-dire la tienne...

« C'était donc ça », se dit Tomioka, qui venait de tout comprendre. Yukiko lui avait dit qu'elle avait acheté le numéro où figurait son article sur la laque. Iba avait dû faire le rapprochement et avait eu l'idée de trouver l'adresse de son rival par le biais de la revue.

Yukiko avait décidé de passer la journée dehors. Ses bagages à la main, elle fit la tournée des cinémas, vit deux ou trois films. Elle savait que si Iba venait en l'absence de Tomioka, il la ramènerait au temple de force.

Si Tomioka acceptait de l'emmener avec lui à Yakushima, elle n'aurait plus à se préoccuper de rien. Maintenant qu'elle avait payé les frais d'avocat pour le mari d'Osei, plus rien ne le retenait.

Elle rentra tard le soir chez Tomioka. Le lendemain matin, elle repartit, ses bagages à la main.

Il en alla ainsi pendant toute la semaine. Au bout d'une semaine, Tomioka reçut une lettre exprès d'Iba, lui demandant de lui indiquer un endroit où ils pourraient se voir. Ce même jour, la nomination de Tomioka à Yakushima devint effective.

Tomioka déchira l'exprès et le jeta. Yukiko s'était inquiétée, mais maintenant que le départ de Tomioka était décidé, il n'y avait plus de souci à se faire à propos de ce message menaçant.

Tomioka fit la tournée de ses relations pour dire au revoir, fit les dernières corrections à son manuscrit et, deux semaines après son retour d'Izu, libéra enfin la chambre et envoya toutes ses affaires à son nouveau poste.

Jusqu'à son départ, il n'avait pas renoncé à son intention de laisser Yukiko derrière lui, mais il lui était impossible de partir seul à présent qu'elle avait payé l'avocat de Seikichi à sa place. Il ne pouvait plus que se laisser aller au cours des événements. C'est à l'époque où il partait camper dans les jungles tropicales qu'il avait adopté cette habitude de laisser les événements suivre leur cours. Face à des catastrophes imprévues, les transporteurs de bois de Malaisie avaient coutume de dire *« Apa bole boi »*, expression qui équivalait à « on n'y peut rien », et c'était cette expression fataliste qui venait le plus facilement à l'esprit de Tomioka ces derniers temps.

Il n'y pouvait vraiment rien. Il n'avait pas touché directement à l'argent de Yukiko, mais s'était malgré tout arrangé pour le lui faire cracher, et il avait du mal à supporter l'obscénité de sa propre attitude. La grève de février, annoncée à grand bruit par les journaux, avait été interdite, mais l'agitation sociale devenait de plus en plus palpable. Tomioka trouvait difficile de vivre à Tokyo avec une sorte d'idéal. La vie dans le Tokyo d'après-guerre obligeait à de nombreuses compromissions.

Au milieu de toutes ces contradictions, il ne savait que faire de lui-même. Pour reprendre un nouveau départ, renaître à lui-même, il fallait qu'il change de lieu. Pris dans ses propres tourments, qu'il subissait passivement, il était conscient d'un décalage entre lui et la société au sein de laquelle il vivait. Il se sentait emporté dans le tourbillon d'un monde qui tournait à la vitesse d'une chaîne de montage et dont le vacarme résonnait tout près de ses oreilles. L'instabilité qui couvait donnait presque à penser que les ferments d'une troisième guerre mondiale bouillonnaient dans l'ombre. Dans l'état d'absence totale de moralité où il était tombé, Tomioka ne pouvait supporter l'idée de reprendre son ancienne vie avec Yukiko. Et pourtant, son lien avec elle continuait à croître, comme de la moisissure, alors même qu'il cherchait à le dénouer sans y parvenir.

Ils quittèrent Tokyo, à la mi-février, par le train de nuit

57

«*Il a le diable au corps*[1].» À Dalat, Kanô citait souvent cette phrase, et quand on lui demandait qui était le diable, il désignait Yukiko du menton.

Le train était un moyen de transport long et ennuyeux. Tomioka, lui, ne s'ennuya pas, tant il était sidéré de voir Yukiko s'empiffrer pendant tout le voyage. Ils arrivèrent le matin à Kyoto. Si Yukiko n'avait pas été là, Tomioka se serait bien arrêté pour passer une journée dans l'ancienne capitale impériale.

Était-ce parce qu'elle possédait maintenant plus d'argent qu'elle n'en avait jamais eu ? Yukiko descendit sur le quai à Kyoto pour acheter encore de nouvelles provisions. En se penchant à la fenêtre du train pour la regarder, Tomioka se dit qu'ainsi, vue de dos, dans son manteau, elle avait l'air négligé d'une femme sur le retour. Apparemment, elle lui avait aussi acheté des cigarettes. Elle se retourna pour lui faire un signe : son visage était blafard, complètement émacié.

Le train passa Osaka, Kobe, puis suivit la plage de Maiko. La mer étincelante, couleur de plomb, se réfléchissait en blanc sur les fenêtres des voitures.

Yukiko, le col de son manteau remonté, s'était endormie profondément. La troisième classe à destina-

---

1. En français dans le texte.

tion de Hakata était bondée, il y avait même des gens assis par terre dans le couloir.

Il faisait une chaleur humide dans le compartiment étouffant, jonché de débris de nourriture. Le train n'était pourtant pas chauffé dans la journée. Tomioka regardait distraitement le visage de Yukiko endormie. En ces quatre ou cinq jours de vie commune, il avait vu des cernes noirs se creuser sous ses yeux, la peau de ses lèvres se fendiller, le fard durcir dans les sillons de ses lèvres. Elle avait les sourcils en bataille et le bout de son petit nez était luisant de gras. De temps en temps, un spasme nerveux crispait ses paupières.

Le diable dormait. Ou plutôt le diable feignait de dormir, tout en épiant la direction du regard de Tomioka... Yukiko se mit à rire dans son sommeil. Tomioka se hâta de détourner les yeux.

– Tu vas encore dire du mal de moi ? dit Yukiko en ouvrant soudain les yeux, après quoi elle se mit à éplucher une des mandarines posées sur ses genoux.

Le train avançait toujours, laissant derrière ses roues grondantes la mer, les montagnes, les rivières et des zones d'usines en ruine, dont il ne restait que les cheminées, dans les champs roussis par l'hiver.

La nuit était largement avancée quand ils arrivèrent à Hakata. Il pleuvait.

Ils étaient fatigués tous les deux, mais changèrent aussitôt de train, pour poursuivre en direction de Kagoshima.

Ils avaient envie d'arriver à un plus grand épuisement encore, à un engourdissement total. Le découragement gagnait peu à peu Yukiko. La pluie tambourinait dans la nuit sur les vitres sales et brillantes du compartiment. Yukiko rêvait par intermittence. Elle sentait à nouveau les secousses du train qui l'avait autrefois emmenée de Saigon vers les hauts plateaux de Lang Bian et Dalat, via Jirin.

Chaque fois qu'elle se réveillait, elle se sentait angoissée de retrouver la réalité de ce train-là, qui roulait sous la pluie. Le Japon aussi est plus grand que je n'aurais cru, se disait-elle. Tomioka dormait profondément, comme un malade qui récupère. C'était un très long voyage. Plus elle s'éloignait de Tokyo, plus les souvenirs de sa vie avec Iba s'effilochaient. À Kumamoto, il cessa un peu de pleuvoir. Dans le train, les visages des gens étaient différents. L'accent du Kyushu avait remplacé peu à peu tous les autres, il n'y avait plus rien autour de Tomioka et Yukiko qui ait un lien quelconque avec leur environnement habituel.

Le danger ne pouvait plus surgir de nulle part, et Yukiko avait envie de rire en pensant à l'air furibond d'Iba. Il ne pourra pas venir me chercher jusqu'ici pour me ramener à Tokyo! se disait-elle. Pour un peu, elle aurait fait des prières pour la prospérité de la secte du Grand Soleil.

Shimo Otsu allait sans nul doute rester assise toute sa vie devant le coffre-fort, le visage couvert d'un épais maquillage. De temps en temps, Yukiko levait la tête pour surveiller le sac de voyage dans le filet à bagages au-dessus d'elle. La seule chose sur laquelle elle comptait désormais, c'était ce sac.

Au matin, ils arrivèrent à Kagoshima. Il pleuvait des cordes. Un cyclopousse les conduisit à une petite auberge près du port, dans un quartier du nom de Sengokucho.

De la fenêtre du premier étage, on apercevait la grande île de Sakurajima, étendue sur la mer comme un voile, et d'où montait un brouillard de pluie violet.

Yukiko, épuisée, allongea ses jambes sur les nattes imprégnées d'une odeur de marée.

Tomioka demanda à la servante à quelle heure partait le bateau pour Yakushima. Quand il faisait mauvais temps, il pouvait ne pas y en avoir pendant plusieurs jours, répondit-elle. Tomioka lui demanda de se renseigner pour savoir quand partirait le prochain, puis s'étendit à son tour sur les tatamis, sans même quitter son manteau.

Il regarda vers l'île de Sakurajima. La mer était d'un bleu foncé brillant, comme de la laque. Une masse de petits bateaux étaient amarrés sur la jetée. Tomioka commanda de la bière à la servante qui leur apportait du thé.

— On est arrivés drôlement loin. Quand je pense que d'ici, on va encore prendre un bateau et mettre une nuit pour arriver au but, ça donne l'impression de partir en exil ! Jamais je n'aurais pu venir toute seule jusqu'ici !

— Je vais y rester quatre ou cinq ans, tu sais.

— Oui...

— Si tu as envie de rentrer, il est encore temps de le faire, tant qu'on est ici.

— Voilà que tu recommences avec ça !

— C'est parce que tu dis que tu n'aurais jamais pu venir seule jusqu'ici.

— Mais de toute façon c'est avec toi que je suis venue non ?... Tu trouves que je suis une femme pitoyable, c'est ça ?

— Je trouve insupportable qu'on m'oblige à être reconnaissant.

Dans le voisinage, une radio grésillait bruyamment. Yukiko ôta son manteau, enfila le kimono molletonné fourni par l'auberge et alla jeter un coup d'œil dans le couloir ouvert à tous les vents.

— Je ne t'impose pas de reconnaissance. Je n'ai pas ce genre d'esprit mesquin. Mais pour toi, c'est mieux que d'être seul, non ? Si je ne peux pas supporter la vie à Yakushima, je pourrai m'installer ici et m'engager comme serveuse dans un restaurant. Les femmes, c'est comme ça, tu sais. Même si tu me laissais tomber, je m'en accommoderais et je trouverais moyen de faire ma vie, ici par exemple.

– Personne ne parle de te laisser tomber.

La servante apporta la bière.

Tomioka but une gorgée du liquide mousseux et se sentit enfin revenir à la vie. La servante l'informa qu'il n'y aurait pas de bateau avant le surlendemain. Quel ennui de rester deux jours ici, songea Tomioka, mais enfin, on n'y pouvait rien. Il se lava et sortit à son tour dans le couloir pour contempler la mer battue par le vent.

– Tu as prévenu le journal que tu partais pour Yaku-shima ?

– Oui.

– Iba doit être fou de rage.

– Tu crois qu'il va nous suivre jusqu'ici ?

– Impossible ! Je ne lui ai pas pris d'argent au point de lui faire entreprendre un voyage pareil.

– Quand même, c'est une bonne somme... Rien ne dit qu'il ne va pas prévenir la police.

– Pas de danger ! répondit Yukiko tout en rentrant dans la chambre pour boire elle aussi un peu de bière.

Elle sentit le liquide frais descendre dans son estomac. Cependant, son humeur s'était assombrie.

– Madame votre épouse et vous, souhaitez-vous prendre un bain ? demanda la servante à Tomioka.

Personne ne lui ayant encore donné ce titre, Yukiko écarquilla les yeux et regarda Tomioka.

– Allez prendre votre bain la première, madame mon épouse, railla Tomioka.

Lui-même était épuisé et n'avait pas le courage de se laver. Il emprunta un parapluie huilé et quitta l'auberge, pour aller se renseigner sur les horaires du bateau et acheter les billets. Il marcha en direction de la mer, le long du grand chemin désert qu'on lui indiqua pour se rendre jusqu'à la compagnie maritime. Il se sentait tout guilleret, peut-être du fait de se retrouver enfin seul. Si on lui avait annoncé qu'un bateau partait sur-le-champ, il aurait volontiers embarqué tout seul. Au bureau de vente des billets, une baraque peinte en bleu, on lui confirma ce qu'avait dit la servante : aucun bateau ne quitterait le port tant que la tempête n'aurait pas cessé, ce qui signifiait sans doute le surlendemain. Tomioka acheta deux billets et inscrivit Yukiko comme son épouse sur la liste des passagers.

Au retour, il passa par une avenue animée, où il acheta du whisky. Quand il revint à l'auberge, il trouva Yukiko couchée : elle était blême, et tremblait de tous ses membres.

– Qu'est-ce qui t'arrive ?

– J'ai froid, je n'arrête pas de trembler. Tu ne veux pas appeler un médecin ?...

Agitée de petits frissons, elle s'accrocha à son bras. Son état paraissait curieux pour un simple rhume. Un peu de sang suintait de ses lèvres. Tomioka posa la main sur son front : elle n'avait pratiquement pas de fièvre. Il demanda tout de même un médecin, se disant que ce serait vraiment ennuyeux de rester coincé ici sans pouvoir prendre le bateau. Il rajouta trois couvertures sur le lit de Yukiko, mais elle continuait à trembler et à se plaindre du froid. Le médecin n'arrivait pas. Tomioka sortit lui acheter des médicaments contre la grippe, mais il avait un mauvais pressentiment.

Au retour, il lui fit avaler un comprimé avec du thé chaud. Elle tremblait toujours. Un jeune médecin se présenta au bout d'une heure. Il déshabilla Yukiko avec l'aide de la servante et l'examina, puis lui fit une piqûre de camphre et de vitamines. Deux jours de repos et tout irait mieux, dit-il. Tomioka se sentit soulagé. L'état de Yukiko lui rappelait celui de son épouse Kuniko quand elle était tombée malade. La même expression sur le visage...

Yukiko prit des calmants et s'endormit profondément. Avec tous les incidents qui survenaient dans sa vie, Tomioka commençait à avoir l'impression qu'un destin inéluctable se refermait sur lui. Quand Kuniko s'était alitée aussi, le médecin avait d'abord dit qu'au bout de deux ou trois jours il n'y paraîtrait plus, mais l'état de la malade ne s'était pas amélioré pour autant. L'auberge où ils séjournaient était une baraque d'à peine cinq chambres, apparemment reconstruite à la suite d'une attaque aérienne, mais elle était étonnamment bondée, et les échos bruyants de rires et de conversations animées leur parvenaient depuis les chambres d'à côté. Il n'y avait que dans leur chambre que régnait un silence lugubre.

Tomioka ne prit même pas la peine d'enfiler le kimono d'intérieur. Il s'installa au chevet de la malade et ouvrit la bouteille de whisky. Le vent et la pluie avaient encore redoublé d'intensité. Parfois le vent faisait trembler la baraque. L'électricité ne marchait pas et, au fur et à mesure que la nuit tombait, l'obscurité de la chambre devenait plus pesante. La grande silhouette de l'île de Sakurajima s'étalait derrière la fenêtre et Tomioka se sentait oppressé, comme si l'île s'apprêtait à s'écrouler sur la chambre et à les écraser.

58

La soudaine maladie de Yukiko avait causé un choc à Tomioka. « Si près du but... », se disait-il confusément.

Le surlendemain, il faisait un temps superbe.

Il s'était complètement arrêté de pleuvoir, mais le vent faisait encore rage. La servante vint leur annoncer à l'aube, en leur apportant des braises pour le poêle, que le *Terukunimaru* allait appareiller le matin même à 9 heures. L'état de Yukiko, cependant, restait stationnaire. Elle dormait à poings fermés, mais toussait dans son sommeil. À chacune de ses quintes de toux, Tomioka avait l'impression agaçante qu'on lui raclait la peau avec du papier de verre et, à force de se répéter, cela devenait aussi pénible qu'un mal de dents.

En regardant la mer par la fenêtre du couloir, il vit dans l'air glacé l'île de Sakurajima se fondre dans le ciel bleu pétrole de l'aube. Le long du rivage s'alignaient des entrepôts ; une forêt de mâts de bateau formait comme une grille au-dessus des toits de ces misérables bâtisses de bois. Dans les rues, quelques réverbères étaient encore allumés et, au-dessus de leur ombre déformée sur la chaussée, brillait la lune blanche de l'aube. Tomioka contempla longuement le port encore endormi, en songeant qu'il serait difficile de partir avec le bateau du matin. Mieux valait en prendre son parti et changer le billet pour une date ultérieure, conclut-il, en allant s'accroupir près du brasero pour allumer une cigarette aux braises. Yukiko avait ouvert les yeux.

– Alors ?... Comment te sens-tu ?

Yukiko essaya de lui sourire sans y parvenir et resta ainsi à le regarder avec de grands yeux. Tomioka posa sa main sur son front. Il était plus frais qu'il ne l'aurait cru. Ces yeux grands ouverts, pleins d'une insondable tristesse, avaient une expression si inhabituelle chez elle que Tomioka, pris d'un brusque élan de tendresse, s'agenouilla près de la malade et posa son visage tout contre le sien.

– Ça va aller, on prendra un autre bateau. Rendors-toi tranquillement, je vais aller au port changer les billets. Ça ne sert à rien de s'impatienter... C'est la fatigue qui ressort, voilà tout, hein ? Et puis tu n'aurais pas dû sortir sous la pluie.

Il parlait lentement en découpant bien les mots. Yukiko hocha la tête, les yeux toujours grands ouverts. Tomioka lui prit la main, la posa contre sa joue. Des souvenirs d'Indochine lui revinrent, lancinants : Yukiko avait la même expression que lorsqu'il l'avait emmenée chez le médecin français de Dalat pour se faire mettre des points de suture au bras, après que Kanô l'eut blessée au sabre. Il se rappelait que dans cet hôpital, tout en regardant l'aube se lever sur le lac, il avait été assailli par une sensation de nausée proche de la terreur, en songeant à la fatalité de leur rencontre dans ce pays lointain... Il se mit à réfléchir, se demandant si tout ce qui arrivait maintenant n'était pas justement dû au fait que c'était une femme rencontrée en voyage. Mais qu'en était-il de sa liaison passagère avec Nyu, la servante vietnamienne ? se demandait-il. Était-ce là aussi un amour de voyage ? Il souriait froidement au fond de lui-même. La vision de Nyu, avec sa peau couleur de blé mûr, surgit soudain au fond de sa poitrine, comme si elle était là, à nouveau, devant lui. Il eut soudain la nostalgie de cette femme qu'il ne reverrait jamais, tout comme il avait la nostalgie d'Osei, qui était morte. Pourtant, à y penser maintenant, la vie d'alors en Indochine ne ressemblait en rien à ces vies de voyage douces et faciles qui engendrent la nostalgie. L'état d'esprit qui régnait là-bas était plutôt du même ordre que celui d'un homme à qui l'on vient d'annoncer sa condamnation à mort et qui, dès lors, du fond de son chagrin, se met soudain à ressentir un amour immodéré pour ses semblables et se montre gentil avec tout le monde. Lui-même, il n'avait cherché qu'à étancher une soif intérieure à travers le corps de Yukiko, et c'était son propre égoïsme qui l'avait finalement conduit à la situation présente, songeait Tomioka avec un sentiment de repentir.

– Tu ne vas pas prendre le bateau sans moi, au moins ? demanda Yukiko d'une voix faible.

– Idiote ! Tu croyais donc que j'allais faire ça ?

Yukiko hocha la tête comme une enfant. Tomioka essuya du bout des doigts les larmes qui perlaient au coin des yeux de Yukiko, comme eût fait un frère ou un parent. Il serra deux ou trois fois sa main dans la sienne, en pensant intensément à chaque pression : « Ça va aller, tu vas voir, ça va aller. » Puis il la lâcha et demanda l'heure à la servante qui venait d'entrer avec un plateau de thé.

– Il doit être 7 heures, par là, dit-elle en regardant sa montre puis en la portant à son oreille.

Tomioka descendit vérifier à l'horloge de l'auberge, au rez-de-chaussée : il était un peu plus de 7 heures. Il se rendit au bureau de vente des billets, demanda à partir quatre jours plus tard, par le même bateau, le *Terukunimaru*. Au retour, il flâna un peu dans le port, où était amarré le *Terukunimaru*, un beau bateau blanc dont les cheminées crachaient de la fumée, tandis qu'une grue installée sur le pont hissait une cargaison de bois à bord. Sur l'embarcadère s'alignaient des étals de fruits, à l'intention des passagers. Tomioka trouva étrange de venir jusqu'au fin fond du Kyushu pour y voir les mêmes pyramides de pommes qu'à Tokyo. Il en acheta quatre kilos pour Yukiko, en fit remplir un panier teint en vert, puis s'approcha du bateau pour voir. Les passagers faisaient déjà la queue pour monter à bord. Ils portaient tous des petits bocaux de verre contenant des poissons rouges. Le *Terukunimaru* le fit penser aux bateaux d'Indochine. Tout à cette illusion, Tomioka se prit à songer à l'agréable voyage qu'il aurait pu faire avec Yukiko s'ils avaient pu embarquer eux aussi ce matin. Seulement, ce confortable navire ne faisait route que jusqu'à Yakushima et retour, la défaite ayant grandement réduit les limites des territoires accessibles aux navires japonais. Ce bateau-là n'irait pas plus au sud que Yakushima. La route du Vietnam et de la mer Jaune lui resterait inconnue. La jetée grouillait de passagers et de porteurs chargés de bagages, et des débris divers, brins de paille, bouts de bois et pelures de pomme parsemaient le quai.

Cette défaite avait été une sorte de révolution progressive pour le Japon, songea Tomioka en regardant d'un œil distrait la grue continuer à charger le bateau dans un grincement de poulies. Un coup de sifflet annonça l'embarquement. Des femmes et des enfants, fendant la foule des gens venus dire au revoir aux passagers, vendaient de longs rubans de papier de couleur. Tomioka en acheta un rouge. Un commissaire de bord, dans un uniforme à l'ancienne, descendit la passerelle et mit le pied sur le quai. Les passagers commencèrent à monter, sous la surveillance d'un steward vêtu de blanc et d'un agent de police.

Tous les passagers avaient l'air lourdement chargés et traînaient leurs bagages jusque sur le pont. Un peu après

9 heures, un second coup de sifflet retentit et le bateau commença à s'éloigner lentement du quai.

Un brouhaha parcourut la foule des familles et des amis venus dire au revoir, et les passagers, après avoir déposé leurs bagages dans les cabines, vinrent peu à peu s'aligner le long du bastingage. Une quantité de petites banderoles s'envolèrent alors du quai vers le navire comme une nuée de petits oiseaux. Un arc-en-ciel de rubans de papier rouges, blancs, bleu cobalt, jaunes, verts, gonflés par le vent, tremblait dans l'air. Tomioka lança le sien en direction d'un petit garçon de sept ou huit ans qui agitait la main vers la jetée, mais il atteignit le front d'une jeune femme, vêtue comme une employée de bureau, qui l'attrapa à deux mains. Elle avait le teint foncé et des vêtements misérables, mais un visage charmant. Debout dans sa veste d'un bleu fané, elle tenait bien haut l'extrémité de sa banderole de façon à ne pas la casser. Tomioka finit par perdre patience devant la lenteur que mettait le bateau à s'éloigner et, lâchant la banderole, tourna le dos à la jetée et s'éloigna. Il n'avait aucun but, aucune route ne l'attendait. Au bout de quelques pas, il se retourna, comme s'il venait de se rappeler soudain ce navire en partance, et le vit tout petit, déjà loin sur la mer. Sur la jetée, parsemée de bouts de rubans de couleur, des gens continuaient à agiter leurs mains, leurs chapeaux, leurs mouchoirs. À la surface des eaux troubles flottaient des bouts de papier rouges ou jaune vif qui blessaient le regard.

Tomioka demanda à quelqu'un le chemin de la poste.

Il envoya un télégramme au bureau des Eaux et Forêts de Yakushima, acheta une carte, écrivit à ses parents pour leur donner de ses nouvelles et dire qu'il était à Kagoshima et attendait le bateau. Le vaste bureau de poste était quasiment désert. Tomioka, installé devant une table hexagonale, rédigeait sa carte avec le stylo fourni par la poste, quand il remarqua par hasard une jeune femme assise à côté de lui, en train d'écrire «Tokyo» sur une formule de télégramme. Il se sentit soudain nostalgique. Cette grande capitale où la jeune femme envoyait un télégramme lui paraissait maintenant aussi lointaine que le bout du monde.

Il regrettait Tokyo. Sans la mort d'Osei, sans doute n'aurait-il jamais pris cette décision, qui équivalait à un suicide, de partir aux confins du Japon comme un ermite désespéré. La lumière du matin, dans le bureau de poste fraîchement balayé, était aussi silencieuse et paisible qu'au fond des mers. La femme à côté de lui alla remettre son télégramme au guichet grillagé. Les talons de ses chaussures étaient complètement éculés. Elle portait un manteau noir, fatigué lui aussi. Tomioka glissa sa carte dans une boîte aux lettres et quitta le bureau de poste.

59

Près de l'auberge, il tomba sur une petite boutique d'horlogerie. Il s'approcha de la vitrine et regarda un moment les rangées de montres. C'était toutes des imitations de montres suisses, mais il en remarqua une dont l'étiquette annonçait « 3 600 yens », et entra dans la boutique dans l'intention de l'acheter comme souvenir de Kagoshima. Depuis qu'il avait vendu au mari d'Osei, à Ikaho, sa montre achetée en Indochine, il avait vécu sans jamais avoir l'heure sur lui. Ce n'était pas très pratique et il avait envie d'avoir une montre à nouveau. Il en souleva une, la posa contre son oreille, écouta le tic-tac cristallin des secondes. Elle était ronde et assez plate ; il l'acheta sans hésiter.

En rentrant à l'auberge, il trouva Yukiko au bord des larmes, lasse de l'attendre. À la vue du panier de pommes qu'il lui rapportait, elle parut soulagée et tendit une main alanguie de sous ses couvertures. Tomioka s'assit aussitôt auprès d'elle et se mit à peler une pomme avec un couteau.

– Je suis passé voir le bateau au port, il est beau, tu sais. C'est sûrement le plus beau bateau qui fait la navette avec Yakushima. Tous les passagers avaient un bocal de poissons rouges avec eux. Je me demande bien pourquoi. On ne trouve sans doute pas de poissons rouges à Yakushima...

Tout en pelant le fruit, Tomioka racontait à Yukiko ce qu'il avait vu.

– C'est un bateau blanc. Tu me diras que c'est du luxe mais, comme tu es malade, j'ai pris des billets de première classe. En revanche, ils ne servent pas de repas à bord, il faudra en emporter deux. Il paraît qu'à Tanegashima, où le bateau fait escale en cours de route, il y a de nombreux médecins, mais à Yakushima on n'en trouve pas un seul...

– Ah, c'est un endroit si isolé que ça ?

– Oui, ça m'inquiète un peu...

– Si mon état empire sur le bateau, tu n'auras qu'à me laisser à Tanegashima et continuer seul.

– Si c'est pour débarquer à Tanegashima, il vaut encore mieux rester ici à Kagoshima, c'est plus pratique. Si tu ne te sens pas mieux pour le prochain bateau, ce serait peut-être mieux de te faire hospitaliser ici, puis de trouver une petite auberge où te reposer et de venir me rejoindre plus tard. Kagoshima au moins, c'est une ville, c'est plus commode.

Yukiko, qui gardait les yeux fixés sur les mains de Tomioka en train de peler la pomme, remarqua soudain la nouvelle montre.

– Tiens, tu t'es acheté une montre ?

– Oui, à l'instant, tout près d'ici.

– Fais voir...

Tomioka tendit son poignet gauche et Yukiko examina le cadran ; elle trouva que la montre ressemblait un peu à celle qu'il avait vendue à Ikaho.

– Elle est belle, fit-elle.

Comme elle ne demandait pas le prix, Tomioka n'en parla pas non plus. Il avait la conscience tranquille, puisqu'il avait acheté cette montre avec le reste de la pige perçue pour l'article de la revue agricole, mais Yuki était sans doute persuadée qu'il s'agissait d'une montre de prix, car elle avait une expression mi-figue, mi-raisin.

– Si on avait pris ce bateau, on serait en mer à l'heure qu'il est... Il y avait beaucoup de vagues ?

– Non. Du vent, oui, mais la mer était calme. Les gens ont lancé des rubans de papier comme si c'était un bateau en partance pour l'étranger.

– Ça alors ! Ça devait être beau !

– Bah, ça faisait plutôt péquenaud. Sans doute une sorte de nostalgie, parce qu'on ne peut plus naviguer sur les mers étrangères...

Devant les paupières de Tomioka flottaient les banderoles colorées qui disaient tous les regrets et la sentimentalité de la foule du port. Yukiko, de son côté, était toujours tracassée par cette nouvelle montre. Il devait donc avoir bien peu de sentiment pour elle, pour s'acheter une montre de valeur à un moment pareil... Tomioka, qui avait fini de peler la pomme, lui en tendit la moitié.

Yukiko mordit le fruit acide, mais il était plus mou qu'elle n'aurait pensé et avait mauvais goût. Tomioka mâchonna lui aussi un quartier.

– Pouah, elles sont trop vieilles, ces pommes, dit-il en recrachant le trognon.

Sans doute les patrons de l'auberge élevaient-ils des poules car on entendait de temps à autre des caquètements stridents. Il s'était remis à tomber quelques gouttes de pluie.

Vers midi, le médecin vint faire une piqûre à Yukiko, mais il déclara à Tomioka, après avoir examiné le dos et la poitrine de sa patiente :

– Il vaudrait mieux faire une radio.

À ces mots, Yukiko frissonna. L'idée de devoir rester alitée sans pouvoir poursuivre le voyage lui était insupportable. Si elle devait quitter Tomioka ici, alors il aurait

mieux valu qu'elle reste à Tokyo sans même entreprendre ce voyage, se disait-elle avec une sensation
d'étouffement dans la poitrine, qui lui fit craindre que
cette maladie ne soit fatale. Quitte à être ainsi sous
l'emprise d'une maladie angoissante, elle aurait encore
mieux aimé attraper la gale, comme lors de son rapatriement. Ce jeune médecin ferait mieux d'éviter de dire ce
genre de choses à Tomioka, songea-t-elle.

Ces quatre jours d'attente à Kagoshima furent pénibles, pour Tomioka comme pour Yukiko. Pendant ce
laps de temps, cependant, le jeune médecin devint un
familier du couple, tous trois firent plus ample connaissance et nouèrent des liens d'amitié. Il avait été médecin
militaire en Chine centrale, pendant l'offensive contre la
Chine et, à leur grande surprise, n'avait pas une grande
différence d'âge avec Tomioka. Il était encore célibataire
et travaillait dans l'hôpital de son père aux côtés de ce
dernier. Il paraissait très jeune, peut-être à cause de ce
célibat prolongé. Il leur expliqua qu'il avait fait ses
études à la faculté de médecine de Fukuoka. Il aimait la
musique, et la servante de l'auberge expliqua à Tomioka
et Yukiko qu'il avait assemblé lui-même un électrophone
et collectionnait des disques. Il s'appelait Hika, et était
originaire d'Okinawa. Un jour, Hika avait écouté d'un air
recueilli un morceau qui passait sur une radio du voisinage et plissé les yeux d'un air joyeux, en disant à sa
patiente et à son compagnon : « J'adore cette musique ! »
Tomioka, qui avait déjà entendu ce morceau quelque
part, tendit l'oreille à son tour. Yukiko écoutait elle
aussi, en frottant son bras par-dessus la manche du
kimono d'intérieur, à l'endroit de la piqûre.

– C'est de qui, cette musique ? demanda-t-elle franchement.

– C'est la *Symphonie du Nouveau Monde* de Dvorak,
répondit le médecin en rangeant la seringue et le reste de

son matériel, après quoi il alla se laver les mains dans la cuvette.

Tomioka, tout en lui enviant son amour de la musique, se sentait tout heureux d'avoir rencontré un aussi bon médecin au fin fond du Kyushu. Son physique plutôt trapu n'était pas celui qu'on attendait d'un homme de l'art, mais la douceur de ses yeux étroits et sa belle rangée de dents blanches étaient impressionnantes. Tomioka lui expliqua qu'il était en route pour une affectation au bureau des Eaux et Forêts de Yakushima et qu'il avait également travaillé un temps en tant qu'auxiliaire de l'armée, dans l'administration des forêts en Indochine.

À cette nouvelle, Hika manifesta une brusque sympathie pour Tomioka, lui raconta qu'il avait autrefois eu l'intention d'aller faire des études sur la nature à l'université impériale du Hokkaido et se mit à lui parler de ses idéaux de jeunesse. Tomioka lui fit part de son inquiétude : il n'y avait pas de médecin à Yakushima, Hika ne pourrait-il pas, si Tomioka le lui demandait par télégramme, se déplacer jusque-là pour examiner à nouveau la malade en cas de nécessité ?

– Je m'arrangerai pour venir, quoi qu'il advienne, répondit Hika. Je sais qu'il n'y a pas de médecin à Yakushima. Il devrait y avoir au moins un médecin en montagne, rattaché à l'office des Eaux et Forêts. J'ai moi-même envisagé autrefois d'ouvrir un poste médical sur cette île. Mais quand on m'a dit qu'il n'y avait pas d'électricité, et qu'il pleuvait toute l'année, j'ai un peu pris peur. Ce serait trop triste pour moi si je ne pouvais plus écouter de disques, et finalement ce projet est resté à l'état de fantasme. Remarquez que maintenant, le bureau des Eaux et Forêts dispose d'électricité par intervalles, certains jours de la semaine. L'être humain est égoïste, que voulez-vous, et j'ai beau clamer haut et fort que, comme dit le proverbe, «seule la charité doit inspirer l'exercice de la médecine», vivre exilé sur une île où on ne peut pas écouter de musique, très peu pour moi! Mais cette fois, je viendrai vous voir, je trouverai une occasion... Enfin, pour vous donner franchement mon avis, je ne sais pas ce que vaudra ce climat humide pour la santé de madame... Mais vous y allez pour le travail, on ne peut rien y faire, pas vrai? En tout cas, veillez à choisir un lieu de résidence en altitude et à mener une vie régulière... Quoi qu'il en soit, vous ne restez pas assez longtemps ici pour que je puisse faire tous les examens nécessaires, mais une fois que vous serez sur l'île, tenez-moi au courant de l'évolution de votre état, même un petit mot sur une carte, ça suffit.

Hika avait donné ce conseil à la malade en prenant soin de garder un ton calme et rassurant. Yukiko avait déjà oublié la musique de la *Symphonie du Nouveau Monde*, mais le titre était resté gravé dans sa mémoire. Cela lui paraissait un bon présage pour leur nouveau départ, à Tomioka et elle-même. Elle éprouvait du respect et de la sympathie pour l'attitude franche de ce médecin qui avait su garder toute son intégrité. Tomioka se souvint d'une phrase de Dostoïevski – qu'il avait lue dans *Crime et Châtiment*, peut-être? –, disant qu'aucun être humain ne peut se sentir complètement vivant s'il n'éprouve pas de compassion pour ses semblables, et se dit que ce médecin lui faisait penser à un de ces personnages russes d'avant la révolution. Hika leur prépara des médicaments en cas d'urgence, ainsi que tout le matériel nécessaire pour les piqûres et, le quatrième jour, au moment où Tomioka et Yukiko allaient monter en voiture pour se rendre au port, il arriva à l'improviste en courant, ayant oublié de mettre son chapeau et sa veste, pour les accompagner jusqu'au bateau. Ce fut une joie inattendue pour ces deux voyageurs qui n'avaient personne dans cette ville pour leur souhaiter bon voyage en lançant des rubans de papier. Ni Tomioka ni Yukiko ne s'étaient attendus à ce que le jeune docteur vienne ainsi leur dire au revoir.

La cabine de première classe était équipée de couchettes superposées et de couvertures blanches toutes neuves. Il y avait des fauteuils, un bureau avec une chaise, un miroir au mur et une carafe d'eau accrochée à un clou. C'était une cabine calme et spacieuse, de quatre tatamis et demi. Dès que Yukiko fut allongée dans la couchette du bas, Hika, qui les avait accompagnés à bord, sortit une seringue de son sac, la frotta avec de l'alcool et lui fit une piqûre de fortifiants. Le souvenir de la main fraîche du médecin sur son bras pendant qu'il lui faisait la piqûre s'attarda longtemps dans l'esprit de Yukiko. Elle se sentait aussi remuée qu'une jeune fille vivant son premier amour.

Elle ne pouvait pas sortir sur le pont, mais Tomioka raccompagna Hika jusqu'à la passerelle et ne revint pas dans la cabine avant un long moment, même une fois que le bateau eut quitté le quai.

Il resta longtemps debout sur le pont de première classe, tenant toujours à la main le ruban de papier vert que Hika lui avait lancé depuis le quai, l'agitant haut au-dessus de sa tête jusqu'à ce que le port encombré par la foule soit réduit à la taille d'une boîte à jouets. Hika, minuscule silhouette debout à l'extrémité de la jetée, continuait lui aussi à agiter un mouchoir blanc, puis il finit par s'en aller à grands pas, légèrement penché en avant. Il balançait légèrement sa sacoche en marchant, et son allure parut à Tomioka celle d'un médecin à qui l'on pouvait se fier.

Était-ce parce que le bateau était en pleine mer ? L'île de Sakurajima, d'un beau violet resplendissant de santé, semblait toute petite sous les rayons pâles du matin. Vue

372

de la fenêtre de leur chambre d'auberge, elle avait pourtant l'air d'un immense voile étendu sur la mer. Les passagers de troisième classe sortaient de la cale comme d'une grotte et venaient paresser au soleil, sur les chaises de bois du vaste pont. Un peu partout sur le pont étaient posés des bocaux – apparemment des cadeaux que les gens rapportaient de Kagoshima – et, dans chacun d'eux, on voyait un poisson rouge scintiller d'un éclat doré.

La mer était calme.

À l'ombre, le vent glacé transperçait la peau sous les manteaux, mais au soleil les rayons étaient doux. Depuis la grande cheminée juste au-dessus de sa tête, une traînée de fumée sale s'étirait vers l'ouest. Tomioka dispersa par petits bouts dans le vent, sur la mer blanche qui réfléchissait les rayons du soleil, le ruban vert qu'il avait gardé jusque-là à la main. Il se sentait rafraîchi, lavé de cette souffrance intérieure qui lui usait le cœur depuis des mois, comme si, une fois en pleine mer, les chaînes du destin, qui entravaient ses épaules, ses pieds, avaient soudain sauté. Il regarda l'étendue d'eau silencieuse qui l'entourait et se dit, paraphrasant un célèbre proverbe : « La terre bavarde est d'argent, mais la mer silencieuse est d'or. »

Yukiko sentait résonner dans son dos le balancement agréable du bateau. Elle éprouvait la même sensation qu'à son retour d'Indochine : elle avait confié son sort à ce bateau qui avançait sur la mer. Étrangement, elle avait du mal à oublier les gestes doux du docteur Hika, les mots qu'il avait prononcés, l'odeur de médicament qui émanait de lui. Elle trouvait que son visage dégageait une certaine ressemblance avec celui de Kanô. Sans bien comprendre elle-même pourquoi son esprit était en proie à ces fantasmes incohérents, elle continuait à se décrire avec joie en imagination les dangereuses retrouvailles avec Hika, quand il viendrait à sa rencontre dans les montagnes de Yakushima.

60

Ils arrivèrent sur l'île de Tanegashima vers 14 heures.

Derrière le hublot était apparue une île jaune, posée à plat sur les eaux étincelantes de blancheur. Tomioka, une cigarette aux lèvres, contemplait cette longue bande de terre désolée nonchalamment étendue sur la mer. Yukiko dormait profondément. Tomioka, sans raison, se sentit enfin arrivé en contrée lointaine. Il distinguait au loin un petit port, où de minuscules bateaux naviguaient en désordre. Il regarda avec étonnement les toits noir et blanc des maisons qui commençaient à se découper le long du rivage.

Le bateau accosta lentement dans le port, situé à l'ouest. Le capitaine expliqua qu'il devait rester à l'ancre dans cette île jusqu'à 21 heures, et Tomioka trouva cela un peu ennuyeux. Il aurait voulu parvenir rapidement à destination, sans traîner en route.

Vue de loin, Tanegashima semblait une île déserte. Tomioka n'éprouvait pas le moindre intérêt pour ces lieux, comme s'il y avait simplement trouvé refuge après avoir soutenu un siège et échappé enfin à ses ennemis. Tanegashima avait la réputation d'être l'île la plus développée des nombreuses petites îles disséminées sur cette mer d'Ôsumi, au sud de Kagoshima. Il regardait le port se rapprocher, en songeant vaguement que l'île où il allait s'installer était bien plus déserte encore que celle-ci. Considérablement longue et vaste en étendue, elle était couverte de collines pelées mais, sans doute parce qu'il n'y avait aucun haut sommet, elle paraissait toute plate, comme prête à sombrer au fond des eaux.

– Dis, on est arrivés quelque part ? demanda Yukiko, en remuant faiblement la tête sur l'oreiller.

– On vient d'accoster à Tanegashima, répondit Tomioka, toujours accoudé au hublot.

– C'est un joli port ?

– Oui, c'est tout petit. Tu veux te lever pour regarder ?

– Ce n'est pas la peine... Les ports se ressemblent tous, non ?

– Celui-ci est assez animé. Il y a plein de petits bateaux. Ça me fait penser à ce village en Indochine, comment il s'appelait déjà ?

– Ça ressemble à l'Indochine ?

– Non, pas vraiment. Ça me fait juste penser à un endroit. Où que ce soit dans le monde, les ports que construisent les Japonais sont tous sinistres...

Un gros bruit de chaîne indiqua que l'on jetait l'ancre. Le bateau s'approcha peu à peu d'un petit débarcadère. Une ambiance joyeuse régnait sur le quai, où grouillait une foule de gens, sans doute venue accueillir le bateau.

Au fur et à mesure qu'on s'approchait, les silhouettes devenaient plus distinctes, mais les tenues des habitants de l'île ne différaient en rien de celles de Tokyo ou Kagoshima. Des jeunes femmes portaient les mêmes vestes rouges à la mode que dans la capitale. Elles avaient toutes les cheveux permanentés ; les jeunes gens avaient les cheveux luisants de pommade et des coiffures régence.

Bientôt, on abaissa le pont et les passagers commencèrent à descendre à la queue leu leu, chargés de paniers de pommes et des bocaux de poissons rouges. Les vagues faisaient trembler l'étroit débarcadère qui, avec tous ces gens dessus, ressemblait à une fourmilière. Tomioka jeta sa veste sur son épaule et sortit sur le pont de première classe.

Il regarda un moment la foule s'écouler lentement en direction de la ville étagée sur une petite colline, puis disparaître. Le chemin, pareil à une langue de sable blanc, réfléchissait la lumière sourde de l'après-midi. On distinguait une masse de bâtiments serrés le long du rivage : débits de boissons, auberges de deux étages, vieillottes et penchées, entrepôts et constructions de bois qui semblaient abriter des bureaux administratifs et les bureaux du port.

Tomioka se demanda avec étonnement pourquoi le bateau devait rester dans un endroit pareil jusqu'à 21 heures. Ce ne pouvait être pour embarquer des marchandises puisqu'il n'y en avait presque pas en attente sur le quai.

Yukiko et lui ne descendirent pas à terre et attendirent la nuit sur le bateau. Le soir venu, des illuminations étincelantes s'allumèrent sur le pont du bateau, tandis que les haut-parleurs se mettaient à diffuser à tue-tête des chansons à la mode.

On entendait des semelles de bois claquer bruyamment dans les couloirs et sur le pont, et résonner des voix coquettes de filles de bar. À plusieurs reprises, certaines ouvrirent la porte de la cabine de Tomioka et Yukiko et jetèrent un coup d'œil à l'intérieur. Une telle grossièreté les surprit fort tous les deux.

– Je me demande si ce sera comme ça à Yakushima aussi..., dit Yukiko d'une voix triste, du fond de ses couvertures.

Des accents mélancoliques de blues retentissaient sur le pont.

Le lendemain matin, à 8 heures, on commença à voir Yakushima.

Tomioka et Yukiko devaient débarquer au port d'Anbô. Le navire arriva d'abord dans les eaux de Miyanoura. Près de la côte, les vagues étaient fortes, et il n'y avait aucun port digne de ce nom, si bien que ce furent de petits canots mouillés en pleine mer qui amenèrent jusqu'à terre les passagers à destination de Miyanoura. En contemplant la petite île isolée posée sur la mer comme un grain de beauté au large de l'archipel d'Ôsumi, Tomioka se sentit envahi par l'émotion : il touchait au but, c'était donc là qu'il allait vivre désormais.

Au-dessus de l'étendue bleue translucide, des montagnes épaisses, vert foncé, pareilles à du velours, se dressaient sur un ciel dégagé.

Selon la note que Tomioka gardait dans sa poche, l'île de Yakushima faisait cinq cents kilomètres carrés de superficie. De forme ronde, presque sans accès, elle était située à trente-deux milles marins au sud-ouest de Tanegashima. Au centre de l'île se dressait le mont Miyanoura, le plus haut sommet du Kyushu avec ses mille neuf cent trente-cinq mètres. Le mont Nagata et le mont Kuromi formaient la chaîne des monts Yae. Dans ce paysage vertical et varié poussaient en abondance, entre mille et deux mille mètres au-dessus du niveau de la mer, les cyprès de Yaku.

Cette île noire et ronde différait complètement de Tanegashima. Tomioka se sentit heureux de voir toute cette végétation verte et luxuriante, pour la première fois depuis longtemps. Cette fois, il n'avait plus l'impression d'être exilé sur une île déserte, mais sentait au contraire l'appel de la forêt vibrer dans son esprit et son corps, comme purifiés. Il sortit sur le pont et se tint debout dans le vent froid de la mer, contemplant sans se lasser l'île qui se dressait sous ses yeux. Tanegashima paraissait allongée, endormie, tandis que Yakushima se dressait debout, droit sur la mer. On pouvait imaginer sans peine que la rencontre soudaine avec cette île, au milieu de l'étendue marine, devait avoir quelque chose de sinistre si l'on naviguait dans la pénombre de l'aube.

Ce morceau de terre couvert de forêts denses, flottant sur une mer bleu marine, était en soi un miracle de la nature. Les moteurs du bateau se remirent à vrombir avec impatience dès que les chaloupes commencèrent à s'éloigner. La mer était assez agitée.

Ballottées comme des feuilles au gré des vagues démontées, les petites chaloupes avançaient, propulsées à la rame, vers le rivage désolé de Miyanoura.

Yukiko s'était redressée lentement sur sa couchette et se repeignait. L'air à demi résigné, le poudrier entre les mains, elle essayait de remettre un peu d'ordre dans sa chevelure. Elle rassembla ses cheveux tout desséchés qui semblaient la gêner, les noua avec son mouchoir. Puis elle étala de la crème sur son visage d'un air las. À travers le hublot, le reflet de la mer venait danser sur le mur de lambris peint en blanc.

Yukiko évitait obstinément de regarder au-dehors. Elle s'était efforcée de ne pas regarder Tanegashima, et maintenant elle ne voulait pas non plus voir la petite île qui se dressait juste sous ses yeux. Peu lui importait peut-être l'endroit où elle allait débarquer. Elle avait le comportement paresseux d'une personne obligée de se préparer, pour la simple raison qu'on est arrivé à destination. Tomioka se dit que ce manque d'empressement venait de sa mauvaise condition physique.

Vers 10 heures, le bateau arriva au large d'Anbô.

Une chaloupe manœuvrée par des rameurs, ballottée par de grosses vagues, se dirigeait vers eux. Une pluie fine s'était mise à tomber.

Tomioka descendit la passerelle raide en soutenant les épaules de Yukiko. Un steward en veste blanche attendait en bas, prêt à réceptionner la malade si jamais elle tombait. La passerelle était extrêmement dangereuse, montant soudain puis descendant brusquement, aspirée par le creux entre les vagues. En s'agrippant à la main du steward, Yukiko parvint à grand-peine à se glisser dans la chaloupe. Elle s'accroupit à côté des bagages enveloppés de paille. Entre les sacs, elle aperçut soudain la petite île à la végétation dense dressée de toute sa hauteur comme un démon. Elle écarquilla les yeux, regarda fixement l'île un moment. « On dirait une île déserte, il ne doit pas y avoir âme qui vive », murmurait intérieurement Yukiko, oppressée par la haute forme noire de l'île.

La chaloupe s'éloigna rapidement du bateau, portée sur les grandes vagues, tanguant à donner mal au cœur. La pluie était devenue torrentielle et, en quelques instants, les passagers furent trempés. Yukiko avait mis la veste de Tomioka sur sa tête. Le bas de son corps à partir des genoux était glacé. À l'abri de la veste sombre, elle toussait à fendre l'âme. Le roulis s'arrêta enfin lorsque la chaloupe pénétra dans la baie minuscule. La langue de sable blanc semblait lavée par la pluie. Au fond de l'eau verte et transparente, on distinguait nettement les rochers, les algues et jusqu'à des boîtes de conserve vides qui étincelaient. La langue de sable se prolongeait en une rivière qui remontait vers les terres ; sur une haute berge était jetée l'arche d'un curieux pont suspendu mécanique.

Quatre ou cinq personnes étaient venues jusqu'au rivage à la rencontre de la chaloupe. Parmi elles se trouvaient deux fonctionnaires de l'administration des Eaux et Forêts, venus accueillir Tomioka.

L'un tenait un parapluie de papier huilé, l'autre portait un imperméable. Tomioka sauta à bas de la chaloupe sur la plage de sable blanc, puis Yukiko descendit à son tour, enveloppée de la veste de son compagnon, toute trempée, et l'un des deux hommes accourut vers eux en faisant crisser le sable sous ses pieds.

– Vous devez être fatigués ? Madame a l'air de se sentir mal, je suis navré...

Cet homme d'âge moyen, au regard candide, qui avait l'air d'une autre espèce que les citadins, tendit le parapluie au-dessus de la tête de Yukiko. L'étendue de sable se poursuivait jusqu'en haut de la berge. Yukiko, épuisée et essoufflée, s'arrêta plusieurs fois en soupirant.

Les hautes montagnes abruptes qui surplombaient le pont avaient disparu dans un brouillard laiteux.

Une fois en haut de la berge, ils franchirent le pont suspendu et furent conduits à l'auberge d'Anbô qui, affirmait un écriteau en chemin, « offrait une vue superbe ». Elle était située en haut d'une colline à la pente assez ardue et, le long de l'étroit sentier cimenté qui y menait, une charpente d'acier soutenait plusieurs gros câbles comme ceux du pont suspendu.

L'auberge, dont les patrons cumulaient aussi les fonctions de transporteur de marchandises et de distributeur de riz, avait plus l'air d'une boutique manquant d'animation que d'une auberge pour voyageurs. Tomioka et Yukiko ôtèrent leurs souliers sur la terre battue de l'entrée obscure, montèrent l'escalier de bois, rendu poisseux par la pluie, jusqu'à leur chambre, une pièce couverte de tatamis au premier étage.

À peine arrivé, avant même d'enlever sa veste, Tomioka demanda à la jeune servante d'étendre tout de suite les matelas et de préparer un lit pour Yukiko. La pluie avait redoublé de violence, il tombait des cordes et, vue depuis le couloir, la montagne et la mer se fondaient dans un mur de brouillard blanc uniforme, qui bouchait complètement la vue.

Dans ce paysage, seule ressortait la fumée jaune du bain, situé au bout du jardin.

Pendant que la servante préparait les lits, Tomioka et les deux fonctionnaires échangèrent leurs cartes de visite dans la pièce voisine, plus claire. La servante leur apporta du thé tiède et des gâteaux à la mélasse.

– Il pleut beaucoup ici, on dirait, remarqua Tomioka, une cigarette aux lèvres, en tirant à lui le petit brasero d'appoint.

– Oui, et même à tel point qu'on dit qu'à Yakushima, il pleut trente-cinq jours par mois !..., dit l'homme en imperméable.

Quand il l'enleva, Tomioka se rendit compte qu'il était plus jeune qu'il ne l'aurait cru. Il avait l'air d'un érudit.

61

L'homme à l'imperméable se nommait Tatsuke. Le plus âgé, celui au parapluie, Noborito. Tous deux étaient fonctionnaires et ne travaillaient pas en montagne, où des wagonnets faisaient deux allers et retours par jour, expliquèrent-ils à Tomioka. Un petit logement de fonction avait été préparé pour lui, mais avec une malade, ce serait sans doute peu pratique, et ils lui proposaient donc de rester plutôt d'abord cinq ou six jours à l'auberge. Tomioka se rangea à leur avis. Quoi qu'il en soit, les lieux étaient plutôt tristes.

La pluie continuait à tomber, oppressante. Une pluie épaisse, presque laiteuse.

Une fois les deux hommes repartis, Tomioka prit un bain dans l'eau crasseuse de la baignoire, une marmite de fonte à l'ancienne, puis se mit rapidement au lit. Il était épuisé. Yukiko toussait toujours et avait le visage écarlate, peut-être à cause de ses incessantes quintes de toux. Elle avait pris son médicament et était allongée, les yeux grands ouverts, dans la pièce obscure.

Elle avait l'impression qu'ils avaient été tous deux condamnés à l'exil sur cette île, en punition d'elle ne savait quel crime, et se demandait, prise d'un étrange pressentiment, si elle n'allait pas mourir ici. Elle y était résignée, avait même par moments envie de mourir. Elle savait qu'elle ne pourrait pas supporter la vie sur cette île où la pluie ne s'arrêtait jamais. Quand elle tendait attentivement l'oreille, il lui semblait sentir cette pluie couler jusqu'au fond de ses tympans.

Leur chambre, dépourvue de vitres, n'avait que des cloisons coulissantes, dont le papier gondolait dans les cadres. Ils n'avaient qu'une seule couverture chacun. Le matelas sentait la colle, l'oreiller était dur comme un billot de bois.

Dans la bouilloire d'aluminium toute bosselée, l'eau qui s'était mise à bouillir débordait sur le brasero, mais aucune fumée ne s'éleva des cendres en sifflant, sans doute parce qu'elles étaient durcies comme des coquillages. Yukiko, tout en regardant la vapeur monter de la bouilloire, observait cette chambre dont l'aspect misérable lui pinçait le cœur. Dans le renfoncement destiné à la décoration, près du pilier principal de la chambre, était posé un vase contenant ce qui semblait être des chrysanthèmes, avec trois suspensions à pétrole au-dessus. Elle avait l'impression d'être revenue à la période misérable de sa vie. Tomioka dormait à poings fermés en ronflant. Yukiko lui enviait ces ronflements paisibles.

Yukiko soupira, en écoutant le bruit monotone de la pluie. Même si elle avait été en bonne santé, c'était un endroit sans espoir. Mais à quoi bon rentrer à Tokyo maintenant ? Rien de mieux ne l'y attendait.

On apporta le dîner, une sorte de ragoût de crabes rouges, sans le moindre légume en accompagnement. Yukiko avait presque quarante de fièvre, elle était inondée de sueur. Elle n'avait rien pour se changer et fut obligée de mettre le kimono d'intérieur d'une propreté plus que douteuse fourni par l'auberge.

Tomioka fit une piqûre à la malade, avec des gestes maladroits, puis s'installa à son chevet et but tranquillement du saké, pour la première fois de la journée. La servante n'avait rien apporté à manger pour accompagner l'alcool, si ce n'est un bol de riz, rempli à ras bord. C'est bizarre, se dit Tomioka avec un sourire ironique à la vue des grains qui débordaient de sous le couvercle laqué, dans un endroit où le riz est une denrée rare...

L'alcool était sans doute du mauvais alcool de patates car, quand il le renifla, une odeur désagréable lui piqua les narines. Deux flacons à saké étaient posés dans la bouilloire et Tomioka n'avait pas imaginé qu'on puisse servir du vulgaire alcool de patates dedans. Il réclama du saké à la servante, elle répondit qu'on n'en trouvait pas sur l'île.

« Comment prendre son mal en patience, s'il n'y a rien ici ! » se dit Tomioka. Puisqu'il n'avait pas le choix, il se soûla de mauvais alcool. Dans les vapeurs de l'ivresse, il oublia tout ce qui avait précédé son arrivée sur cette île, et l'illusion d'y avoir toujours vécu s'empara de lui. La pluie tombait de plus en plus dru, une véritable tempête. L'eau coulait à torrents dans les gouttières avec un bruit de percussion. Tomioka avait l'impression qu'ici, toute pensée devenait inutile, seule comptait la vie, dans ce qu'elle avait de plus brut. Il continua donc à boire sans penser à rien. Dieu contrôlait le monde. Qu'il pleuve ou qu'il vente, tout était décidé par Dieu. Les gens de cette île se battaient pour mener une vie fruste au milieu de cet impitoyable déluge. Si on se laissait vaincre par la pluie, il devenait impossible de survivre. Tout de même, qu'est-ce qu'il tombait ! Le vacarme hostile de cette averse sans fin lui transperçait le cœur. La malade, fiévreuse, avait de l'écume au bord des lèvres. Le dieu qui régnait sur ce monde était bien cruel, mais il ne fallait pas se laisser abattre par son pouvoir. Puisqu'il était arrivé jusqu'ici, songeait Tomioka, il se devait de faire de cette île le plus beau royaume où il pût vivre. Il avait réussi à se traîner jusqu'ici, et aucun autre miracle ne l'attendait. Peut-être cette femme allait-elle mourir ici, qui sait ? Tomioka pensa longuement à toutes les épreuves qu'ils avaient traversées ensemble et, malgré son ivresse, les larmes perlèrent au coin de ses paupières. Où d'autre dans le monde trouverait-il une femme capable de garder intacte sa passion pour un homme tel que lui ? Osei, oui, mais Osei était morte. Nyu était restée en Indochine. La misère avait eu raison de Kuniko. Seule Yukiko l'avait accompagné jusqu'ici, tout en luttant contre la maladie. Au débarcadère, les deux hommes venus les accueillir l'avaient prise pour sa femme, et Tomioka avait pensé soudain à la famille en bonne santé qu'il aurait pu avoir s'il avait continué sa vie de fonctionnaire. Le remords et d'insupportables regrets le torturaient en imaginant le visage qu'aurait eu l'enfant de Yukiko s'il avait vécu.

De temps à autre, Yukiko, tourmentée par la fièvre, criait le nom du médecin. Apitoyé, Tomioka retournait la serviette humide sur son front, en se disant qu'il fallait attendre demain et que, si elle n'allait pas mieux, il enverrait alors un télégramme à Hika.

Les nattes collantes, les murs de planches d'où suintait le brouillard, tout lui paraissait de mauvais augure, insupportable.

Le lendemain, la pluie avait cessé, mais il faisait lourd et sombre comme un jour de mousson. Tomioka se rendit au bureau des Eaux et Forêts, pour saluer ses nouveaux collègues. Comme le directeur était en déplacement à Miyazaki, Noborito lui montra la documentation et les cartes du bureau et l'emmena par la même occasion voir son logement de fonction, situé à côté de l'école primaire. C'était une petite baraque aux murs en planches plate, carrée, sommairement divisée en quatre pièces. Dans le jardin, les branches couleur de lait d'un banian, dont plusieurs personnes n'auraient pu faire le tour avec leurs bras, traînaient longuement à terre. Il y avait aussi un bananier aux feuilles épaisses, qui portait de petits fruits encore verts. À la vue de ces feuillages luxuriants, on ne se serait jamais cru en hiver. La pluie menaçait de nouveau, de fins nuages comme du brouillard étaient en suspens çà et là. Tomioka décida de partir en montagne le lendemain. Il demanda à Noborito d'envoyer un télégramme pour lui à Kagoshima et revint vers midi à l'auberge.

Comme la fièvre de Yukiko ne baissait toujours pas, Tomioka lui fit une piqûre de pénicilline, selon les indications du docteur Hika. Yukiko, qui semblait avoir retrouvé toute sa conscience, dit sur le ton de la plaisanterie :

– Mourir près de toi, c'est mon vœu le plus cher.

– Ce n'est rien de mourir, on peut mourir n'importe quand. Tu ne vas pas faiblir maintenant que tu es arrivée jusqu'ici, hein !

– Elle est bruyante, cette pluie.

– Il pleut à peine maintenant.

– Je voudrais voir du ciel bleu, rien qu'une fois...

Dans la pièce voisine, il semblait y avoir une réunion, car on entendait à travers les cloisons de séparation les échos d'une discussion animée entre quatre ou cinq personnes. On apercevait nettement la montagne à travers le fin rideau de pluie. On aurait dit une pierre à encre dressée. Tomioka, surpris de trouver si brûlante la serviette humide que Yukiko avait sur le front, resta un moment hébété, la serviette à la main. La patronne de l'auberge vint lui conseiller aimablement de faire un cataplasme à la malade, et Tomioka envoya la servante acheter de la farine de moutarde, la mélangea à de l'eau chaude et l'étala sur une bande de papier qu'il appliqua sur la poitrine de Yukiko. Quand il l'enleva, au bout d'un certain temps, la peau était toute rouge à cet endroit.

Approchant son visage de cette peau nue, Tomioka se mit à prier les Dieux et les Bouddhas. « S'il vous plaît, permettez-nous de renaître ! »

62

Tomioka, immobile, la tête posée sur les tatamis, comptait chacune des respirations de Yukiko, pénibles comme des râles, en tenant sa main brûlante et en sueur.

«Homme stupide. Ce soir la mort emportera ton âme, et à qui servira alors ce que tu as préparé?» Tandis qu'il priait, cette phrase revint soudain à l'esprit de Tomioka. Cela lui parut de mauvais augure. Il avait oublié où il avait lu ces mots, mais ils revenaient flotter sous ses yeux sans crier gare. Tout en serrant fermement entre les siennes la main de Yukiko, il appelait de temps en temps à voix basse à l'oreille de la malade: «Yukiko, Yukiko!», comme pour conjurer en hâte la pensée qui venait par moments envahir le vide de son esprit: il souhaitait la mort de cette femme. Yukiko entrouvrait de temps à autre les paupières et tournait un regard sans force, rendu flou par la fièvre, sur les environs. Tomioka posa son oreille contre sa poitrine. Les battements de son cœur étaient relativement stables. Il lui prit le pouls. Tout en accomplissant ces gestes, il sentait la folie le gagner. Le bruit de la pluie était assourdissant. Il avait par moments l'impression d'être de retour à Lang Bian, un jour de mousson. Le lien qui l'unissait à cette femme était étrange. Il lui semblait qu'au milieu des vicissitudes de ces années de guerre, il avait perdu sa propre humanité. Au fond, il avait toujours été un homme au cœur vide. Il n'était qu'un spectre qui avançait avec un cœur vide, donnant le change en battant au rythme des vivants. Il se trouvait sinistre.

Ses propres états d'âme occupaient trop son esprit pour lui laisser le loisir de plaindre Yukiko.

Jusqu'au soir, il ne cessa pas de pleuvoir.

Yukiko s'endormit profondément, dès la tombée du jour. La fièvre avait un peu baissé. Peut-être la pénicilline que Tomioka lui injectait toutes les quatre heures commençait-elle à faire son effet. Quoi qu'il en soit, Tomioka était heureux de constater qu'elle réagissait à ce médicament, que la vie reprenait le dessus. La nuit venue, il but à nouveau de l'alcool de patates, sans quitter le chevet de Yukiko. Au fur et à mesure que l'ivresse le gagnait, il était envahi par un sentiment de répugnance vis-à-vis de cette malade fangeuse qui dormait à côté de lui, bouche grande ouverte. Si le destin de cette femme était un reflet du sien, qu'était-elle d'autre pour lui qu'un souvenir de son passé ? Il finissait par se dire qu'ils étaient fous tous les deux, d'avoir pris la route comme deux amoureux en fugue, pour se retrouver au fond de cette île perdue. Les femmes, elles passaient leur temps à languir après leurs souvenirs, les confondant toujours avec leur destin... Autrefois, Tomioka avait sarcastiquement fait remarquer à Yukiko que si elle était originaire des environs de Tokyo, ce devait être d'une région productrice de navets comme Nerima, tant elle lui paraissait naïve à l'époque, mais maintenant son visage relâché dans le sommeil lui paraissait celui d'une femme infidèle. Kanô avait aussi dit un jour qu'elle ressemblait à une actrice, une certaine Miyake. À force de la regarder fixement, il lui trouvait un visage étrangement niais, comme celui d'une fille laide née dans une famille d'acteurs de kabuki.

Tomioka avait bu tant et plus de cet alcool nauséabond, pourtant il se sentait plus frais et dispos que d'habitude. La servante vint lui demander si tout allait bien, il répondit que oui, avec un regard figé d'alcoolique. L'ivresse lui faisait oublier toutes ces choses ambiguës telles que le destin, les souvenirs. Le vent violent comme un soufflet de forge lui transperçait le corps et, pour tromper son ennui, il se prit lui-même comme sujet d'observation.

«J'aurais mieux fait de ne jamais venir dans un trou pareil, mais enfin, tout ça, c'est parce que je ne voulais pas finir mendiant dans les rues de Tokyo... Le proverbe dit : "Les arts d'agrément peuvent au besoin assurer notre existence", mais je me demande ce qu'il en est quand on ne sait faire qu'un métier qui vous oblige à vivre au fin fond des montagnes comme un ermite. Et j'ai emmené Yukiko avec moi, sans pitié, l'obligeant à m'accompagner jusque dans les souvenirs de mes histoires de femmes. Mais peut-être bien aussi après tout que j'étais un peu attiré par tout cet argent avec lequel elle s'est enfuie. Après tout, c'était l'argent de Dieu, un secours providentiel pour nous, sans aucun doute. Ah, la justice de Dieu est parfois cruelle...» Tout en écoutant le bruit de la pluie qui coulait toujours à torrents dans les gouttières, Tomioka n'avait qu'une seule envie : passer la nuit entière à boire.

Quand il aligna les uns à côté des autres, dans l'encoignure normalement destinée à recevoir les objets d'art, sept ou huit flacons d'alcool vides, Tomioka en était à se dire qu'il n'aurait plus jamais la force d'aimer une femme. Il était affalé près de la couche de Yukiko, avec la sérénité de celui qui a compris à quel point les femmes sont ennuyeuses. La nuit était avancée, son gosier sec le brûlait. Il craignit de se mettre à saigner du nez, chercha à tâtons la bouilloire posée sur le brasero, porta le bec à sa bouche. La pluie avait sans doute diminué, car le bruit des gouttes s'espaçait. Il regarda sa montre : il était près de 4 heures. Il alluma la lampe à alcool, prépara la seringue. Il avait la tête qui tournait.

Ça aussi, c'est une habitude, songea-t-il. C'est dans cet état mental que doivent se sentir les infirmières : on est complètement indifférent au sort du malade, mais on se réveille en pleine nuit pour lui faire sa piqûre, par habitude. Rien de plus. Mais la malade a l'air de trouver ça tout naturel, une grimace de souffrance passe sur son visage.

– Comment tu te sens ?

– Ça va mieux.

– La pluie s'est arrêtée.

– Je me suis résignée à ce qu'il pleuve tout le temps.

– Hmm...

– Elle est collante, hein, cette pluie.

– Comme toi avec tes souvenirs, non ?

– Oui... Peut-être.

– Tous les deux, on est comme des lapins écorchés, non ?

Yukiko sourit faiblement en réponse.

Tomioka rangea le matériel à injections, alluma une cigarette ramollie par l'humidité et la fuma avec une grimace dégoûtée, tout en tendant la main vers les flacons vides dans l'alcôve.

Il avait des hallucinations : l'image d'Osei passait de temps en temps devant ses yeux. Il souleva l'un après l'autre les flacons vides, les porta à sa bouche.

– Tu as envie de boire à ce point ?

– Oui.

– Moi aussi, si je n'étais pas malade, je boirais bien. Dis, quelle idée nous a pris à tous les deux de venir ici ?

– On m'a proposé du travail ici, je n'y peux rien.

– Mais pourquoi a-t-il fallu que tu viennes travailler si loin de tout ?

– Parce que je ne pouvais pas gagner ma vie à Tokyo. Tu n'auras qu'à rentrer à Tokyo, toi, quand tu iras mieux... Hein ?

– Mais qu'est-ce que je ferai là-bas ?

– Ça, ce que tu feras je n'en sais rien...

Yukiko ferma les yeux. À chaque respiration, elle avait l'impression d'effleurer une plaie à vif et elle commençait à se dire que sa maladie était sans doute d'une espèce bien particulière. Le docteur Hika avait vivement recommandé de faire une radio, mais Yukiko avait refusé. Hika avait insisté en disant qu'il avait une machine portable, mais Yukiko n'avait pas envie que l'on aille voir au fond de sa poitrine.

– Quelle heure est-il ?

– C'est déjà l'aube. Cinq heures. Tu crois qu'il pleut toute l'année dans cette île ?

– Je me demande...

– C'est un endroit où on ne peut pas travailler autrement qu'en partant en expédition dans les montagnes. Je suis allé voir mon logement de fonction hier, mais je ne sais pas si tu pourrais rester seule là-bas pendant que je serai en montagne. Je devrais m'absenter souvent, parfois une semaine entière...

– Je ne pourrais pas aller en montagne avec toi ?

– C'est complètement impossible

– Oui, tu as raison. Si seulement il ne pleuvait pas, cette île serait un endroit très agréable. Il ne peut quand même pas pleuvoir comme ça tous les jours de l'année... À des moments pareils, j'aimerais bien que Kanô soit là...

– Tu veux aller le chercher dans l'autre monde ?

– Si j'y allais et que je ne revienne pas, tu serais bien soulagé, non ?

– C'est sûr. Des femmes, il y en a partout.

– Oui. C'est ça, les femmes, hein ? Même la plus merveilleuse d'entre elles, vue par un homme, n'est jamais

391

qu'une femme remplaçable par une autre... On est différents fondamentalement, toi et moi. Quand même, dire
qu'il y a des femmes partout, tu me vexes.

– Si tu redeviens susceptible, c'est que ton état s'améliore rapidement. Rétablis-toi vite, pour te battre à
nouveau contre les hommes. Avec la grande arme des
femmes...

– Tu dis vraiment des choses détestables. Tu as toujours aimé proférer des sarcasmes, mais là, si une députée ou une femme de ce genre t'entendait, elle viendrait
te remettre à ta place.

– Une députée... Pour moi, ce n'est pas une femme.
J'avais même oublié que ça existait, les députés.

«Amen ! Je te laisse le dernier mot», pensa Yukiko.
Elle était toujours en colère, mais étendit sa main posée
sur sa poitrine et chercha celle de Tomioka.

63

Comme Yukiko ne pouvait pas séjourner indéfiniment dans une auberge, le quatrième jour, on profita d'une accalmie pour l'emmener en brancard jusqu'au logement de fonction de Tomioka. Les habitants de l'île regardèrent passer le brancard avec curiosité, se demandant ce qui avait bien pu arriver.

Il faisait soleil, et le ciel était bleu comme ils ne l'avaient pas vu depuis longtemps. Les arbres qui bordaient la route scintillaient au soleil. Ce ciel aveuglant de luminosité obligeait Yukiko à fermer les yeux. Il était d'un bleu pâle trop doux pour un ciel d'hiver.

Le brancard tanguait le long de la route sinueuse. Quand elle n'entendit plus de voix autour d'elle, Yukiko ouvrit les yeux : des poulets s'enfuyaient bruyamment vers les maisons éparses d'un petit hameau, aux persiennes à peine entrouvertes, qui ressemblait étrangement aux villages indochinois. Yukiko tourna la tête pour regarder autour d'elle d'un air surpris. Les persiennes de toutes les maisons étaient fermées. Ils traversèrent un énorme tunnel de verdure formé par le feuillage de grands arbres qui ressemblaient à des banians, au sortir duquel elle entendit Tomioka s'adresser aux brancardiers :

– Merci d'être venus jusqu'ici...

La porte d'entrée s'ouvrit en grinçant. Les brancardiers entrèrent dans la maison en trébuchant. Le plafond en planches était tout taché, les murs tendus de papier journal. Yukiko écarquilla les yeux : c'était ça, le logement de fonction ?

À midi, Tomioka devait partir en wagonnet, passer une nuit en montagne et revenir le lendemain soir. Il avait demandé à une veuve de guerre, restée seule avec un enfant, de tenir le ménage et de s'occuper de Yukiko pendant son absence.

Un matelas rayé, propre et net – Yukiko se demanda où Tomioka se l'était procuré –, était installé dans la chambre, avec dessus des couvertures qu'ils avaient achetées à Kagoshima. Les tatamis étaient nus, sans bordure. Sur le brasero, une bouilloire neuve en aluminium sifflait de la vapeur.

Après avoir pris le déjeuner que les aubergistes avaient préparé pour la route, Tomioka enfila ses guêtres, se prépara pour son expédition puis quitta la maison. Avec son chapeau de pluie, son vieil imper taché, son sac à dos tout dégonflé, il semblait parfaitement à l'aise dans son nouveau poste de fonctionnaire des Eaux et Forêts. Noborito, emmitouflé dans des vêtements de ski, était venu le chercher, et Tomioka confia Yukiko aux bons soins de la veuve. Le temps était étonnamment clément ce jour-là.

– Ça n'arrive jamais qu'il fasse aussi beau ! On se sent tout joyeux ! Madame, j'ai préparé de la bouillie de riz, vous en voulez ?

La veuve avait le teint brouillé et des yeux d'un noir verdâtre, comme si un tas de vers lui fourmillaient dans le ventre. Elle s'appelait Nobu Towai. Cela faisait neuf ans que son mari était mort, expliqua-t-elle à Yukiko.

Les yeux grands ouverts, cette dernière se contentait de regarder le ciel bleu dans l'interstice entre les persiennes. La phrase de Tomioka, dite sur le ton de la plaisanterie, continuait à lui trotter dans la tête : « Des femmes, il y en a partout. » Il aurait l'impudence de lui survivre, c'était certain, songeait-elle. Elle savait bien au fond d'elle-même qu'il ne lui restait pas des années à vivre. Dans la montagne toute proche, un pigeon ramier roucoula. Entre les persiennes, Yukiko aperçut la montagne violette, aux contours découpés comme une pierre à encre.

– C'est loin d'ici, Kosugidani ? demanda-t-elle à Nobu.

Celle-ci, qui était en train de presser le jus d'un gros pamplemousse, leva son visage bouffi.

– Ah, oui, il faut bien deux heures pour s'y rendre. Il faut déjà une bonne heure pour aller jusqu'au mont Tachu, qui se trouve à mi-chemin... À ce qu'il paraît, il y a beaucoup de neige en ce moment à Kosugidani ; votre mari va avoir froid là-haut.

Dans les environs du chantier de déboisement de Kosugidani, à sept cents mètres d'altitude, la température moyenne descendait à seize degrés et, de décembre à mars, la neige recouvrait tout.

Était-ce à cause de la chaîne de montagnes abruptes qui se dressait en face ? Dans la même journée, beau temps, nuages et pluie alternaient continuellement et, sans doute parce que Yakushima se trouvait sur le passage de typhons, l'île connaissait au cours de l'année des pluies torrentielles. Les mesures d'aménagement des eaux traînaient en longueur, car les finances de l'île n'étaient guère florissantes.

Les principales ressources de Yakushima étaient les poissons volants en mai, la canne à sucre, la patate douce et la sylviculture.

L'île était célèbre pour ses cyprès, d'ailleurs appelés cyprès de Yaku, mais on ne pouvait acheminer le bois par voie fluviale jusqu'à la mer, aussi toute la production était-elle transportée par wagonnets à travers les montagnes.

Les cyprès de Yakushima – était-ce parce qu'ils atteignaient un âge avancé sur cette île enveloppée en permanence de brouillard et de pluie ? – ne flottaient pas sur l'eau. Le bois brut, d'abord transporté par wagonnet, était ensuite transféré sur des bateaux, mais si un tronc tombait à la mer durant ce transfert, il sombrait et ne remontait plus à la surface, tant le bois était dense et lourd.

– Il neige tant que ça ? Pourtant le climat est doux dans la région...

– Oui, mais à Kosugidani, on fait du ski jusqu'au mois de mars.

– Vous êtes déjà montée là-haut ?

– Non, je suis seulement allée jusqu'à Tachu, à mi-chemin.

Le ciel se couvrit brusquement.

Le brouillard commença à envelopper les pans abrupts de la montagne. Pendant qu'elle regardait le brouillard monter vers les sommets, Yukiko se sentit envahie par une indicible tristesse. Il lui semblait que ce paysage ne convenait absolument pas à sa personnalité. Elle qui connu le luxe autrefois ne pouvait supporter les taches au plafond, ni les murs en planches recouverts de papier. Si elle retournait vivre à Tokyo, elle retrouverait l'animation du monde moderne, mais l'idée de vivre dans une cabane comme autrefois à Ikebukuro... Le souvenir de Joe lui revint avec une nostalgie qu'elle n'avait pas ressentie jusqu'alors. Joe qui était venu jusque chez elle avec un gros oreiller dans les bras et qui lui chantait en guise de berceuse *Myosotis*, cette chanson que diffusait la radio qu'il lui avait offerte : « Ma chérie, comme tu me manques... Cette fleur, aujourd'hui fanée, était jadis d'un bleu vif comme le béryl. Elle est semblable aux souvenirs joyeux, qu'elle évoque en mon cœur, des jours passés auprès de toi, quand tu étais vivante. »

Tomioka avait remarqué cette petite radio chez elle et lui avait demandé de lui faire écouter de la musique pour danser, mais Yukiko avait exprès tourné le bouton sur le programme du procès des criminels de guerre. Une voix à l'accent de Japonais immigré aux États-Unis demandait poliment : « Mais vous, que pensiez-vous à ce moment-là ? », Tomioka avait dit que ça lui faisait mal d'entendre ce genre d'émission et l'avait suppliée de lui faire plutôt écouter du jazz américain. Énervée, Yukiko avait dit : « On est concernés par ce procès, nous aussi. Moi non plus, je n'ai pas envie d'écouter ça, mais à l'idée qu'il y a réellement des gens qui passent en justice, il me semble que je dois écouter, pour connaître la réalité de cette guerre. »

Yukiko avait l'impression que sa rencontre avec Joe remontait à plus de dix ans. C'était un étranger, il avait dû retourner dans son pays maintenant. Les mots leur manquaient pour se comprendre tous les deux, mais leurs corps et leurs cœurs étaient à l'unisson. Quand Tomioka faisait des remarques ironiques à propos de Joe, Yukiko se défendait en disant : « C'est comme ton histoire avec Nyu en Indochine. »

Repenser à tout cela la rendit nostalgique, sans doute à cause de cette gaieté et de cette simplicité qui avaient présidé à sa relation avec Joe : ils n'avaient pas besoin d'aller fouiller au fond de leurs cœurs respectifs, ils étaient d'accord sur leurs responsabilités et avaient pu se séparer simplement sans prendre les choses au tragique.

64

Tomioka, qui était monté dans la locomotive à côté du mécanicien, avait l'impression de s'élever lentement dans les airs, tandis que le wagonnet grimpait péniblement le long des rails étroits dans un grondement assourdissant. Les eaux bleues au cours sinueux de la rivière d'Anbô brillaient en contrebas, au fond d'une jungle épaisse. Tomioka avait un peu honte du titre pompeux de « Fonctionnaire attaché aux services techniques du ministère de l'Agriculture et des Forêts » qui figurait sur ses cartes de visite, dans sa poche de poitrine.

– Tu veux une clope ?

Le mécanicien, surpris, regarda Tomioka. Sous leurs yeux, la falaise tombait à pic. C'était étrange pour Tomioka de revoir ici une sorte de fougère appelée « hego », qui poussait partout dans les forêts des environs de Dalat. Il alluma une cigarette et la glissa entre les doigts du mécanicien, qui gardait les mains sur les manettes.

Sur la droite, derrière le lit de la rivière, le village d'Anbô disparaissait peu à peu au milieu des arbres, tandis que le petit train à crémaillère continuait à s'élancer dans les airs. Derrière la locomotive étaient accrochés quatre wagonnets découverts, successivement emplis de sac de riz en paille, de légumes, de courrier et de gros sacs de sel, devant lesquels étaient frileusement assis quatre ou cinq bûcherons travaillant pour le bureau forestier. Noborito, assis au milieu d'eux, discutait avec animation.

À Yakushima, environ vingt mille hectares appartenant à l'administration étaient placés sous la juridiction de l'office des Eaux et Forêts. Cette superficie ridicule n'équivalait même pas à la taille des forêts privées en Indochine, mais l'île elle-même était minuscule et, comme on cherchait maintenant des forêts même dans les endroits où il n'y en avait pas, ces minuscules vingt mille hectares représentaient pour le Japon de l'époque une réserve de bois inestimable. La Corée, Taïwan, Okinawa, Sakhaline, la Mandchourie : la défaite avait privé le Japon de toutes ses anciennes possessions et l'État japonais, désormais réduit à la surface de ses propres îles, devait désormais exploiter les moindres recoins de ses terres pour nourrir la grande famille du peuple japonais.

– Il doit faire froid en montagne.

– Il paraît que cette année il a beaucoup neigé partout au Japon, et ici aussi, il y a eu beaucoup de neige en montagne, tout le monde ici dit que c'est rare qu'il neige à ce point.

– J'aurais dû emporter des affaires d'hiver.

– Si vous allez en montagne, je pourrai vous en prêter.

– Dites, quelles sont les dimensions de cette île ?

– Vingt-quatre kilomètres d'est en ouest, quinze kilomètres du nord au sud. On est à cent cinquante-cinq kilomètres de Kagoshima. À Anbô, le climat est doux, mais en montagne, il fait plutôt froid.

Le mécanicien qui donnait ces explications à Tomioka s'exprimait à la façon d'un militaire. Sur leur gauche, une partie du flanc de la montagne, où affleurait une terre rouge, frappait le regard. Le petit train avait déjà pas mal grimpé, et les passagers soufflaient maintenant une haleine blanche. Des nuages chargés de pluie commençaient à entourer le sommet, formant une sorte d'auvent sombre au-dessus d'eux. De grosses gouttes se mirent à tomber. Tomioka se retourna : dans les wagonnets, toute l'équipe avait mis des imperméables, ou bien ouvert des parapluies de papier huilé.

Quand ils arrivèrent au mont Tachu, il soufflait un vent assez fort. Ils s'arrêtèrent pour couvrir les wagonnets d'une bâche, mais le froid restait néanmoins très vif. Ils arrivèrent à Kosugidani dans la soirée ; la montagne était toute sombre et il tombait une sorte de grésil. Au milieu des immenses cyprès au feuillage touffu étaient disséminées les petites cabanes du chantier de coupe, comme intégrées au milieu végétal.

Tomioka se précipita dans le bureau des Eaux et Forêts et se colla contre le poêle. Noborito le présenta à ses collègues du bureau. Ce jour-là, la centrale électrique était malheureusement en panne, lui expliqua-t-on, et seule une grande lampe à pétrole était suspendue au plafond.

Un vieux fonctionnaire aux cheveux déjà blancs, du nom de Sakai, expliqua à Tomioka :

– Avant la guerre, ici, tous les ouvriers étaient des Coréens, ce sont des Japonais rapatriés de Corée ou de Mandchourie qui les ont remplacés, et maintenant, même sur cette île, on reçoit cinq exemplaires du journal communiste *Drapeau rouge*. Ici aussi, la démocratie est arrivée, mais ça rend les chose plus compliquées. Ah, le monde a bien changé... Ceux qui ont le verbe haut manifestent beaucoup d'énergie, mais les vieux comme moi sont devenus inutiles. Vous aussi, monsieur l'ingénieur, vous verrez, plutôt que de vous occuper de la coupe du bois, vous allez devoir surtout faire des discours et des plaidoiries.

Sakai s'était mis à rire. Il demanda une cigarette à Tomioka et l'alluma au poêle. Derrière la porte vitrée de l'entrée, il faisait nuit noire. Par endroits, sous l'auvent bas, pendaient des stalactites.

65

À la sortie de Saigon, la route continuait naturellement en direction de Kyadein, où étaient stationnés de nombreux soldats japonais. Ensuite, on traversait de petits villages entourés de champs de canne à sucre, de vergers, de denses plantations de cocotiers et des banrans, et l'on passait les deux longs ponts d'acier qui enjambaient la rivière Donnai avant d'arriver dans la charmante ville de Bien Hoa. Yukiko, Tomioka et Kanô passèrent une nuit dans un petit hôtel du nom de « Maison Poisson », tenu par des Français. Le nom était inscrit en gros sur une pancarte, accompagné d'un dessin représentant une queue de poisson.

Une attaque aérienne avait détruit la centrale électrique peu de temps auparavant, si bien que les trois Japonais dînèrent au crépuscule dans le jardin, sous les flamboyants en pleine floraison. Des cris étranges d'oiseaux sauvages provenaient de la jungle environnante. Un lourd parfum de fleurs flottait dans l'air. La pelouse, à la lumière du crépuscule, était d'un vert humide, et le bout des chaussures blanches de Yukiko jouait sous la table de bois avec les pieds de Tomioka.

Par cette nuit chaude et étouffante, on entendait au loin le coassement sinistre des grenouilles. Silencieuse, le regard fixe, Yukiko réfléchissait dans le noir, quand le corps de Tomioka était venu s'abattre pesamment sur le sien, lui coupant la respiration.

Elle avait d'abord entendu une clé tourner doucement dans une serrure, à l'extérieur de sa chambre silencieuse, puis sa porte s'était ouverte et la haute silhouette de Tomioka s'était encadrée dans les ténèbres. Yukiko, sous la moustiquaire blanche, agitait violemment son éventail. Leurs lèvres avaient gardé le parfum du sherry qu'ils avaient bu un peu plus tôt sur la pelouse. En dehors d'eux, il n'y avait dans cet hôtel que quatre militaires. Yukiko et Tomioka se dévisageaient sans rien dire dans le noir. Le fond de leurs yeux distillait une lueur sauvage, qui disait tout l'amour qu'ils éprouvaient en secret l'un pour l'autre, loin, bien loin de la guerre.

Par la fenêtre, on entendit la chute lourde d'un fruit mûr, qui les fit sursauter tous les deux. Cette nuit silencieuse dans un hôtel du haut plateau de Bien Hoa, Yukiko la revoyait souvent en rêve. La sensation de la chevelure épaisse de Tomioka sous ses mains... Aujourd'hui encore, si elle se concentrait suffisamment, elle pouvait retrouver jusqu'à l'odeur de ses cheveux sur ses doigts.

Le lendemain, ils étaient remontés en voiture en feignant l'indifférence et avaient été secoués par les cahots sur le ruban de route de quarante kilomètres qui menait de Daujiai à l'intersection de Jirin. Yukiko et Kanô étaient assis au fond côte à côte, tandis que Tomioka occupait la place à l'avant à côté du chauffeur vietnamien. Kanô paraissait de mauvaise humeur. La voiture roulait vers le haut plateau de Jirin, à travers les plantations régulières d'hévéas, sous un tunnel de verdure percé par les rayons ardents du soleil.

Ils s'étaient arrêtés un moment à Trang-bom, où se trouvait un centre de recherches forestières. Tomioka et Kanô s'étaient acquittés chacun de leur côté des tâches qu'ils y avaient à accomplir, puis la voiture était repartie en vrombissant sur le monotone ruban gris et sinueux de la route coloniale. Le chauffeur leur avait raconté qu'il arrivait souvent de voir surgir des éléphants sauvages sur la route dans ces environs. C'était une zone de jungle assez lugubre, où poussaient d'énormes «banrans» au feuillage sombre et touffu.

Yukiko suivait les détails de ce rêve en souriant dans son sommeil. C'était toute sa jeunesse, qui ne reviendrait jamais... Elle ne retrouverait jamais cette époque. Tomioka et elle avaient repris la route du Sud jusqu'au plus loin possible et étaient arrivés sur cette île lointaine de Yakushima, mais ils avaient vieilli depuis l'époque de l'Indochine... Yukiko tendit l'oreille, croyant percevoir au fond de ses tympans le frémissement des feuilles dans la jungle, mais quand elle comprit qu'il s'agissait du bruit de la pluie rejaillissant en fines gouttelettes de brouillard sur la fenêtre, elle sombra au fond d'un abîme de déception.

Il lui sembla que la maison elle-même était inondée comme pendant le déluge de Noé. Elle ferma les yeux, entendit son cœur battre sous sa peau, entre les muscles. Le bruit s'arrêtait de temps en temps, puis reprenait régulièrement : toc, toc, toc. Quand elle appuyait son oreille contre le drap, les battements résonnaient si fort qu'on aurait dit un bruit de pas.

Le rideau de pluie qui l'entourait rendait l'atmosphère épaisse, à couper au couteau. Elle étira bras et jambes, tout droit. Quelle taille aurait le cercueil dans lequel elle reposerait, se demanda-t-elle, en proie à des images sinistres. Tout au fond, son corps était entièrement concentré sur l'attente secrète du retour de Tomioka de la montagne.

Elle envisagea un instant d'écrire une lettre à sa belle-mère mais, à la réflexion, elle changea d'avis. La femme engagée pour s'occuper d'elle, Nobu Towai, n'avait pas l'air de vouloir se soucier outre mesure de ce que mangeait la malade et se contentait de lui servir de mauvaises bouillies de riz pâteuses, avec un pruneau, ou lui portait de temps en temps un œuf tout seul sur une assiette. Yukiko commençait à être en proie à l'illusion que Tomioka et cette Nobu étaient de mèche. Yukiko avait envie de se débarrasser de cette femme. Elle craignait, sinon, de finir assassinée.

De temps en temps, Yukiko levait les yeux sur la femme immobile à son chevet, plongée dans un livre, et se mettait à la dévisager. Son mari était, paraît-il, mort à la guerre, et elle vivait seule depuis neuf ans. Ses traits dégageaient une sorte de force de volonté peu commune. Mais elle avait une peau appétissante, qui luisait un peu à hauteur du menton et de la poitrine.

Yukiko avait envie de lui demander le titre du livre qu'elle lisait, mais en même temps elle se sentait trop affaiblie pour parler. Tout en contemplant ses propres mains posées sans force sur les couvertures, il lui semblait sentir sa vie s'écouler paisiblement vers sa fin.

Nobu posa son livre et se dirigea vers l'entrée. Il s'agissait en fait d'un vieil ouvrage de médecine familiale que Tomioka avait emprunté à l'auberge d'Anbô. Ce jour-là, sans doute parce qu'ils étaient noyés sous un rideau de pluie battante, on ne voyait pas les monts Yae, aux contours découpés comme une énorme pierre dressée. La blancheur de la plante des pieds de Nobu tracassait Yukiko, qui avait regardé sa garde-malade se diriger vers l'entrée. Les femmes de cette île allaient toujours pieds nus... Était-ce parce qu'elles marchaient toujours dans le sable ? La plante de leurs pieds était toujours si propre qu'elles n'avaient même pas besoin de se passer les pieds sous l'eau avant d'entrer dans une pièce.

Si elle, Yukiko, mourait ici, peut-être Tomioka se marierait-il avec Nobu et s'établirait-il définitivement ici ?... Yukiko essayait de prévoir l'avenir, en songeant que cette éventualité était vraisemblable. Tandis que son imagination galopait ainsi et qu'elle allait jusqu'à imaginer Nobu et Tomioka mariés, dans cette maison, elle sentit soudain quelque chose de tiède jaillir à l'intérieur de sa poitrine avec une violence inouïe. La douleur lui coupa la respiration et elle se tordit sur le lit. Elle porta ses mains à son nez, à sa bouche, mais le jaillissement tiède continuait. Elle ne pouvait ni respirer, ni même crier. Sur le matelas, les couvertures, l'oreiller, s'élargissait une tache de sang poisseux.

Yukiko se demanda si le moment de la mort n'était pas arrivé. Il lui sembla qu'une autre elle-même, détachée de son corps, s'asseyait à côté d'elle et se cramponnait au Dieu de la Mort pour le supplier. Le Dieu de la Mort était apparu devant son corps étendu... Il dansait une danse de victoire devant cette femme, pour annoncer que la vie était en train de la quitter. Au milieu de toutes les images qui traversaient rapidement son esprit, Yukiko entendit la voix lointaine de Kanô l'appeler pour l'inviter à le suivre. Elle secoua faiblement la tête. Elle ne regrettait pas une seule chose de ce qui lui était arrivé jusque-là dans sa vie, et même si Tomioka avait été à ses côtés en cet instant, le train qui était déjà sur le point de partir allait cette fois l'emmener seule, vers l'autre monde. Yukiko aurait aimé savoir à quel moment exact elle commencerait à mourir, à partir d'où commencerait la destruction successive des éléments du corps physique qui marquait les derniers instants de sa vie, lorsque tout s'effondrait avec fracas. Elle haletait de douleur. Elle avait soif. Les nombreux et longs voyages qu'elle avait effectués à l'époque où elle resplendissait de santé au point de devenir téméraire venaient flotter les uns après les autres derrière ses paupières, comme des arcs-en-ciel. Ses doigts qui battaient l'air comme des touches de piano exprimaient toute son angoisse, sa confusion et son déchirement à l'instant de partir pour un monde inconnu. Elle sentit avec horreur un sang boueux remplir en tourbillonnant les cavités de ses poumons.

Une ombre à son chevet apparaissait et disparaissait tour à tour. Cette ombre la gênait et elle souleva son visage ensanglanté pour essayer de l'éviter, mais l'ombre, accompagnée d'une lumière noire, pareille à un éclair prêt à anéantir l'espèce humaine, continuait à s'agiter au-dessus de son front.

Le Jugement de Loth et de Noé s'approchait dans un bruit de tonnerre, mêlé au bruit de la pluie, et Yukiko vit, de l'autre côté de la grotte sombre d'où provenait ce vacarme, revenir vers elle en écho la silhouette solitaire d'une femme que personne n'avait aimée et qui avait vécu en vain.

Elle avait échoué, mais il était trop tard pour revenir en arrière. Qu'était devenue la femme qu'elle avait été autrefois ?... Elle était trop affaiblie maintenant pour pouvoir même se rappeler tous ses souvenirs d'Indochine et, tout en ravalant le sang tiède qui lui coulait dans la gorge, elle gémissait simplement, telle une enterrée vivante, qu'elle voulait vivre encore. Elle ne voulait pas mourir. Son esprit devint froid comme de la glace, jusqu'à la transparence, mais son corps, lui, ne retrouva pas la liberté.

66

Dans la montagne, il pleuvait à torrents. Tomioka avait repoussé son retour d'une journée. Assis près du poêle, dans le bureau des Eaux et Forêts, il buvait de l'alcool de patates en compagnie de quatre ou cinq de ses collègues en poste sur l'île. Il n'avait pas le courage de redescendre au village et de retourner à son logement de fonction. Plus l'ivresse montait en lui, plus son indifférence grandissait : en fait, il ne s'était jamais tellement soucié de l'état de Yukiko, songeait-il.

La forme des monts Yae lui rappelait le temple du Bayon à Angkor Thom et il se mit à raconter par bribes à ses collègues ses souvenirs de là-bas.

– Sur les flancs de la montagne se dressent des tours de pierres empilées qui représentent d'immenses visages humains. Dans chaque salle, les piliers penchent, les solives de pierre s'effondrent et, dans le jardin en ruine devant ce tas de pierres, il y a des arbres énormes qui soutiennent de leurs lianes les murs de soutènement ; ça ressemble tout à fait aux vieux cryptomères momifiés par le temps qu'on voit ici. Et dans ce palais royal en ruine, on vénère le symbole de Shiva, qu'on appelle *lingam*, et qui représente les organes de reproduction féminin et masculin réunis... Les civilisations se développent de diverses manières, mais le seigneur Shiva, c'est l'expression la plus élevée de la civilisation. Parce que même la bombe atomique est née du mystère que représente ce dieu...

Ses collègues aimaient bavarder. Tout en soulevant à maintes reprises les flacons d'alcool de patates gardés au chaud dans la grosse bouilloire sur le poêle, ils prêtaient une oreille attentive aux récits de Tomioka, qui avait pu observer les montagnes et les forêts de lointaines contrées.

Tomioka s'était habitué à l'odeur fétide de l'alcool de patates. À la différence de celui qu'il buvait à Tokyo, celui-ci ne donnait pas mal à la tête et avait plutôt bon goût. Au bout d'un moment, ils se mirent à parler de femmes. La vieille qui préparait les repas et la jeune fille qui la secondait les écoutaient en gloussant, tout en coupant des seiches en filaments et en arrosant de sauce de soja des sardines séchées. Tomioka était tellement soûl que même quand il portait sa montre à son oreille, il n'entendait pas le tic-tac des secondes. Sans l'aide de l'ivresse, son esprit était incapable de supporter la réalité. Son corps aussi, peut-être. Il jetait de temps en temps un regard sur les poignets potelés, à la peau foncée, de la jeune servante. Cela faisait longtemps qu'il n'avait pas touché une peau de femme. La vue de sa nuque épaisse, de ses hanches rondes, et même de ses pieds violacés provoquait des élancements au fond de son ventre. Elle portait un pantalon de paysanne en batik de coton indigo et une veste verte. La neige persistante s'était accumulée dans la montagne et, dès qu'on sortait de la cabane, des gouttes de pluie glacée, dure comme du grésil, venaient frapper douloureusement les joues. Or, cette fille, qui vivait dans un climat si rigoureux, ne portait même pas de chaussettes et courait, chaussée de simples socques de bois, d'une cabane de bûcheron à l'autre pour porter les messages.

Son corps souple mettait Tomioka à la torture. S'ils avaient été seuls tous les deux, il l'aurait volontiers prise dans ses bras et culbutée là, sur place. Cela faisait long-temps qu'il n'avait pas été troublé ainsi. Le visage de la fille avait une vague ressemblance avec celui d'Osei. Mais n'était-il pas venu jusqu'ici pour justement réduire en cendres tout ce qui restait de son passé ? Tout en se livrant à ces pensées, Tomioka monta au deuxième étage, où étaient installées d'étroites couchettes super-posées par trois, enleva sa veste de cuir et s'allongea directement sur les couvertures. Le rire de la fille conti-nua longtemps à retentir au fond de ses oreilles.

Il dormit un peu, d'un sommeil tourmenté, et se réveilla à 5 heures de l'après-midi. Les lampes étaient allumées et quelqu'un, en bas, l'appelait. Il jeta un coup d'œil par-dessus la rampe : il y avait eu un coup de téléphone du village, lui dit-on, pour le prévenir que sa femme était en train de mourir. Tomioka enfila sa veste de cuir, dévala l'échelle et mit ses chaussures de montagne près du poêle.

– Mais le train ne repart pas maintenant ?

– Si, je vais le faire partir pour vous. Pour le retour, il n'y a qu'à se laisser descendre. Je vais envoyer quelqu'un avec vous.

Le vieux responsable des affaires générales du bureau s'occupa de tout pour lui. La nuit était déjà tombée sur les alentours. Partout, dans les petites cabanes disséminées dans la montagne, clignotaient les lumières des lampes à pétrole. La pluie s'était muée en neige. Tomioka enveloppa son cou et ses joues, par-dessus son chapeau de pluie, d'une cape que la jeune serveuse de la cabane lui avait prêtée. Il monta dans l'étroit wagonnet, s'accroupit auprès du jeune bûcheron chargé de la conduite et d'un étudiant qui repartait pour Kagoshima par le bateau du lendemain. Tomioka et l'étudiant tenaient à tour de rôle la lanterne portative, à la lumière de laquelle le bûcheron manœuvrait.

Le wagonnet se mit à descendre la montagne dans un bruit de tonnerre. De temps en temps, il flottait un peu au-dessus des rails et le bûcheron s'exclamait tout en réduisant la vitesse : « Oh, oh, on va tomber en bas la tête la première », effrayant ses deux passagers. On n'y voyait pas à un mètre et la lanterne portative suivait les rails qui longeaient un abîme sombre. En bas, sur Anbô, il pleuvait des cordes.

Il était près de 10 heures quand Tomioka arriva enfin à son logement de fonction. Yukiko était morte. Autour d'elle étaient rassemblées sept ou huit personnes parfaitement inconnues de lui, qui veillaient le corps. Tomioka les salua, puis s'assit auprès du lit et, à la lumière d'une lampe à pétrole, contempla un moment le visage enflé de la morte. Quelqu'un, derrière lui, l'aida à enlever son blouson dégoulinant de pluie.

Les mains de Yukiko n'étaient pas encore croisées sur sa poitrine. Tomioka prit dans les siens, comme il avait fait pour son épouse Kuniko, ces doigts qui commençaient à raidir et les croisa doucement sur la poitrine de la morte. Les mains étaient froides et souillées de sang séché. La veuve avait dû nettoyer seulement le visage de la morte. À la vue de ce sang sur les mains de Yukiko, des larmes brûlantes montèrent soudain aux yeux de Tomioka. Osei était morte, Kuniko aussi, et maintenant Yukiko ! Il se mit à secouer violemment le cadavre. Il n'y eut aucune réaction. Autour de lui, les gens qui avaient veillé la morte en attendant le retour de son mari s'en allaient un à un. Il entendait sur le chemin, près de la fenêtre, le bruit des parapluies de papier huilé qu'ils ouvraient en partant.

— À quel moment son état a-t-il empiré ? demanda Tomioka à Nobu Towai, mais cette dernière était bien incapable de lui répondre.

Elle était en train de lire le livre de médecine familiale et la malade lui jetait des regards bizarres, comme si elle devinait quels passages elle lisait. Or Nobu Towai était enceinte. Elle ne voulait pas garder cet enfant et, avec une curiosité bien naturelle, s'était mise à feuilleter ce livre qu'elle avait trouvé au chevet de la malade. De nombreux moyens légaux y étaient décrits. Plongée dans ses pensées, essayant de calculer combien d'argent il lui faudrait pour se rendre à Kagoshima et voir un de ces médecins qui pratiquaient les avortements, Nobu avait jeté un coup d'œil en passant sur le visage de la malade, dont le visage gonflé, les yeux mi-clos l'avaient soudain fait frissonner de terreur. Ne supportant plus de rester seule auprès de cette inconnue – une femme avec laquelle elle n'avait pas le moindre lien – en train d'agoniser, Nobu était retournée en courant chez elle, pieds nus, sous la pluie.

Elle répondit évasivement aux questions de Tomioka. Ce dernier se douta qu'elle mentait mais il était résigné, songeant qu'il était inévitable que les choses finissent ainsi. Yukiko était venue sur cette île pour mourir, semblait-il. Tomioka demanda aux quelques personnes encore présentes de se retirer. Il avait l'intention de demander à Nobu de rester, mais voyant qu'elle paraissait mal à l'aise en présence de la morte, il la laissa partir elle aussi.

Yukiko avait dû souffrir avant de mourir, songea Tomioka, dont le regard s'était arrêté sur les taches de sang, un peu partout sur le lit.

Il ne se sentait le courage de rien faire. Il porta la cuvette de métal où de l'eau chaude frissonnait sur le brasero de la pièce voisine, y trempa une serviette et essuya le visage de Yukiko. Il sortit le tube de rouge à lèvres de la morte du sac à main qu'elle gardait toujours auprès d'elle et lui maquilla les lèvres, mais le rouge refusait de s'étaler. Pendant qu'il lui essuyait les sourcils avec la serviette, il souleva ses paupières sans raison spéciale. Il lui sembla voir remuer les lèvres de Yukiko : « Laisse-moi tranquille, maintenant... », semblait-elle dire. La pluie continuait de frapper le toit de planches avec un acharnement pénible. Oppressé par ce vacarme qui semblait traverser le plafond, Tomioka se demandait ce qu'il devait faire maintenant. Les yeux de Yukiko brillaient comme si elle était vivante. Cela tracassait Tomioka, qui approcha la lampe à pétrole du visage de la défunte et plongea son regard dans ses yeux. Elle avait un regard suppliant. Il lui sembla que ces yeux lui transmettaient une infinité de récriminations. Il sortit un peigne du sac à main, lissa les cheveux emmêlés, les noua. Seulement, maintenant, elle n'attendait plus aucun soin des vivants. Elle se laissait faire, et c'était tout.

La montre de Tomioka indiquait minuit.

La pluie tomba toute la nuit sans un instant de répit, avec un bruit de plus en plus violent. En pleine nuit, Tomioka fut saisi d'une violente diarrhée. Accroupi dans les toilettes, le souffle coupé par la douleur, il enfouit son visage dans ses mains et se mit à pleurer à gros sanglots comme un enfant. Qu'était-ce donc que les êtres humains ? Qu'essayaient-ils donc d'être ?... Leurs vies connaissaient différents développements, et puis ils disparaissaient brusquement de ce monde. Ils s'avançaient en rangs, comme des enfants de Dieu, ou encore comme des amis du démon.

Des gouttes de pluie giclaient de la fenêtre, une simple lucarne grillagée. La lumière de la bougie à ses pieds vacilla. La douleur à son bas-ventre, qui lui évoquait l'enfer, et la puanteur qui régnait dans ces latrines soulevèrent la chair de poule sur la peau de Tomioka.

L'impossibilité de sortir, ne serait-ce que d'un pas, de ce cadre étroit, telle serait son expiation, se dit Tomioka. Cette impossibilité était une sorte de Gethsémani. La mort de Yukiko n'était pas un tel malheur en soi, c'était le fait qu'elle fût venue mourir ici qui était pour Tomioka étonnamment affligeant. Cela n'aurait fait aucune différence si elle était morte renversée par une voiture à Tokyo. Si elle était morte après avoir longtemps souffert, il aurait pu rêver d'elle comme d'un être ayant souffert la Passion... Tout en se tenant le ventre à deux mains, Tomioka sortit des toilettes en rampant à demi, retourna dans la chambre, enroula une couverture autour de ses hanches. Il ne savait pas où se trouvait le nord, direction dans laquelle les défunts devaient être placés; il plaça néanmoins tête au mur, le matelas sur lequel reposait le cadavre à l'air tout aplati. Sur la couette neuve était posée une paire de ciseaux fabriquée à Tanegashima[1].

Sur cette île où ni Yukiko ni Tomioka n'avaient encore aucune relation, des inconnus étaient venus veiller la morte en l'absence de celui qu'ils pensaient être son mari. Tomioka en éprouvait une impression étrange. Les êtres humains pouvaient avoir à affronter ce genre de malheurs à tout moment, n'importe où. Et que savait-il des malheurs de ceux qui avaient veillé Yukiko ? C'était bien là les bizarreries de la vie, se dit Tomioka, tout en allant chercher dans la cuisine l'alcool de patates qu'il avait envoyé Nobu acheter le soir même. Il le fit chauffer et se mit à boire. Cette beuverie solitaire, sans aucune compagnie, sinon la morte dans la pièce voisine, avait aux yeux de Tomioka une fraîcheur liturgique et ramena un peu de joie dans son cœur.

Il se disait qu'un jour ou l'autre il serait lui aussi réduit à cette forme rigide, cependant il n'avait aucune envie de suivre Yukiko maintenant dans la mort. Plus l'ivresse montait, plus il se laissait aller à ses sentiments, des sentiments humains enfouis au fond de sa poitrine, et

---

1. Il s'agit d'une coutume locale, les ciseaux étant sans doute destinés à couper la route aux démons. *(N.d.T.)*

qui faisaient son salut. L'ivresse qui se propageait à travers tout son corps se muait en excitation : il était reconnaissant du simple fait d'être en vie. Quelle chance c'était d'être vivant ! Il lui semblait voir briller de temps en temps dans l'espace l'éther subtil de la morte. Il jetait alors un coup d'œil vers la forme aplatie sur le lit contre le mur. Mais le cadavre, parfaitement silencieux, n'avait pas bougé.

De ses trois femmes, il lui semblait maintenant que c'était Yukiko qui avait été la plus proche de lui. Pourtant, cette dépouille glacée n'éveillait aucune réaction en lui.

Dans son cerveau embrumé par l'ivresse revinrent flotter des souvenirs de leur passé en Indochine et des larmes brûlantes montèrent à ses paupières. Il sombra peu à peu dans une terrible ivresse et continua à boire coupe sur coupe de cet alcool qui lui brûlait le ventre. Comme il n'avait rien mangé, l'ivresse circulait dans son corps avec une puissance terrible, mais il continuait néanmoins à boire en soliloquant.

Le vent se mit à souffler, éteignant la bougie au chevet de la morte.

Tomioka en alluma une autre et alla, d'un pas titubant, la placer près du lit. Ce visage sans expression, pareil à un masque, parut arraché à sa solitude, et Tomioka, lui trouvant un air triste, posa sa main sur son front. Mais l'inhumanité du cadavre sans vie lui fit retirer aussitôt les doigts. Comme il n'avait pas d'autre serviette, ni de gaze, il prit une liasse de feuilles de calligraphie qui se trouvait par là, l'ouvrit en deux et la posa, comme un toit, sur le visage de Yukiko.

67

Un mois passa. Tomioka prit une semaine de congé et partit faire un tour à Kagoshima. Cette ville à l'air sec, où il pleuvait peu, lui fit l'effet d'un autre univers. En arrivant, il se rendit à la même auberge que la dernière fois. Peu de temps s'était écoulé depuis son séjour ici avec Yukiko, pourtant toutes les servantes avaient déjà changé. On lui donna par hasard la même chambre. Tomioka fut frappé par cette coïncidence étrange.

Il alla à l'horlogerie du quartier, pour faire réparer la montre qu'il y avait achetée et que la pluie avait déréglée, mais le patron, lui dit-on, était souffrant, et c'était lui qui s'occupait des réparations. Tomioka dut donc porter sa montre dans une autre boutique. Sur le chemin du retour, il s'arrêta à l'hôpital où travaillait le docteur Hika. Ce dernier était là et se rappelait fort bien Tomioka. Une fois dans le cabinet qui empestait les médicaments, Tomioka lui annonça le décès de Yukiko.

– C'était une maladie assez inquiétante, dit le docteur, j'aurais préféré faire une radio.

Maintenant que la malade n'était plus là, une sorte de gêne pesante s'établissait entre eux. L'alcool dans lequel Tomioka se noyait depuis un mois avait altéré ses traits jusqu'à le rendre méconnaissable. Il allumait des cigarettes à la chaîne et le cabinet ne tarda pas à être complètement enfumé. Une secrétaire leur apporta du café.

Tomioka porta la tasse à l'arôme odorant à ses lèvres, avec l'impression d'être revenu à la civilisation.

– Si je mettais la *Symphonie du Nouveau Monde* ? Je crois que votre femme l'aimait bien, proposa Hika en posant un disque sur l'électrophone qu'il avait, disait-on, fabriqué de ses mains.

Pendant qu'ils écoutaient le disque, Hika fit remarquer, d'un air de ne pas y toucher, qu'il se pouvait bien que Yukiko ait été malade depuis longtemps déjà, sans le savoir.

– Si je vous examinais aussi pour voir, qu'en dites-vous ? Vous buvez beaucoup, non ? ajouta-t-il en riant.

Le simple fait d'écouter de la musique avait apaisé Tomioka. Hika dit qu'il devait se rendre à une réunion et Tomioka quitta l'hôpital en promettant de revenir. Il n'avait aucun lieu particulier où aller. Chaque vie avait ses propres arabesques compliquées, dont personne d'autre ne pouvait se mêler, songeait-il. La nostalgie qu'il avait éprouvée pour la présence du docteur Hika, lorsqu'il était dans sa petite île lointaine, s'était complètement refroidie maintenant. C'était un médecin honnête, ordonné. *On ne se soigne jamais trop*[1]... Mais la vie ne se limitait pas à maintenir la santé physique. Tomioka voulait s'arrêter dans une librairie d'occasion et acheter un livre avant de rentrer à l'auberge. Il avait envie de lire du Zola. Il se rappelait que la dactylo de sang mêlé qui travaillait autrefois au bureau des Eaux et Forêts à Dalat lui avait un jour prêté *L'Assommoir*. Dans le crépuscule, il traversa l'avenue de l'Observatoire, fort animée, s'arrêta devant chaque cinéma pour voir ce qu'on jouait. Une foule de gens qui avaient tous l'air de métis allait et venait, s'écoulant comme une rivière sur le trottoir étroit. Même le spectacle de l'animation de la

---

1. En français dans le texte.

ville paraissait maintenant pesant à Tomioka et il s'engouffra dans une rue latérale, entra dans un petit bar à hôtesses. Elles avaient des maquillages épais, luisants de graisse. L'une d'elles, en robe du soir rouge, lui plaisait assez. Il but de la bière, que cette femme lui servit. Il ne se rappelait plus que la bière avait si bon goût. L'air du soir, sec et parfumé, lui parut plaisant pour la première fois depuis longtemps. La femme en robe rouge avait des yeux minces comme des traits, mais son regard, du fond de ses paupières épaisses, lançait de temps en temps des éclairs troublants. La paume de ses mains avait une couleur laiteuse. À la lumière de la lampe électrique, cependant, on voyait que sa robe rouge était sale. Un guitariste, un foulard rouge autour du cou, entra et s'arrêta sur le seuil de la salle minuscule.

La femme le renvoya aussitôt en lui lançant quelques mots à toute vitesse avec un fort accent. Sa façon de parler ressemblait un peu à celle de Yukiko. La vision de l'instant où le cercueil de Yukiko avait été placé sous la terre détrempée par la pluie était restée gravée dans le cœur de Tomioka. Dire que même cette vie, si forte, s'était éteinte... Et voilà qu'ici germait à nouveau le blé de la tentation. Adam n'avait pas tiré les leçons de son expérience et se laissait séduire par l'atmosphère du moment... Dieu semait d'innombrables graines. Mais la pousse et la récolte ne dépendaient que des propres forces de chacun. En un clin d'œil, Tomioka avala encore une demi-douzaine de bières, puis la femme le traîna jusqu'au premier étage.

La nuit était déjà avancée lorsqu'elle le raccompagna à son auberge. C'était une femme plus honnête qu'il n'aurait cru : il restait encore pas mal d'argent dans son portefeuille, en dehors de celui qu'il avait laissé à l'auberge. Tout cet argent venait de Yukiko, c'était celui qu'elle avait volé à la secte du Grand Soleil. Pelotonné tout habillé sous les couvertures bien sèches, Tomioka suivait ses propres pensées, qui devenaient peu à peu lourdes comme des pierres.

Il ne se sentait pas le courage de retourner à Yakushima. Mais cela lui faisait de la peine de laisser le cadavre de Yukiko seul sur cette île, sous la terre. En même temps, retourner à Tokyo... Qu'avait-il à y faire désormais ?

Il imagina sa propre silhouette sous la forme d'un nuage flottant. Un nuage errant au gré du vent qui, un jour, quelque part, insensiblement, disparaîtrait.

Cet ouvrage a été imprimé par la
SOCIÉTÉ NOUVELLE FIRMIN-DIDOT
Mesnil-sur-l'Estrée
pour le compte des Éditions du Rocher
en février 2005

Éditions du Rocher
28, rue Comte-Félix-Gastaldi
Monaco

Imprimé en France

Dépôt légal : février 2005
CNE Section commerce et industrie Monaco : 19023
N° d'impression : 72516